U0804052

权威·前沿·原创

皮书系列为

“十二五”“十三五”国家重点图书出版规划项目

北京国际城市发展研究院社会建设研究重点项目
北京市社会发展研究中心西城区街道发展研究重点项目
北京国际城市文化交流基金会智库工程出版基金资助项目

街道蓝皮书
BLUE BOOK OF SUB-DISTRICT OFFICE

北京街道发展报告 No.1 大栅栏篇

THE DEVELOPMENT OF BEIJING'S SUB-DISTRICT OFFICES No.1: DASHILAR CHAPTER

主　　编 / 连玉明
执行主编 / 朱颖慧

社会科学文献出版社
SOCIAL SCIENCES ACADEMIC PRESS (CHINA)

图书在版编目(CIP)数据

北京街道发展报告. No. 1. 大栅栏篇 / 连玉明主编
. -- 北京：社会科学文献出版社，2016. 8
(街道蓝皮书)
ISBN 978 - 7 - 5097 - 9205 - 6

Ⅰ. ①北… Ⅱ. ①连… Ⅲ. ①城市道路 - 城市建设 - 研究报告 - 西城区 Ⅳ. ①D669. 3

中国版本图书馆 CIP 数据核字（2016）第 119042 号

街道蓝皮书
北京街道发展报告 No.1 大栅栏篇

主　　编 / 连玉明
执行主编 / 朱颖慧

出 版 人 / 谢寿光
项目统筹 / 邓泳红　郑庆寰
责任编辑 / 陈　颖

出　　版 / 社会科学文献出版社 · 皮书出版分社（010）59367127
地址：北京市北三环中路甲 29 号院华龙大厦　邮编：100029
网址：www. ssap. com. cn
发　　行 / 市场营销中心（010）59367081　59367018
印　　装 / 三河市东方印刷有限公司

规　　格 / 开 本：787mm × 1092mm　1/16
印 张：17. 75　字 数：270 千字
版　　次 / 2016 年 8 月第 1 版　2016 年 8 月第 1 次印刷
书　　号 / ISBN 978 - 7 - 5097 - 9205 - 6
定　　价 / 198. 00 元

皮书序列号 / B - 2016 - 515

街道蓝皮书编委会

《北京街道发展报告 No. 1 大栅栏篇》
编 写 组

总 策 划	艾 丽　连玉明　朱颖慧
主　　编	连玉明
执行主编	朱颖慧
副 主 编	焦 扬　朱永明　秦坚松　邢旭东
核心研究人员	连玉明　朱颖慧　焦 扬　邢旭东　秦坚松 张 涛　高继龙　朱永明　翟萌萌　王彬彬 姜思宇　吴 佳　赵 昆　孟芳芳　张 洪 文进方　朱盼盼　陈 曦　龙荣远　郭姗姗

主编简介

连玉明　著名城市专家，教授、博士，北京国际城市发展研究院院长，北京市人民政府专家咨询委员会委员，北京市社会科学界联合会副主席，北京市哲学社会科学京津冀协同发展研究基地理事长、首席专家，基于大数据的城市科学研究北京市重点实验室主任，大数据战略重点实验室主任，北京市社会发展研究中心理事长。

研究领域为城市学、决策学和社会学。近年来致力于大数据战略和生态文明理论及实践研究。主编《社会管理蓝皮书：中国社会管理创新报告》（2012/2013/2014）、《贵阳蓝皮书：贵阳城市创新发展报告》等专著60余部。主持编制了北京市西城区、朝阳区、门头沟区和贵州省贵阳市“十三五”社会治理专项规划。

摘　要

基层治则国家治。街道在城市和国家治理体系中处于基础性的地位。在北京市落实首都新定位、建设国际一流和谐宜居之都的历史进程中，西城区任务艰巨，使命光荣。近年来，西城区围绕做好“四个服务”，坚持“抓街道、街道抓”，深入推进区域发展转型和管理转型，不断深化街道社区管理体制改革，落实街道加强区域党建、统筹辖区治理、组织综合执法、指导社区建设等职能；15 个街道立足自身优势，融入发展大局，积极探索首都基层治理体系和治理能力现代化之路，其丰富实践为首都城市治理创新提供了鲜活的经验，具有重要的借鉴意义和理论价值。

《北京街道发展报告 No. 1 大栅栏篇》以构建活力党建、打造魅力街区、建设和谐大栅栏为研究主线，从理论与实践两个方面，对统筹视域下的基层区域化党建、志愿服务的可持续发展、琉璃厂历史文化街区保护创新等问题展开研究。同时，立足大栅栏区域发展实际，对辖区内的工作人口、社区居民进行公共服务情况问卷调查，对重点问题进行深入调查研究，梳理和总结出综治维稳“1 +6 + X”模式、大栅栏文保区养老服务模式、“1533”安全生产模式、“成长加油站”流动儿童关爱项目、“三环式”企业退休人员社会化管理模式等可借鉴、能复制的经验模式。

在此基础上，本书认为大栅栏街道还应着力破解城市管理与流动人口调控两大难题，推进民生服务保障带、传统商业文化带、街道风貌保护示范带的建设，以“党建统筹、安全稳定、公共服务、城市管理”四大平台为支撑，创新历史文化街区工作模式，进一步推进古都风貌的保护、历史文化的传承、人居环境的改善和产业结构的优化升级。

Abstract

Well-governed localities give rise to a well-governed country Sub-district holds a foundational position in a city and country's governance system. In the historical process of implementing Beijing's new positioning as the nation's capital and building a world-class harmonious and livable city, Xicheng District takes on monumental tasks and glorious mission. In recent years, Xicheng District centering on the principles of "Four Services" and "Governing street, self-governance," has pressed ahead with regional development and management transformation, deepened reform on sub-district community management system, implemented Party construction and coordinated governance at the sub-district level, organized comprehensive law enforcement, and provided guidance to community construction. 15 sub-districts based on their own advantages have integrated into the grand development framework, proactively exploring the path of achieving the modernization of grassroots governance system and governance capacity, as its rich practice has provided fresh experience in urban governance innovation for Beijing. These experiences carry great value of reference and theoretic significance.

The Development of Beijing's Sub-district Offices No. 1: Dashilar Chapter undertakes theoretical and practical studies on grassroots Party organization under the coordinated context, sustainable development of volunteer service and protection and innovation on Liulichang historic and cultural street neighborhood, following the major lines of forging vibrant Party grassroots organization, charm street neighborhood and building harmonious Dashilar. Meanwhile, based on the real condition of Dashilar area, it conducts public service questionnaire survey of targeting residents and working population within the jurisdiction, conducts in-depth research on the key issues, sorting out and generalizing models that can be referred to and replicated including "1 + 6 + X" comprehensive governance and maintaining stability mode, senior care model for Dashilar cultural relic conservation area, "1533" safe production mode, "growing-up gas station" migrant children care program, and "three ring-road type" social governance model for enterprise retirees.

On this basis, the report concludes that Dashilar street neighborhood should make concerted efforts in addressing two pressing issues of urban management and float population regulation, pressing forth with the construction of public wellbeing service insurance belt, traditional business culture belt and street appearance protection demonstration belt, taking innovative approach to historic culture street neighborhood underpinned by four platforms of "Party organization construction coordination, safety stability, public service and urban management," and further advancing the conservation of historic neighborhood, inheritance and development of history and culture, improvement of living condition and optimization and upgrade of industrial structure.

目 录

Ⅳ 调研报告

Ⅴ 案例报告

CONTENTS

Ⅲ Theory Reports

Ⅳ Survey Reports

Ⅴ Case Reports

代前言
重视志愿服务在地区治理体系中的战略意义

田　静*

一　志愿服务是社会动员的重要方式

自从 1983 年 2 月 27 日大栅栏街道签订全国第一份“综合包户”协议后，“综合包户”就成为大栅栏街道志愿服务的一张名片，并且被公认为学雷锋“综合包户”志愿服务的发源地。现在“综合包户”活动已经坚持了 30 多年，志愿精神已经成为大栅栏精神文化体系的重要组成部分。

作为街道来说，紧紧抓住这一工作优势，针对地区的实际特点和民生需求，积极探索符合老旧平房区特点的全响应的社会服务和创新，逐步建立起党委政府主导，专业力量和公共服务为主，社会力量和志愿服务为有效补充，互联互补、互动互促的多元的社会治理体系。

说起大栅栏街道志愿服务的发展，不得不提大栅栏街道的特殊街情。大栅栏街道紧邻天安门广场，历史文化底蕴深厚，胡同肌理保护完善，中华老字号聚集，拥有两条著名的商业街，一条是近 600 年历史的大栅栏商业街，还有一条是近 800 年历史的琉璃厂文化街。大栅栏街道面积 1.26 平方千米，常住人口 3.7 万人，还不包括每天在大栅栏地区旅游的游客，平均每天的游客都能达到七八万，最高峰的时候还曾达到二十多万。地区人口

* 田静，时任中共北京市西城区委大栅栏街道工作委员会书记。

密度大，五小门店多，老旧平房多，弱势群体多，市政基础设施相对薄弱，从街道来说，面临巨大的安全维稳的压力，面对流动人口服务管理难、城市秩序管理任务重和民生保障需求大等诸多问题。而悠久的历史文化、特殊的地理位置、复杂的区域环境，又使大栅栏成为社会治理的敏感地带。所以我们一直在积极地思考，如何结合地区的特点和实际情况来破解制约地区管理和发展的难题。

我们在工作实践中逐渐发现，公共服务所能达到的更多的是一种共性的、普遍的服务，如果要实现特殊的、个性的服务，就要有效地组织好志愿服务，形成对政府公共服务的有益补充，形成全方位、全覆盖的社会服务体系，更有利于社会的和谐，也有利于调动和动员广大居民群众参与到社会治理当中来。可以说，志愿服务是重要有效的社会动员方式，大力发展志愿服务有利于创新社会动员机制，进而推进和创新社会治理。

大栅栏街道在社会治理中主要面临三个难题：地区安全稳定的难题、流动人口服务管理的难题和民生保障的难题。我们结合这三个方面的问题探索一种新的动员方式，也就是除了政府、党委提供的公共服务以外，还有更多的社会力量和志愿服务补充到社会治理的工作力量当中来。

第一个，破解安全稳定的难题，广泛动员，专群结合。在加强专业执法队伍统筹联动的基础上，将居民群众和辖区单位以及商户作为维稳工作中不可忽视的力量，在敏感时期的安保任务、防火防盗等方面着重构建专群结合，积极探索了“1+6+X”的工作模式和经验，这几年通过实践也证明我们这套机制是有效的。另外，积极探索商户自立自管的模式，在商户比较集中的十条街巷建立了商户自立自管组织，让商户主动参与到环境建设、助老助残服务中来。在重点繁华大街实行了“七户联保，轮流执勤”的防控模式。应该说通过这些具体措施，实现了地区的安全稳定，有效地破解了地区安全稳定的难题。

第二个，破解流动人口的难题，引导动员，融入参与。大栅栏地区流动人口占到常住人口的1/2，流动人口的子女放学以后普遍无人看管，在胡同里面乱跑，安全隐患非常大。针对这个情况，街道打造了一个有效的平台，加强流动人口服务的管理，建立了一个“成长加油站”。这不是街道社区自己的力量，而是借助团中央“七彩小屋”，与五所高校的青年志愿者签订了协议，他们每周三次派志愿者到我们社区来，组织流动人口的子女开展学习活动，带动流动人口家庭教育，并把防火、安全的教育，包括社区建设的要求传达到每个家庭。

第三个，破解民生保障难题，社会动员，引智借力。大栅栏街道弱势群体多，老龄化程度比较严重，目前60岁以上的老人占到总人口的26%，超过了全市平均值3个百分点，地区也没有成规模的专业养老机构，居家养老的需求非常突出。针对养老难的问题，街道组织志愿者成立助老服务队，实现地区空巢老人、孤寡老人的全覆盖服务。

通过这几年我们把志愿服务纳入社会动员的实践来看，应该说，坚持把社会协同、公众参与作为社会建设的基本着力点，健全社会动员体系，创新社会动员机制，探索形成体现时代特征、具有大栅栏特点、符合西城特色和地区实际的社会动员机制，是有效的。

二　专业化优势是志愿服务参与地区治理的核心价值

志愿服务参与地区治理的核心价值是专业化优势。比如在养老照料方面，我们与社会服务机构有效对接，看中的就是他们的专业力量。养老志愿者不能仅靠感情、靠热情，还必须要专业。我们这支志愿者队伍，每个人都有家庭保健师的上岗证书，当然他们也非常有激情做好这项工作。

大栅栏街道是北京市志愿联合会的理事单位，始终在志愿服务工作模式、组织运作、网络平台建设上积极创造条件，加大投入。一是加大自身志愿服务组织的力度。每个社区都注重培育一个有特点、有专业力量对接的精品化的团队。很多地方做社区志愿服务，小而全，什么队伍都有，但是哪支队伍都做不精。而大栅栏街道，非常注重资金的投入和智力的支持。二是加大志愿服务专业化建设的力度。在大栅栏地区服务的志愿者队伍都是很专业的，有7所高校每周派出志愿者队伍到这儿来参加项目合作，还有10家服务机构，我们积极地为他们提供服务的场所和平台。三是运用“志愿云”的信息化手段。志愿服务不能仅靠奉献，不能仅靠热情，需要持久、长期、坚持的生机和活力。今年，我们积极争取到北京市志联提供的“志愿云”服务计时系统的试点工作。每次志愿者到我们街道来做志愿服务，通过二维码扫描计入“志愿云”服务系统，根据志愿者服务的时长，从街道到市里、到全国，每年都会根据志愿者服务的时限进行反馈，这样使志愿服务的机制形成了常态化，更具生机和活力。目前在大栅栏地区登记的志愿者是3090人，专业的志愿者队伍是65支，还和7所高校，包括北京师范大学、清华大学、北京理工大学等，10家专业的研究机构和社会组织对接他们的服务项目和服务内容，使过去老街区传统的志愿服务注入了新的内涵和形式。志愿服务仅靠老居民的感情是不能持续的，也是没有生机和活力的。更多的专业志愿者队伍的注入，才能使我们的服务更加有效。此外，我们还建立了一些正规的、有效的制度去激发志愿者的热情，比如往返的交通补助、餐费补助等。

三　志愿服务项目化是实现公共服务社会化的基本路径

志愿服务不仅是我们的精神财富，也是社会治理机制的重要组成部分，需要制度的支持和保障。

现在世界上很多国家都在进行公共服务改革，而其中一个比较共性的发展趋势就是公共服务的社会化。具体来说，公共服务主要有非营利组织的供给、社区的供给和自愿供给等形式，其中非营利组织的供给主要是通过项目化实现的。

项目化发展是志愿服务工作扎实可靠的抓手，能够为志愿服务团队拓展服务广度和挖掘服务深度提供有力支撑。比如刚才提到的我们2012年在三井社区启动的“成长加油站”青少年社区拓展项目，就是一个面向社区流动儿童、农民工子女的关爱阵地，它通过青少年成长小组、“三井之家”社区冬夏令营、“快乐小陶子”流动图书馆、“童梦舞台”等一系列活动，有效解决了流动儿童放学后无人看管照顾、学习环境较差、社区认同感和归属感不足等很多问题。

我们不仅重视培育新的项目，还注重对品牌项目的深化挖掘。比如我们“综合包户”志愿服务活动已经从最初服务孤寡病残居民、军烈属，逐步发展到帮助贫困家庭和流动儿童，服务范围从单纯的物质帮扶延伸到助学、助困、便民、互助、促进再就业等“全方位”服务，服务形式也从开始的一包一，到一包综、综包一等多种形式，还有了专业力量和社会资源注入的文化项目。

此外，我们还与北京青年压力管理服务中心合作开展“心灵驿站”心理咨询服务项目；与辖区怡德亨律师事务所合作成立了晨夕法律援助中心，为地区老年人提供免费法律咨询；与泓德中育社会发展中心合作开展公共安全教育训练推广项目，并且以铁树社区为试点，绘制社区灾害管理地图；与北京市城市再生资源服务中心合作开展“废旧物品公益行”活动等。

必须指出的是，我们服务的项目一定是科学的，要坚持问题导向，从群众需求出发，而不是一厢情愿。同时，每个项目的运作，从开始立项到资金的投入，再到最后的结项评估都有一整套机制，保证项目得到群众的认可，起到良好的效果。这几年来，我们一共发布了 32 个助老、助残、助学、助困、互助、再就业等项目，可以说在公共服务的各个方面发挥着积极的作用，有效弥补了政府服务和市场服务的不足。尤其是在当下我国社会保障体系还不是非常完善的情况下，对困难群体和特殊群体提供了重要的生活保障和发展保障，有利于促进社会公平和正义的实现。

大栅栏地区志愿精神的形成离不开各社区在志愿服务方面所做的努力。比如，大栅栏商业街坐落的煤市东街社区，是北京综包的发源地，辖区企业跟某一户居民形成志愿服务一对一、一对多的对子，这种对子在煤市东街社区有 28 户，其中主要帮扶对象是特困群体，包括残疾人、低保户、空巢老人，而且有些企业参与，像同仁堂，都已经包了十多年。

除了帮助一个家庭以外，企业还会把他们的文化资源用在社区服务上。

比如同仁堂有中医药文化，现在大家注重文化养生和健康生活理念，再加上老旧城区退休人员比较多，大家都比较关心身体方面的情况，煤市东街社区就把同仁堂的健康大讲堂引入社区来，也就是利用企业的专业特长来服务社区居民。企业都有各自的特色，如同仁堂、张一元、瑞蚨祥都有各自的文化，这些文化老百姓都能够受益。现在生活比较丰富多彩，大家关注的面也不太一样。

还有城区供电局共产党员服务队，也是一个辖区单位志愿者组织，他们一是开展安全用电的讲座，二是对老旧平房区困难户的电线进行上门改造，包括帮助高龄老人安装小夜灯，方便老人的生活。电线改造用的是共产党员爱心捐款，安装小夜灯的由社区出钱买灯泡，供电局免费安装，企业对于老百姓的服务都是无偿的。

再比如前门西河沿社区组建了尚德公益团队。团队一共有六支队伍：统战艺术团、文明养犬俱乐部、治安巡逻队、助老服务队、楼房停车自管会以及志愿者联络站。在尚德公益团队的引领下，六支团队开展不同的工作。其中楼房停车自管会对于前门西河沿社区来讲，是比较好的一个做法。因为前门地铁沿线的区域比较宽，而小区又是开放式的，大量的社会车辆和办事的车辆停在居民楼前，挤占了居民自己的停车位。有的居民为了使自己能够停车，私自在自己认为合适的地方安装地锁，给居民出行带来了很大的不安全，特别是老人和孩子晚间出去遛弯容易出现磕伤、摔伤。社区了解到这个问题以后，开了几次关于6号楼房居民代表的座谈会，大家集思广益。6号楼的楼长，还有两三户骨干分子，提出对本楼的私家车进行自主管理。他们贴出了一个通知，凡是本楼有车的人，先进行车牌号、车型统一登记。他们把自己本楼的区域划分了一下车位，有36个车位，车位数确定以后，再召集有车的业主开会，按照先后顺序，先登记的先使用，超过36以后的，只能等着。把一些自律的内容跟大家说清楚，大家基本没有意见，而且在这当中，他们又收取了一定的费用，每家出一百元或者是一百多元，在家门口画停车线。大家达成一致意见后，实行了两年多，效果比较好。现在4号楼和8号楼也采取这种方式解决了本楼的停车难问题。

四　志愿服务常态化是基层治理现代化的重要标志

大栅栏地区的志愿服务坚持开展了30多年，可以说已经实现了志愿服务的常态化。

让志愿服务成为一种常态、一种文化、一种生活方式，让更多的人加入志愿服务队伍并且享受志愿服务，是志愿服务事业一个很重要的目标。志愿服务常态化不仅有助于促进社会发展，而且对个人的道德修养、心理素质、人际交往、综合能力等方面也是有益的。国家一直在强调，开展志愿服务是创新社会治理的有效途径。我个人理解，这句话背后其实还有一层意思，就是志愿服务常态化是基层治理现代化的重要标志。为什么这么说呢？首先要明白什么是治理现代化。

我认为，现代社会治理与传统社会治理的一个最大区别，在于治理主体多元化。现在的社区居民结构与以往相比更为复杂，居民的职业、兴趣、价值观等都有很大的不同，这就造成居民的利益、需求甚至是矛盾冲突越来越多元化。这些问题单靠政府的行政治理手段是不可能全部解决的，这就需要发动社会的力量、居民的力量，鼓励和支持社会上的各个主体参与治理，从政府包揽向政府主导、多元共治方向转变。

志愿服务是充分调动社会和群众参与社会治理的一个重要方式，但这种服务必须是常态化的，而不能是偶然性的。确实，由于现在志愿服务在法律与体制建设上还不够完善、专业人才比较缺乏、志愿者队伍不够稳定、缺乏持续开展志愿服务的动力等各种因素的影响，志愿服务常态化还存在一些瓶颈和障碍。

在实际工作推进中，就街道这个层面而言，我们发现的问题主要有几个方面。比如，志愿服务工作缺乏宏观的顶层设计来统领整个区域的志愿服务发展；志愿者和志愿队伍的社会认可度定位不高，打造专业化和规范化意识不强；志愿服务的实施方法单一，缺乏持续开展的动力和有效支持等。为了解决这些问题，除了刚才提到的率先启用“志愿云”服务计时系统、重视培育品牌项目、增强志愿服务专业化建设的力度以外，街道还特别注重以区域化党建为统领，通过对志愿服务工作进行通盘考虑、统筹谋划，整合地区老字号企业党组织资源和地区各界力量，把党的组织优势转化为资源优势，引导地区老字号和知名企业参与到志愿服务和社会建设当中来，带动区域化志愿服务整体发展。比如，我们组织以综合包户志愿服务为主题的党建沙龙活动，发布32个助老、助学、助残、助困、再就业等项目，有60多家企业与困难群体签订帮扶协议，建立了帮扶关系。此外，我们还坚持每年评选地区“十佳风采人物”、“十佳公益团队”和“十佳服务项目”，推动志愿服务就近化、常态化和品牌化。

所以，关于志愿服务常态化的经验，我觉得主要有以下四个方面。第一，要重视制度建设，为志愿服务提供积极的制度保障；第二，要重视社会组织的培育和发展，提升其管理与服务能力；第三，要重视政府的引导作用，加大政策、资金、信息、人力等多方面的支持，大力培育和普及志愿服务精神；第四，要重视整合志愿服务资源，建立信息共享机制，推动志愿服务走向网络化和信息化。总之，我认为，志愿服务已经成为一种发展趋势，建立和健全志愿服务发展的长效机制，推动志愿服务的常态化发展，也是我国志愿服务事业发展的必然要求。

总 报 告

General Report

B.1

大栅栏：探索历史文化街区优化提升之路

摘 要： 大栅栏街道地处首都核心功能区，同时又是一个集历史文化保护区、传统商业街区、旅游区为一体的综合街区。近年来，街道在城市精细化管理、安全维稳、志愿服务、区域化党建、规范化社区建设、文商旅融合发展等方面成绩显著。本文分析了新形势下大栅栏街道的优势与劣势、机遇与挑战，提出大栅栏街道应该坚持以构建活力党建、打造魅力街区、建设和谐大栅栏为总体目标，着力破解城市管理与流动人口调控两大难题，推进民生服务保障带、传统商业文化带、街道风貌保护示范带的建设，以“党建统筹、安全稳定、公共服务、城市管理”四大平台为支撑，创新历史文化街区工作模式，进一步推进古都风貌的保护、历史文化的传承、人居环境的改善和产业结构的优化升级。

关键词：　历史文化街区　保护传承　民生服务　城市管理　大栅栏街道

一　大栅栏街道的历史与现状

（一）从廊房四条到大栅栏

大栅栏原名是廊房四条，位于北京市的中心城区，距今有大约500年的历史，曾经是一个繁华的商业区。明代永乐皇帝建都北京后，在皇城四门、钟鼓楼等处建造店铺房屋，招商经营，统称为“廊房”，由此可见所谓的“廊房”，指的就是邻街经营的商铺。在前门外路分为廊房头条、廊房二条、廊房三条和廊房四条，其中廊房四条的位置就是今天的大栅栏。

明孝宗弘治元年（1488年）实施“宵禁”，为防止盗贼下令在北京的街巷门口设置栅栏，其中廊房四条的栅栏由商贾出资，因而格外得大。到清代，这里更是成为主要的商业中心，商户们为了能够有效地防止盗贼，栅栏建得比其他地方都大，而且制作出色，慢慢地“大栅栏”就取代“廊坊四条”成为这条街道的正式名称。1900年义和团在大栅栏街放火焚烧卖洋药的老德记药房，火势蔓延将这一带繁华密集的商业区全部烧毁。2000年，北京市政府在大栅栏重新修建了铁艺栅栏，真正的栅栏又回来了。

（二）大栅栏街区概况

大栅栏街道位于原宣武区东北部，东起前门外大街西侧（不含邻街房），与原崇文区相邻，南至两广大街中心线，西至南新华街中心线，北抵前门箭楼西侧路，与西城区临界，地域近似正方形。1995年区域面积1.3平方千米，2003年8月1日开始大栅栏街道新行政管辖范围，西线由原南起虎坊桥路口、沿南新华街东侧（不含邻街房）向北至和平门路口，调整为南起虎坊桥路口大街中心交会处，沿南新华街中心线向北至和平门路口西交会处；南线由原珠市口西大街东口至珠市口西大街西口南侧，调整为东起珠市口路口，沿广安大街道路中心向西至大栅栏街道西边界延长线交会点以北，区域面积减少0.03平方千米。目前区域面积为1.26平方千米，街巷114条，街道下辖9个社区（基本情况见表1），社区居委会9个，户籍人口21675户、56386人，常住人口36997人，流动人口14737人。有汉族、蒙古族、回族、藏族、维吾尔族、苗族、彝族、壮族、布依族、朝鲜族、满族、侗族、瑶族、白族、土家族、黎族、畲族、高山族、土族、达斡尔族、羌族、撒拉族、仡佬族、锡伯族、怒族、鄂温克族、赫哲族等27个民族，其中汉族人口占辖区总人口的94.3%。有中央直属单位2个，市属单位8个，区属单位15个，中、小学3所，幼儿园2所。

表1　大栅栏街道管辖社区基本情况

社区名称	位置和面积	人口情况	社会组织或社会单位	社区特色
延寿街社区	位于大栅栏街道西北部，东起延寿街胡同，西至东北园胡同，北到佘家胡同，南至琉璃厂东街（不含琉璃厂东街），辖区共九条胡同，面积约0.12平方千米	共有居民1961户，4824人	1个社区居民小组，百姓家超市、南城中医院、西河沿房管段、亮马宾馆4家单位	社区“护帮护望”公益服务队秉承“无私奉献、真诚友爱、爱心互助、共同进步”的服务宗旨，下设6支服务队，积极开展“一助一”、“多助一”为老服务，便民服务，单弦演奏等特色服务。社区服务站承接102项社区服务项目
三井社区	地处大栅栏地区中南部，辖区面积0.23平方千米，西起延寿寺街，东至煤市街，北至大耳胡同，南至炭儿胡同，有16条街巷	居民总户数2886户，本市户籍人口7024人，流动人口1831人	22个居民小组，大栅栏派出所、炭儿小学校、清真寺、第一工程处、永安茶庄等机关、企业单位及16家个体户	社区“益德爱民驿站”坚持“崇尚公德、为民服务，践行公益、共建和谐”的宗旨开展工作。通过开展青少年“成长加油站”、“爱心畅行指南针——三井便民服务岗”志愿服务，提升社区工作的专业化程度

续表

社区名称	位置和面积	人口情况	社会组织或社会单位	社区特色
大栅栏西街社区	地处繁华商业区，东邻大栅栏，西接琉璃厂，商居混杂，面积约0.12平方千米，共有9条胡同	本市户籍人口2407户，5998人，流动人口约1200人	社区残联、社区妇联、社区老年人协会等7个社会组织，个体商户178家	社区服务站服务项目102项，其中志愿者服务队、“一助一”、“多助一”帮扶特色鲜明；针对辖区老龄化趋势严重的现状，社区以“居家养老”为特色，开展服务对象全覆盖，服务渠道全畅通，服务时间全天候的“三全”服务
石头社区	地处北京市西城区大栅栏地区中南部，辖区面积0.12平方千米，位于天安门西南；西起石头胡同，东至煤市街，北至大力胡同、棕树斜街，南至珠西大街	本市户籍人口2560户，6172人，流动人口432户，1884人	居民小组20个，大栅栏街道办事处、大栅栏社区卫生中心石头卫生站、丰泽园饭店等20多家机关、企业单位及60多家个体户	石头社区积极整合公益组织资源，成立金石公益团队。金石公益团队的宗旨为“志愿服务心连心，互助奉献手牵手”。同时，社区建立“一对一指导”的联系模式
铁树斜街社区	东邻大栅栏西街，南接虎坊桥，北靠延寿街，西连大安澜营辖区，面积约0.12平方千米，属于老城区旧居住区东北部，面积约0.14平方千米，是一个以回、汉民族为主的聚居区	本市户籍人口2018户，5099人，流动人口1030人	社区社会组织10个	社区把各项工作的落脚点放在全心全意为居民服务的宗旨上。社区党委创建了“五环工作模式”；社区还与大栅栏消防中队搭建“双拥共建”平台
大安澜营社区	地处北京市西城区大栅栏街道西部，天安门西南侧；东起桐梓胡同，西至南新华街，北起厂甸电信局家属院（师大附中），南至藏家桥胡同，总面积约0.13平方千米，共有19条胡同和2个楼房小区	居民1951户，5583人，流动人口1382人。其中60岁以上的老年人1228人，占人口总数的22%，空巢老人251人，占老年人总数的20%	社区党委下设5个党支部	大安澜营社区根据自身特点，以“居民自治”为特色，创建和完善了“五个一”民生工作法体系

续表

社区名称	位置和面积	人口情况	社会组织或社会单位	社区特色
前门西河沿社区	位于西城区大栅栏街道的北部，是一个楼房与平房混合的小区，共有 8 条街巷，面积约 0.26 平方千米	本市户籍人口 7216 人，流动人口约 1690 人	居民小组 19 个	社区坚持“以服务凝聚民心，以创新推动发展，以平安构筑和谐，志愿服务植根社区”为社区特色，建立以社区党委为龙头，以社区居委会、社区服务站、志愿者联络站为依托，搭建志愿服务平台，开展社区凝心聚力的民生工程
煤市街东社区	地处大栅栏地区的东部，北起廊房头条，南至珠市口西大街，东起珠宝市街、粮食店街，西至煤市街东，社区面积 0.16 平方千米	户籍户数 2815 户，本市户籍人口 8381 人，流动人口 1200 人	居民小组 21 个	社区“两委一站”围绕共驻、共建的主线，挖资源，建网络，创造和谐魅力社区
百顺社区	位于大栅栏街道西南角，东与石头胡同比邻，西与五道街比邻，北与铁树斜街相接，南至珠西大街，辖区总面积 0.12 平方千米	户籍总数 2329 户，本市户籍人口 5925 人	居民小组 17 个	以建设北京市“六型”社区为目标，充分发挥党建龙头作用，以科学发展观为引领，以规范化建设为基础，以服务民生为目标，以“百时星”公益服务社为载体，开展形式多样的敬老助残、治安巡逻、文体活动等

（三）特色工作推进街道发展

大栅栏街道的特色工作包括两个方面：一个是建设管理，另一个是志愿服务。作为拥有深厚的历史文化底蕴以及保存较完整的传统商业街区，大栅栏商业街于2007年5月正式启动了整体改造工程，投入资金9300万元。2008年7月31日，完成整治建设后的大栅栏商业街以崭新的面貌迎接中外宾客。2009年，在成功完成大栅栏商业街环境建设的基础上，按照宣武区“三二九”布局，开展大栅栏西街的保护修缮工作，工程总投资约3.2亿元。2009年10月15日，修缮后的大栅栏西街改善了居民生活和商业经营环境，具备了特色商业街的基础设施条件，正式开街。2009年，大栅栏商业街被评为全国商业街“先进集体”称号。2010年，大栅栏商业街区被授予“中华老字号集聚区”，正式获批成为国家AAA级风景区。举办了大栅栏商业文化庙会、非遗日主题宣传、大栅栏老字号旅游购物节等活动，商业街区企业月平均营业额为4055.91万元，较2009年同期上升了9.09%。

大栅栏街道的另一个品牌是持续发展的志愿服务。大栅栏街道以普法工作和学雷锋“综合包户”志愿服务而著称。从1986年“一五”普法工作开始，大栅栏街道连续四次荣获“全国法制宣传教育先进单位”的称号，2010年获得北京市2006～2010年法制宣传教育先进集体（“五五”普法）称号，并在全市率先提出“依法治街”口号，进行普法工作的探索试点。1983年，在大栅栏街道西柳幼儿园签订的第一份“综合包户”协议书被公认为首都青年志愿行动的开端。1998年服务队发展到30余支，比1996年增加1倍，包户对象40余人，增长25%。2003年3月4日下午，在广德楼召开“纪念综合包户20周年暨精神文明建设表彰动员大会”，对36个先进集体、64名先进个人进行表彰，同年开展了有近千人参加的“学雷锋40周年，纪念综包活动20周年”志愿便民服务大型活动。2005年，宣武区学雷锋“综合包户”活动获评第六届北京青年志愿服务行动优秀项目。到2010年，“综包”志愿服务经历了从“一包一”到“综包一”，再到“综包一”与“一包综”结合的发展过程；从单个党、团支部志愿服务发展到街道广泛整合地区内外资源为社区弱势群体办实事；从简单的生活帮助，发展到为服务对象提供心理、健康咨询；从企业经济实体向社区居民提供帮助，发展到吸引社会人才资源为提升企业“软实力”服务。

二　大栅栏街道地区治理新进展

（一）重视统筹创新，形成区域化党建格局

大栅栏街道积极发挥党在地区建设中统揽全局、协调各方、融通资源的作用，着力打造特色的区域化党建模式，以区域化党建统筹地区治理，推动区域发展。

1. 搭建四大平台，拓宽地区社会治理载体

大栅栏街道以区域化党建为统领，充分发挥统筹地区发展的职能和作用，通盘考虑、统筹谋划，加强对涉及地区社会治理工作的顶层设计，强化“党委领导、政府负责、社会协同、公众参与、法治保障”五位一体的社会管理体制。围绕建设“党建统筹、安全稳定、公共服务、城市管理”四大平台，努力发挥街道在统筹地区发展中的基础性作用，促进区域整体化发展。注重强化街道统揽全局、协调各方的作用，集成地区资源优势，树立“大工委”“大党建”的工作理念，不断建立健全“强基固本、优势集成、社会协同、品牌推广”四项机制，提升党建科学化水平。并结合地区实际的区域优势，培育了老字号“新时尚、新责任、新发展”党建沙龙、“魅力大栅栏”国际影展、老字号体育文化节等一批具有影响力的高端品牌活动，努力把党的组织优势转化为发展优势。

2. 打造工作联盟，建立区域化运行机制

统筹辖区资源、集成工作优势是开展区域化党建、提升区域发展活力、促进地区各项事业繁荣发展的根本基础。大栅栏街道尝试打破党组织隶属关系限制，加强与驻街单位党组织的横向联系，在原有党建工作指导委员会的基础上，吸纳辖区内全聚德、大碗茶、张一元等 16 家有影响力的企业党组织，成立区域化党建工作联盟，共同研究区域性党建工作的开展，固化区域事务民主共商机制。围绕基层党建、经济发展、环境建设、精神文明、服务民生等工作，通过建立区域共建项目认领制，对接企业需求和群众诉求，策

划菜单式活动项目，发布首批区域化党建“十大服务项目”，包含“党建沙龙”“老字号文化体验行”“企业发展战略系列讲座”等10项区域化活动，广泛调动各方参与区域化党建的创造力和积极性，提升区域化党建的实效性，逐步建立区域化统筹、项目化管理、组团式服务、社会化运作的党建联盟工作运行机制。

3. 发挥整合优势，挖掘地区社会治理各类资源

大栅栏街道对地区资源进行统筹思考，坚持文化科技“双轮驱动”的理念，启动了大栅栏文商旅科技创新平台建设，运用高新技术手段挖掘、整合历史文化、商业文化、旅游文化等资源，设计特色旅游线路，通过二维码、流媒体、手机APP终端等技术宣传、推广大栅栏品牌。启动了大栅栏“红色之家”党建科技平台建设，通过建立地区党建数据库，整合地区党内党外优秀资源，同步推出手机客户端，及时发布党务信息及党建工作动态，以科技手段提升党建服务水平。与高校、驻街部队、辖区企事业单位签订战略合作及共驻共建协议，开展校地、军地、企地共建活动。组建街道专家顾问团，聘请20名北京市文化创意产业、信息安全等方面的专家作为“北京大栅栏”区域发展特邀顾问，为大栅栏发展建设提供技术、智力、资源等方面的支持保障。

（二）提升城市精细化管理水平，创建和谐宜居、整洁有序的居住环境

大栅栏地区是老旧平房区，共有114条街巷，约2900个门牌，建筑形式以平房院落为主。其中部分院落内堆物堆料，环境脏乱，不仅给居民出行、日常生活造成不便，还成为引发消防事故、滋生病媒生物的隐患。尽管地区一批街巷已经完成整治达到精品街巷标准，但还是有一些街巷未达到标准。为消除安全隐患，巩固建设成果，创建和谐宜居、整洁有序的居住环境，确保精细化管理责任落实到位，保障地区环境秩序持续好转，街道对各街巷实施精细化、规范化、长效化管理，以实现建设和谐宜居街区的目标。

1. 三项工作机制推进城市精细化管理

为实现辖区内无私搭乱建、无乱贴乱挂、无游商摊贩、无堆物堆料、无垃圾暴露、无乱停乱放、无店外经营、无路面墙面破损，市政和公益设施完好、绿化景观良好的“八无两好”管理目标，街道坚持以“依法与自律相结合、建设与管理相结合、服务与管理相结合”等三结合为管理原则，以“平台统筹，部门负责，社区监督，共同参与”的格局实施全方位、无死角的日常管理，并建立了三大工作机制。

一是创建平台统筹工作机制。首先，对社区进行分片指导。城管科科室人员分片指导社区开展工作，科长负责 3 个社区，其他科室人员每人负责 2 个社区。各片责任人每周必须抽出 3 天时间，指导社区精品胡同建设工作，并由社区将每周工作情况报送城管科。其次，进行月度汇总报送相关领导。每月月底，由城管科将精品胡同建设情况汇总、报送街道主要领导，将相关问题以问题督办单的形式通知职能部门解决，需要多部门联合解决的难点问题提交街道矛盾排查会协商解决。

二是建立专项治理工作机制。针对辖区内违章建设、环境卫生、绿化美化、车辆秩序、文化建设、经营秩序等六类问题，街道建立了专项治理工作机制对这六大问题进行治理。

三是奖励机制。设立精品胡同建设月奖励、季评比工作机制，奖励精品胡同建设中表现突出的社区、社会组织、志愿者和居民。第一，每月月底，根据精品胡同工作情况汇总，对精品胡同进行排名，对排名前三的胡同所在社区的卫生主任进行奖励，对排名前三的胡同的志愿者和遵章守制居民进行奖励。第二，每季结束，根据月汇总情况，对精品胡同建设的社区进行排名，对排名前三的社区的书记、主任进行奖励，对职能部门工作情况进行排名，将排名情况报送街道主要领导。

2. 开展“文明院落”创建行动

为落实“努力建设历史文化风貌与现代文明生活协调统一的新街区”的工作要求，进一步提升地区环境面貌，大栅栏街道开展了“文明院落”的创建行动。行动以院落环境清理整治为主要内容，包括清理院内杂物、拆除部分私设棚阁、改善居住环境、消除安全隐患、绿化美化院落环境、倡导和睦团结的邻里关系。创建行动按照宣传动员、重点示范、定量推进、全面开展的原则有序推进。逐步消除环境脏、乱、差院落，有效提升地区环境质量，从内到外打造一个适宜居住、环境优美、文明友善、彰显古都风貌的文保区环境。

一是相关部门共同参与。文明院落涉及环境、综合治理、城市管理、精神文明建设、社区创新管理等多项工作，要充分发挥各部门合力，围绕创建目标立足部门职责扎实开展工作。机关干部要积极参与到创建工作中，指导联系社区开展创建工作，每周三下午为联系社区日，机关各科室安排2名以上干部到社区参与院落清理工作。城管分队要结合队员下社区工作安排，明确各社区联系人，协助攻克难点。综治办要将院落清理工作与流动人口管理、消防安全等工作结合起来。城建科要将绿化美化由街巷向院落延伸，指导居民做好庭院绿化美化。结合爱国卫生工作将灭“四害”措施落到实处。

二是整治与巩固相结合。行动中要坚持整治问题院落和巩固达标院落两方面并重的原则，在按计划推进问题院落整治的同时，对已达标院落开展检查和抽查，经检查不合格院落剔除达标院落台账，进行重新整治验收，以此确保良好有效的整治效果。

三是及时沟通工作动态。为确保各单位能够明确任务，围绕重点开展工作，要重视做好信息沟通工作。各社区和相关部门要及时向办公室报送工作进展情况和典型人物、典型经验。办公室每周出1~2期简报，及时通报文明院落创建工作进展，交流先进经验，部署安排下一阶段工作。领导小组每月召开1次工作例会，对各社区文明院落创建工作进行阶段总结。

四是重视总结树立先进。文明院落创建工作是街道的一项重点常态工作。在工作中重视总结经验，互相学习有效措施和成功做法。对工作到位、成绩突出的单位和积极参与、做出贡献的个人要进行表彰奖励。此项工作纳入《社区环境卫生工作检查评比实施方案》中，按照相关规定对社区进行考核奖励。

（三）创新安全维稳工作模式，探索重点地区长效管理新路

大栅栏地区紧邻天安门广场，是首都政治中心区的西南屏障，承接重要国事活动的安全保卫任务，特殊的区域位置决定了地区特殊的政治敏锐性，安全稳定高于一切。同时，大栅栏地区历史悠久、文化底蕴深厚，是梨园文化、京味文化、传统商业文化的荟萃之地，也是北京首批25片历史文化保护区之一。“同仁堂”等28家著名的中华老字号企业均坐落在此，是全国首个“中华老字号集聚区”。此外，大栅栏地区整体业态呈现低端化，辖区五小门店多、旅馆多、流动人口多，并且街巷狭窄、市政设施不全、房屋破旧、电线老化，复杂的环境、密集的流动人口容易导致出现安全问题，占道经营、无照游商、黑车揽客等治安秩序类问题也时有发生，这些都使得大栅栏地区成为首都城市治理的重中之重。为此，大栅栏街道以科学构建工作格局为出发点，以保障和改善民生为落脚点，全力打造综治安全维稳“1+6+X”工作模式，地区综治维稳工作成效明显，社会管理规范化、精细化水平进一步提高，群众安全感逐步提升，为重点地区的长效管理探索出了一条新路。

1. 一个中心平台统筹地区安全维稳工作

2010年，街道成立了综治维稳工作中心，主要承担社情信息掌控、矛盾纠纷调处、维护和谐稳定三大功能。在此基础上街道构建了以该中心为指挥中枢，派出所、工商、城管等驻街职能部门为支撑，社区为网格，驻街企业单位为延伸，地区维稳信息员、志愿者、管理员为节点，条块结合、专群结合的工作格局，并逐步形成综治维稳工作中心统一受理、统一分流、统筹指挥的矛盾联调、治安联防、工作联动、问题联治、平安联创的“三统五联”工作模式，提升了地区安全维稳工作水平。

2. 六个机制实现地区综治维稳工作精细化

近年来，大栅栏街道以推进地区安全维稳工作精细化为目标，建立了六个工作机制，实现了安全维稳工作水平的稳步提升。

一是建立健全排查调处机制。街道针对突出问题，责任部门专题研究，

反馈办理结果。将专业法律服务和社区调解有机结合，充分发挥晨夕法律服务中心、社区顺馨恳谈室、信访接待室、司法工作室的作用，完善多元化调解体系。并实施民情信箱、民情热线等，通过多种渠道了解居民诉求，提升化解各类矛盾的能力。

二是建立健全风险评估机制。街道制定重大决策社会稳定风险评估工作方案，对重大活动、重点工程以及涉及群众切身利益的重要事项和影响社会稳定的重大问题，全面开展社会稳定风险评估。对可能出现的不稳定因素进行逐项分析、准确预测，对预测评估出来具有较大隐患的事件，及时提出对策性建议或意见，研究制定预防和处置工作预案，从源头上减少和化解不稳定因素。

三是建立健全联动响应机制。地区主要大街“线”的监控由地区各职能部门、街道联合执法小分队负责，地区单位内部“点”的安全检查由安全生产办组织消防、食药监、工商等部门负责，胡同内部“面”的巡逻防控由地区治安志愿者负责，发现问题及时上报，形成地区点线面相结合的联动防控体系。

四是建立健全社会面防控机制。大栅栏地区地理位置特殊，流动人口较多，安全维稳工作压力较大，为此街道广泛发动地区居民和社会单位参与社会面巡逻防控工作，建立起楼门院长队伍、党员义务巡逻队、电动车巡逻队、文明劝导队等治安巡逻队伍，积极动员地区流动人口建立治安示范岗，投入地区群防群治工作中。并在此基础上，总结深化 2008 年奥运、新中国成立六十年大庆等安保工作经验模式，建立大栅栏地区重点时期巡逻防控运转机制，形成地区社会面防控三级预案。

五是建立健全综合救助机制。街道建立了地区综合救助平台，民政科牵头，综治办、残联、计生办、社会办、司法所、红十字会、安全生产办、城管科等 14 个部门为成员，统筹地区救助资源，有效化解因生活困难衍生的矛盾纠纷。并针对地区困难上访人员诉求，逐一分析情况，解决矛盾纠纷。针对特殊困难居民，集中研讨，制定方案，合理利用多项政策渠道解决困难，化解矛盾。同时，发挥综合救助平台的作用，统筹协调相关部门为辖区特困重点人员办理低保、医保及临时救助，解决生活和就医困难。

六是建立健全督察督办机制。街道对阶段性重点工作、重大事件处置、重大矛盾纠纷调处等事项进行专项督察督办。针对市区督办的问题，专题研究，明确责任，督导各部门落实。针对矛盾排查会梳理出的问题及评估的风险实行督办反馈。并对在督察考核中发现在启动机制、巡逻防控、联动响应等工作中不落实或落实不到位的单位和个人强化问责，对工作表现突出、保障有力的单位和个人给予奖励。

3. X 项工作措施提升地区平安建设水平

街道在“1+6”综治维稳模式的基础上结合新任务、新需要，认真梳理各项工作流程和方法，总结提炼出了网格建设强化社会管理实效、“1533”大安监管理体系、胡同集合式灭火法、“358”旅店管控工作法、项目管理法、联合执法小分队联勤联动管控模式等 X 项工作措施，在街道安全维稳各项重点工作中都形成了特色长效机制，有力维护了地区的安全稳定。

（四）强化志愿服务，构建多元参与的社会动员体系

自 1983 年大栅栏街道始创学雷锋“综合包户”服务以来，大栅栏街道在志愿服务实践中，探索出一条以政府、单位和党团组织为主导的志愿服务活动的有效路径。

1. 区域化党建统领志愿服务发展

确立以“综合包户”代表的志愿服务为商圈党建四大载体之一。街道工委积极引导辖区企业发挥行业优势，与困难群体签订“综包帮扶”协议书，不断扩大服务对象和创新服务内容，从 11 家服务单位发展到现在的 65 家，注册志愿者达 3090 人，累计受益者达 6500 余人次。此外，街道工委还发挥政府职能，搭建幸福夕阳助老服务圈。搭建“1235”养老服务构架，即整合建立一家街道级养老服务管理中心；着力打造社区助老服务队和助老服务商队两支精品队伍；完善 A、B、C 三类空巢老人帮扶措施；开展好信息咨询、膳食配送、社会交往、文体教育、互助关怀五项居家养老服务。以

街道养老服务管理中心为枢纽，形成以居家养老为基础、社区养老为依托、机构养老为支撑的服务模式，以强化专业服务、倡导公益服务、深化志愿服务为原则，形成专业企业、社会组织、志愿组织广泛参与的多维度、立体化的助老服务体系。街道工委的区域化党建统领，由此成为志愿服务永葆活力的源泉。

2. 社会化机制培育志愿服务组织

近年来，大栅栏街道充分发挥区域化党建社会协同机制，转变过去单一的“自上而下”的组织发动，转为“自上而下”组织发动与“自下而上”社会参与相结合的双轨培育方式。同时，按照以类相聚的标准，从职责、兴趣、理念、项目等四个方面入手，及时调整和适应不同类别志愿服务组织的需要，积极培育和孵化党员志愿服务组织。

一是针对“职责相依”类志愿服务组织多由机关或社区党员参与的情况，街道工委发挥“主导者”作用，不断加强党员干部的理想信念教育，强化岗位建功意识，明确服务群众宗旨，增强互帮互助意识，使党员志愿服务成为地区党员理想信念教育的实践推动，逐步形成治安志愿者队伍、大栅栏导游志愿者服务队等志愿服务组织。

二是立足于“兴趣相聚”类志愿服务组织专业性强、契合度高的特点，街道工委发挥“服务者”作用，积极为其搭平台、聚资源、敛人气，为其发展和成长提供广阔的舞台，培育出石头社区英语培训班、统战艺术团等志愿服务组织。

三是在“理念相合”类志愿服务组织中，街道工委发挥“同行者”作用，与志愿服务组织一同践行、一同分享、一同成长，帮助和支持石头社区女子助老服务队、三井社区党员志愿指路队等志愿服务组织的发展。

3. 扩面提质增强志愿服务效能

多年来，大栅栏街道一直致力于综合包户志愿服务内涵与工作模式的研究和探索。

一是多层面搭建志愿服务工作网络。把综合包户列为党建重要内容，实现党建带团建的互联互促，实现了综合包户由个人包、党团组织包、辖区单位包等全面参与综包的强大态势。

二是多维度地拓宽志愿服务的范畴。30 多年前综合包户服务对象为孤寡老人、军烈属，30 多年来服务范围延伸到助学、助困、便民、互助、促进再就业等多个领域，参与综合包户的人员也从军警、党员、团员青年、少先队员扩展到外来务工青年，以及社会各类志愿者。

三是多角度地创新形式和深化服务的内涵。街道高度重视对综合包户服务的总结梳理和继承发展，从社会管理服务需求出发，进一步探索和拓展综合包户学雷锋志愿服务活动的内涵和形式，研究提出了“1135”的工作模式。“1135”工作模式即一个运营中心、一个工作平台、三类服务形式、五支特色队伍形成互为支撑、整体联动的学雷锋综合包户服务体系。为 30 多年的综合包户活动注入了新的时代气息。

4. 党团员成为志愿服务主力军

志愿服务离不开广大志愿者的积极参与，在大栅栏街道有志愿者队伍 65 支，实名注册志愿者 3090 人，党团员占 76%，党团员成为参与地区志愿服务的主体。

一是参与主体点面结合。充分挖掘和保护志愿领袖的热情和积极性，注重发挥带头党员的先锋模范作用，在石头社区女子助老服务队、三井社区成长加油站等志愿队伍和项目中得以实践，发挥党建统筹作用，号召机关党员、社区党员、企业党员广泛参与到志愿服务中来；发动各个年龄层的党员积极投身志愿服务，涌现出一大批具有鲜活生命力的志愿服务队伍，如机关和社区青年党员组成的“大栅栏导游志愿者队伍”、前门西河沿社区退休老党员组成的“统战艺术团”、内联升企业党员组成的“内联升传递爱心志愿服务小分队”等。

二是服务内容点面结合。从 80 年代以物质支持为主的帮扶，到 90 年代以精神关怀为主的帮扶，逐步发展为今天包罗万象的个性化、专业化志愿帮扶；从以孤寡老人、烈士军属、病残居民等弱势群体的关爱，逐步发展为面向新弱势群体（退休老人、特困学生、失业人员、流动人口子女）及普通居民群众等更广阔的人群。

三是运营方式点面结合。街道在每个社区打造一个精品型、枢纽型的党员志愿服务组织。现有的64个组织中有37支队伍的队长和带头人为党员，同时注重发挥群众组织、基层群众性自治组织、社会组织、企事业单位的社会协同作用，与北京市城市再生资源服务中心合作开展的“废旧物品公益行”活动、与北京师范大学联合开展的“成长加油站”青少年社区拓展项目都已取得良好效果。为更好地发挥党员志愿服务品牌凝聚共识、示范带头的作用，街道评选出了“十佳风采人物”“十佳公益团队”“十佳服务项目”三个“十佳”，充分展现了地区群众风采，激发地区广大群众学模范、做榜样的热情。

（五）规范社区建设，创建和谐社区示范街区

大栅栏街道紧紧围绕“服务立区、金融强区、文化兴区”三大战略的目标要求，在以“党建为龙头、发展为主线、稳定为基础、民生为根本、文化为灵魂”的“五为一体”的工作格局下，全面践行北京市社会服务管理创新会议精神，以建设“文明祥和、安全稳定、服务完善、环境整洁、管理规范”的和谐社区为目标，不断改进和创新基层社会服务管理，提高居民生活质量，因地制宜开展和谐社区创建活动。

1. 四项举措探索和谐社区建设的有效途径

一是完善社区运行体系。探索站、居和街道三者的运行机制，重新梳理、合理划分社区党委、居委会、服务站职能，做到分工清晰、任务明确，确保工作的有效衔接。同时，规范社区服务站的岗位设置、完善内部制度及工作职责。

二是加强社区基础设施建设。大栅栏街道采取租赁、购买的方法，推进了以社区办公用房及活动用房为重点的社区基础设施建设，逐步对社区办公、活动用房进行调整，扩大了办公面积。同时街道加大对社区基础设施建设的经费保障，不断改善社区办公环境和活动条件，提高社区办公和服务用房水平，提升社区服务质量。

三是提高社区工作者队伍素质。为提高社区工作者队伍的整体素质，我

们从提高思想认识入手，注重教育培训，强化保障措施，并不断充实壮大社区工作者队伍，优化社区工作者队伍结构。同时，制定科学化选拔机制。积极探索社区工作者队伍阶梯式培养模式，不断推进社区服务规范化、科学化、精细化。

四是完善多元参与的社区自治体系。街道通过深化畅通群众利益表达机制，完善“社区常务会”、“社区议事协商会”制度，积极发展培育社区社会组织等手段加强社区自治组织建设，建立健全社区居民自治制度，增强社区的自治力和凝聚力，扩大社区居民的知情权、参与权和监督权，全面深化居民自治工作。

2. 保障民生夯实和谐社区建设基础

一是不断完善社区公共服务体系。针对人民群众最直接、最根本的利益问题，街道建立并完善了“菜单式”社区便民服务项目，实现了社区服务的规范化、人性化、便利化、网络化，提高了社区公共服务水平。

二是全面落实社会保障政策。街道通过建立五大就业服务体系、实施城镇居民养老保险办法、落实“一老一小”和无业居民大病医疗保险制度、落实居家养老（助残）政策等措施解决居民就业、养老、医疗等民生方面的问题，实现了劳有所得、老有所养、病有所医，促进了社会的和谐发展。

三是满足居民个性化服务需求。根据居民日益增长的物质文化需求，完善社区基础公共服务设施。成立爱心超市、启动社区便民连锁店建设项目，并以银鹤居家养老服务站为依托为老年人提供日间照料及配送餐服务；建立图书馆全市联网机制，实现通借服务；免费开放多媒体阅览室为中老年人长期提供上网和电脑学习服务；每周定期向辖区居民开展电影放映服务。同时，引导居民根据共同需要开展自我服务、互助服务，积极践行“全响应”社会服务管理模式，推进数字化、精细化社会服务的发展，在各社区成立社会服务宣传志愿者队伍，建立宣传志愿者与专职社工联动机制，实现社会服务广联动、全参与。

3. 文化引领营造文明祥和的社区环境

一是营造文明气息浓厚的宣传氛围。街道加强各种宣传形式在思想道德建设中的正面引导作用。通过开展文明创建和引导活动、加强公民思想道德建设、定期开展知识讲座等增强居民的社会责任、家庭责任、生态文明、礼仪文明、环境文明、秩序文明、生态建设忧患和绿色环保责任意识。

二是开展丰富多彩的社区精神文明创建活动。街道将地区传统文化宣传与群众性精神文明建设活动紧密结合，围绕宣传贯彻北京市“城南发展行动计划”，树立大栅栏文化品牌形象，积极开展社区精神文明创建活动，丰富了群众生活，增强了居民对社区的归属感、认同感，提升了社区居民文明素质。

三是普遍开展学习型社区建设。街道不断推动社区教育工作的普及深入，提高社区居民科学文化水平，依托市民学校、街道智慧之光大讲堂、参观交流等学习平台宣传党和国家关于学习型社会方针政策和终身教育、学习型组织理论，同时街道坚持和谐社区建设与群众学法用法结合，与法制实践相结合，与文明创建相结合，通过建立街道级科普活动中心，把普法工作引入街道居民生活的各个领域。同时在工作方式上加强与学校、社会单位的联动，使科普教育工作真正惠及百姓生活，服务地区企业发展。

4. 化解矛盾营造平安和谐社区氛围

一是健全社区综合治理机制。街道不断完善综治维稳工作中心规范化建设，每月召开信访矛盾排查例会，开展“拉网式”联席排查，以解决地区存在的突出矛盾，并形成地区重大事件中心牵动、民生需求信访办予以解决、群众咨询司法律师提供服务的三位一体格局，坚持矛盾化解在基层。

二是提高社区治安防范水平。街道建立了社会面防控响应机制、社区安全检查网格制度，加大对社区群防群治队伍的建设，成立了由社区党员、低保人员、治安志愿者组成的治安巡逻队，加大社区治安防控的硬件建设，确保了社区治安防控措施得力而有效，提升了社区治安防范水平。

三是细化流动人口和出租房屋管理。街道建立健全流管员采集为主、部门信息为辅、多渠道社会化采集为补充的流动人口基础信息多元化采集体系，加强了实有人口动态管理。并完善流动人口基础信息平台建设，提高流动人口服务管理信息化和精细化水平。积极探索“新居民”的社会融入机制，推进流动人口管理员“三员”模式（即社会稳定的信息员，政策法规的宣传员，流动人员的服务员），提高了流动人口服务管理信息化和精细化水平。

5. 整合资源保障和谐社区建设良好环境

一是环境整治见成效。街道以环境整治为契机，在地区卫生环境建设、基础设施建设、重点道路绿化美化等方面，都加大了投入，并开展违法建设的拆除、街巷整修、健身场所和花池等便民设施的建设、市政道路工程拆迁和施工围挡加固等工作，积极建设了和谐优美的社区环境。

二是提升城市精细化管理水平。在日常管理中，街道以网格管理资源优势为依托，发挥职能部门、城管监督员、社区志愿者等多方合力，着力提升日常管理的科学性和有效性，高度重视解决居民反映的实际困难，有效改善了居民生活环境。

三是营造城市管理良好氛围。街道充分发挥居民主体作用，着力建立社区全响应的环境管理机制，在全地区营造“人人参与”的良好氛围。使辖区居民和单位积极参与环境管理中，全面构建广联动全参与的环境治理格局。

（六）促进文商旅发展，提升街区文化魅力

大栅栏地处首都核心区，在历史上就是一条繁华的商业街，同时又是历史文化保护区，是国粹艺术瑰宝京剧和宣南文化的主要发祥地之一，是历史上戏楼荟萃之所、名宿云集之地，是宅邸文化、会馆文化、传统金融业文化的聚集地，更是吸引了数以万计的游客来此游玩，给大栅栏的文化、商业、旅游的发展带来了新的挑战。为此，街道充分挖掘区域资源优势，推动传统与现代的有机融合，提升商业、旅游业的规范化、特色化、国际化发展水平和地区的文化软实力，打造“文商旅”科技创新平台，推动“文商旅”的融合发展。

1. 建设大栅栏文化数字化工程

对“大栅栏”商业、文化历史资源进行挖掘、梳理，资源数字化整合、

编目后，分别录入数据库中，为平台建设做好数据储备。同时，通过项目建设，整合大栅栏传统商贸及现代商业的资源，通过平台推广，建立商家宣传渠道、塑造街区企业诚信品牌，建立各企业纽带；通过平台功能引导客流，拓展大栅栏商贸营销方式。

2. 打造大栅栏文商旅公共创新平台

大栅栏文商旅公共创新平台包括魅力大栅栏门户网站和大栅栏随身游。通过项目建设，利用平台功能和活动开展，打造现代、精品、高端的大栅栏文化传播平台，利用平台流媒体功能将非物质文化遗产、老字号文化呈现在平台中，利用二维码技术，将名人故居、历史会馆等古迹的原貌、信息呈现在移动终端，解决历史古迹访问不便利的限制，利用原景原音重现等技术呈现大栅栏重要的梨园文化等精华内容。

3. 开展“魅力大栅栏”应用服务

通过该应用提升街区品牌、宣传文化、服务游客。通过推广特色的旅游线路，利用平台功能支撑旅游线路中的各个服务环节，帮助游客在特色旅游中，更好地体验大栅栏文化的魅力。

三　大栅栏地区治理新形势

（一）五大优势蕴含巨大发展潜力

1. 特殊的地理位置

大栅栏位于首都功能核心区，紧邻天安门广场，具有特殊的地理位置。由于大栅栏位于象征中国文化最核心内涵的“紫禁城—天安门—长安街—前门”龙脉轴线南端，而吸引着全世界关注的目光，其发展形象与状况备受世人瞩目，成为首都发展形象塑造的重点区域，这是大栅栏街道发展的最大优势。

2. 历史文化底蕴深厚

大栅栏地区历史文化悠久，主要处于宣南文化、商业文化和京剧文化三种文化交织的影响中。

宣南文化兴起于清朝，清顺治五年（1648 年），在京师实行“满汉分城居住”，内城主要居住着满族贵族，而大量非满族（以汉族为主）的官僚和知识分子聚居在宣武门外，逐渐成为“士乡”。这里的士大夫思想活跃，积极从事学术研究和文学创作，使宣南地区成为京师重要的学术中心和文化中心。士人文化与平民文化融合发展，并形成了集通俗、儒雅、华丽于一身的宣南文化。

传统商业文化可追溯到明朝。大栅栏在历史上就是繁华的商业街区。从明朝永乐年初的“廊房”到明嘉靖年间前门外大街及廊房头条、二条、三条、四条商业街，这片区域逐步开始了商业繁盛的历史。到明朝中期，廊房头条成为“灯街”，廊房二条成为“玉器街”，廊房三条则开设了很多银号，而廊房四条（大栅栏）向多行业发展，已经集中了众多名店老店，传统商业逐渐成为大栅栏地区的历史文化重要组成部分。

京剧的产生可以说是从徽班进京开始的。关于徽班进京的原因有两种传说：一种传说是因徽剧受到北京观众的热烈欢迎而纷纷进京；另一传说是因乾隆皇帝为庆八十寿辰，才把“四大徽班”征集进京。徽班进京之后展现了自身的魅力，很快在北京特别是大栅栏地区扎下了根。到北京以后，又吸取了其他剧种的精华，形成了京剧。徽班之所以能在大栅栏扎根，与这片适宜其发展的土壤和环境密不可分。大栅栏地区历来都是商业繁华地区，会馆、旅店、饭庄、银号、老字号商铺林立于此，同时，翰林院、国子监、修书治史、六部等朝廷机构也都在此，这里还聚集了大量的文人雅士，大多数达官贵人的应酬也在此，并且在北京城里大栅栏地区的戏园子最多最繁盛，为京剧的产生和发展提供了有利条件。因此，在大栅栏地区形成了浓厚的京剧文化。

3. 老字号资源丰富

大栅栏是一条著名的传统商业街，500 余年历史的积淀造就了众多闻名遐迩的老字号。在这个地区有 40 多家老字号，都是中华老字号，其中商务部认定的百年以上的老字号就有 28 家，每家店铺都以独特的品质、精致的商品、优质的服务成为极具中华民族传统特色的商业品牌，形成了独特的京味商业文化，吸引着大量的消费者慕名而来。同仁堂的药、马聚源的帽子、瑞蚨祥的丝绸、张一元的茶叶、六必居的咸菜等都聚集于此，在一定程度上成为大栅栏的代表和符号。

4. 街区历史风貌保存较好

大栅栏地区位于北京核心区，历史文化悠久，是北京市划定的43片历史文化保护区之一，这里基本保留了老北京的城市肌理、传统建筑、民俗文化等传统元素，是北京市历史风貌保存较好的街区之一，在这里能很好地感受历史街区的真实性。这里不仅诸多百年老字号品牌经久不衰，还有很多保存比较完整的名人故居、茶楼戏院、会馆等，如西单饭店、梅兰芳祖居、观音寺、五道庙、清真寺、盐业银行、正乙祠、广德楼等。从总的情况看，自清代以来大栅栏街区内的街巷胡同格局变化不大，在大栅栏西部及南部地区，有保存完整的街巷胡同格局，多个胡同都保存着完整的北京传统胡同空间形态，特别是棕树、杨梅竹、铁树、樱桃这样的斜街，在北京棋盘式路网结构中别具特色。

5. 发展潜力大

大栅栏发展潜力很大，一是因为地理位置特殊，二是因为地区历史文化丰富。目前街道正在打造新文化地标北京坊项目，该项目东起珠宝市街、西至煤市街，南邻廊房二条、北至西河沿街，整体呈现为“一主街、三广场、多胡同”的空间格局。北京坊的开发形式与以往不同，采取的是拆迁式的改造，将周围的胡同、居民房拆除，重建十余栋明清风格仿古建筑。聘请国家非常有名的大师担任该项目设计师，每位设计师设计一栋。改造过程中将严格遵循历史文化名城保护的要求，完整保留国家级文物和市级文物，比如中西合璧的巴洛克风格的老交通银行、老工商银行、老字号谦祥益以及过去的两个金店都被保留下来。这些文化将嵌入在C地块中（位于人民大会堂正对面），经评估后没有保留价值的破旧住宅将被拆除，用于修建明清风格的仿古建筑。另外，劝业场已经装修完成，大概有19万平方米的地上面积，可以招商引资，给整个地区历史风貌的改变和提升带来了非常大的商机。位于丰盛园对面的H地块规划建设成五星级的四合院酒店群，并引入高端的文化创意产业入驻，主要开展商业化的文化创意项目展示。这些区域的开发给大栅栏地区的发展带来了巨大的潜力。

（二）五大劣势制约街区发展

1. 老旧平房较多

大栅栏地区平房占到90%以上，楼房很少。基本上在天安门前门西大街沿线的住宅区有几栋楼房，其他的都是平房，并且都是老旧平房。目前，该地区有将近3万间平房，其中2万多公房，将近1万私房。对于公房的改造，居民有机会从政府得到政策扶持和经济投入，而对于私房的改造只能靠居民自己解决，老百姓的经济条件有限，没有能力改善自己的居住环境。这给地区发展带来了一定压力，老旧平房多是这一地区比较明显的劣势。

2. 流动人口过多

大栅栏地区户籍人口56386人，常住人口36997人，人户分离40848人，流动人口14737人。流动人口占地区常住人口的39.83%，大量外来人口涌入这一地区，给城市公共基础设施、城市管理和社会保障体系带来了很大的压力。同时，这一地区的流动人口结构与海淀区、朝阳区等城区的结构不同，90%以上的流动人口都是高中以下学历，呈现低学历、低技能、低素质的特点，带来了很多社会安全问题。据统计，流动人口的犯罪概率较高，他们犯罪产生的案子流动性强，破案难度大，给人们的生命财产安全带来很大的隐患。而且，流动人口过多，容易产生利益冲突，激化人与人之间的矛盾，增加社会的不稳定因素，不利于和谐社会的建设，也给该地区的社会管理和城市管理带来很大的压力。

3. 弱势群体人口过多

大栅栏街道残疾人、低保户、两劳释放人员数量都很大，光残疾人就有2000多人。且地区老龄化非常严重，全市老龄人口比例是23%，大栅栏地区是26%，老龄化程度超过了全市平均水平3个百分点。弱势群体过多给地区的就业、医疗、养老等民生保障工作均带来了一定的压力。并且弱势群体由于收入水平较低，受近年来物价上涨影响，他们的基本生活失去保障，加之他们容易受到社会歧视，一些弱势人群情绪很不稳定，进而产生了仇视社会心理，一旦社会各种矛盾激化，会使他们做出报复社会的过激行为，甚至是走上违法犯罪道路，给和谐社会的建设和政治的稳定带来了潜在的威胁。

4. 市政基础设施薄弱

大栅栏地区的胡同里面到处可见飞线、电线杆，一些胡同的下水管道还是明清时期铺设的。另外在这个地区只有个别街巷有燃气管道，大部分街巷还没有通天然气。尽管在2008年整个地区完成煤改电后，不再烧煤取暖，但是居民做饭仍然使用煤气。而且每家没有独立的洗手间，都是使用公共厕所。整个地区的市政基础设施，包括水、电、气、热等都非常薄弱。大栅栏属于文保区，不允许大面积的改造，使得居民的生活环境和居住条件跟居民的期望值有一定的差距，这些劣势给该地区的社会治理、城市管理、安全稳定、民生改善都带来了巨大的压力。

5. 综治维稳压力大

大栅栏街道地处核心区，与天安门广场零距离，特殊的地理位置要求大栅栏街道的政治敏感度较高，保障国家政治活动、对外交流活动顺利举行是大栅栏街道的重要使命。同时，街道现有130多家小旅店，旅馆住宿人员达1万多人，人员情况复杂，给地区带来较大的安全稳定压力。这些因素都要求这一地区安全维稳工作必须做到位。

（三）新时期、新形势、新环境下的三大机遇

1. 全面深化改革释放基层活力

党的十八届三中全会通过的《中共中央关于全面深化改革若干重大问题的决定》对全面深化改革的总目标提出了明确要求，“完善和发展中国特色社会主义制度，推进国家治理体系和治理能力现代化”①。为推进全面深

① 中共十八届三中全会通过《中共中央关于全面深化改革若干重大问题的决定》，2013年11月12日。

化改革进程，北京市委办公厅发布了《北京市关于深化街道社区管理体制改革的意见》（以下简称《意见》），《意见》提出要将城市管理重心下移、职能下沉、资源下放，增强街道统筹管理、协调监督、组织服务、社会动员的能力，理顺城市管理的层级条块关系，进一步把街道办事处建设成职责明确、协调有力、执法有度、管理规范、服务高效的基础平台，把社区建设成管理有序、服务完善、文明祥和的社会生活共同体①。在全面深化改革的背景下，大栅栏街道拥有更多的权利和责任，要持续激发基层的活力。

2. 城市战略定位和战略目标明确大栅栏发展方向

习近平总书记在视察北京的重要讲话中提出，北京作为全国政治中心、文化中心、国际交往中心、科技创新中心，其战略定位要求坚持和强化首都的核心功能，深入贯彻实施人文北京、科技北京、绿色北京的战略，努力把北京建设成为国际一流的和谐宜居之都②。非首都核心功能必然要进行调整疏解，而城市拥挤、资源紧缺、人口密集、产业低端化一直是困扰大栅栏的难题，调整和疏解功能，就是要做“减法”，就是要疏解人口、优化产业布局。因此，大栅栏街道要抓住机遇，加快转变发展理念和发展方式，推进功能疏解、环境建设、精细化管理等工作，推进街道发展，做好“减法”，实现人口资源环境的可持续发展，把大栅栏地区建设成国际一流和谐宜居街区。

3. 良好的政策环境兼顾历史文化的传承与居民居住环境的改善

大栅栏地区历史文化悠久，属于重要的历史文化保护区，也正是因此，该地区老旧平房比较多，传承优秀的区域文化、保存好历史街区风貌的同时还要改善居民居住环境是大栅栏街道的一项重要任务。

棚户区改造是我国政府改造城镇危房、改善居民住房条件的一项重要民生工作。2013 年国务院出台了《国务院关于加快棚户区改造工作的实施意见》，要求加快推进各类棚户区改造；2014 国务院办公厅下发《关于进一步

① 中共北京市委办公厅印发《北京市关于深化街道社区管理体制改革的意见》，2015 年 7 月 29 日。

② 新华网：《习近平在北京考察工作时强调：历史文化是城市的灵魂》，2014 年 2 月 26 日。

加强棚户区改造工作的通知》，同年，北京市发布的《关于加快棚户区改造和环境整治工作的实施意见》提出了关于平房院落修缮、危房改造、整治城中村边角地等项目，还要进一步完善由于棚户区改造带来的一系列经济问题，加快研究解决人口输入区因人口迁移而增加的公共管理、社会服务机构及人员编制等问题。2015 年北京市印发了《北京市 2015 年棚户区改造和环境整治任务》，要求西城区完成全区平房修缮、成片平房院落改造和环境整治计划改造 3000 户的任务，同年底再次颁布《北京市 2015 年棚改区改造和环境整治项目调整计划》。为加强棚户区改造工作从中央到市里均出台了一系列政策，大栅栏地区应以此为契机加大棚户区改造的资金支持和工作力度，进而改善居民住房条件、改善居住环境，推进和谐宜居街区建设。

在推进棚户区改造的同时还要做好历史文化保护工作。2014 年 2 月，习近平总书记在北京考察工作时强调要正确处理好城市改造开发与历史文化遗产保护的关系，本着对历史和人民负责的态度，做到在保护中发展、在发展中保护。2016 年 2 月，中共中央、国务院《关于进一步加强城市规划建设管理工作的若干意见》进一步提出保护历史文化风貌，对老旧城区进行修补和有机更新，加强文化遗产保护传承和合理利用，延续历史文脉展现城市风貌。① 因此，大栅栏街道要在相关政策的支持下对需要保留原历史风貌且较为破旧的区域进行加固和修缮，对可以改造和改建的区域进行规划并合理利用，做好古遗址、古建筑、近现代历史建筑的保护工作以及老城区环境品质提升等工作。此外，《北京市西城区国民经济和社会发展第十三个五年规划纲要》中提出保护好历史文化名城金名片，以“文道”建设为统领，推进“名城、名业、名人、名景”四位一体的名城保护工作体系建设。“名业”指各类老字号等传统商业服务业、传统和现代演艺业、新兴文化创意产业等传承和发展等工作，大栅栏地区是传统商业街区，聚集了包括同仁

① 中共中央、国务院：《关于进一步加强城市规划建设管理工作的若干意见》，2016 年 2 月 6 日。

堂、六必居、马聚源、瑞蚨祥等在内的40多家中华老字号，在此契机下街道要做好传承、复兴与弘扬老字号品牌工作，激发老字号的活力，提升老字号影响力。

（四）新时期、新形势、新环境下的四大挑战

1. 新形势下如何深化街道社区管理体制改革

新时期全面深化改革是一项重要任务，改革可以称为一场深刻的革命，必须坚持正确方向，沿着正确道路推进。街道作为城市治理基层，如何深化街道社区管理体制改革对大栅栏街道来说是一项重要的挑战。深化街道管理体制改革将城市管理重心下移、职能下沉，这就要求对职能职责、社工人员等要素进行重新划分和定位，将更多的人、财、物等资源投入社区建设当中。在深化改革过程中要明确街道职能，做好统筹规划、资源协调、监督管理、指导服务和综合治理等工作，要优化组织结构、科学设置组织机构、合理划分事权、创新社会治理机制、强化公共服务能力，提升街道综合管理效能，实现从“管理”为主向“服务”为主的转变。

2. 首都功能核心区如何推进安全维稳工作

大栅栏街道地处首都功能核心区，这就要求街道必须服从并服务于首都城市战略定位。作为全国的政治中心、文化中心、科技创新中心、国际交往中心，首要任务是做好安全维稳工作，首都稳才能全国稳。该地区与天安门广场零距离，特殊的地理位置要求大栅栏街道的政治敏感度要特别强，必须担负起维护首都安全稳定的第一责任，切实将维稳各项工作落到实处。而且大栅栏街道人口密集、“五小”门店多等都很容易导致出现安全问题，给综治维稳工作带来了很大压力。街道有必要采取有效措施，强化督导检查，建立责任追究机制，确保各级维稳工作人员到位、措施到位、责任到位，还要加强排查化解矛盾纠纷工作力度，预防各类犯罪活动发生，加强安全监管，严防重大事故的发生。

3. 人口聚集区如何做好民生保障工作

大栅栏街道区域面积为1.26平方千米，常住人口36997人，人口密度

为29131人/平方千米，北京市统计局、国家统计局北京调查总队发布的《北京市2014年国民经济和社会发展统计公报》数据显示，2014年北京市常住人口密度为1311人/平方千米，西城区常住人口密度为25767人/平方千米。由此可见大栅栏街道常住人口密度是北京市常住人口密度的22倍，是西城区常住人口密度的1.13倍，而且该地区的残疾人、低保户、两劳释放人员、老龄人口等弱势群体较多。庞大的人口规模以及过多弱势群体必将对地区的教育、就业、医疗、社会保障、住房等主要民生领域带来很大压力，加剧了地区的民生问题。大栅栏地区共有中小学校5所、综合医院1家、社区卫生服务站3个，无专门养老机构，有限的教育、医疗及养老等资源也阻碍了民生保障工作的提升。大栅栏街道必须要立足地区实际，正确把握财政收支与困难帮扶、增加供给和精确实施的关系，做好最低生活保障、医疗救助、特困人员供养、义务教育经费保障工作，推进养老服务、残疾人康复等设施建设，提高公共服务能力，加强对特定人群特殊困难的帮扶，实现基本公共服务常住人口全覆盖、保障基本民生等目标。

4. 文保区如何改善居民生活环境

老城区是城市历史文化的深层次体现，这里的居民区则是传统居住文化的载体。老城区的改造要在延续历史文化形态的基础上，满足居民现代化的生活需求，既不能因为要保护历史街区风貌而忽视居民生活质量，也不能因为要提高生活质量而人为制造历史文化的断层。因此，文保区如何兼顾历史文化的保护和延续与改善居民生活环境是一项巨大的挑战。大栅栏地区居民生活环境比较差，供水、供电、排水、取暖、燃气等市政基础设施薄弱，厕所、洗浴、医院等公共服务设施不完善，活动场地、绿地面积少。而且区域内老旧平房多，多数房屋基础设施陈旧，结构老化，私搭乱建现象严重，带来了很大的安全隐患和消防问题。冬季燃煤取暖容易发生煤气中毒、火灾等危险，用电取暖成本较高，导致冬季室内温度偏低。在较好保存历史街区风貌的基础上如何给居民创造一个安全、舒适、便利的生活条件是大栅栏街道面临的一个难题。

四 “12345”发展思路提升大栅栏街道治理水平

近年来，大栅栏街道以改善民生为重点，紧紧围绕“构建活力党建、打造魅力街区、建设和谐大栅栏”这一总体目标，创新发展理念，破解城市管理和流动人口调控两大发展难题，统筹推进民生服务保障带、传统商业文化带、街道风貌保护示范带“三带”建设，健全完善“党建统筹、安全稳定、公共服务、城市管理”四大平台，构建“12345”工作格局，大力推进地区治理和社会公共事业的发展。街道要在此基础上延续“12345”工作思路，并融入关于文保区保护与开展的五种工作模式，不断改善文保区居民居住的生活环境品质。

（一）一个目标实现和谐街区建设

“1”是围绕一个总体目标，即构建活力党建，打造魅力街区，建设和谐大栅栏。

1. 加强党建工作，激发基层党组织活力

基层党组织是党在基层社区治理中的战斗堡垒，肩负着基层领导核心的责任，更是与人民群众沟通的桥梁，充分发挥基层党组织推动发展、服务群众、凝聚人心、促进和谐的作用，激发基层党组织活力，助推区域又好又快发展。

一是要自觉践行“三严三实”，持之以恒转变作风，坚持以公平、公正、公开为原则，以科学化、民主化和制度化为目标，改革和完善党员干部用人机制和培训机制，打造一支作风正、能力强、敢担当的党员干部队伍。

二是继续推进区域化党建。挖掘大栅栏商业街的文化资源和发展优势，充分发挥大栅栏商业街区党建工作站的作用，吸纳老字号企业、非公企业等企业基层党组织参与区域党建工作，搭建党建服务地区发展的平台。突破条块上的限制，集聚大栅栏商业街区内各行业的智慧和力量，凝聚地区发展的意见和共识，形成地区发展合力，激发区域发展活力。

2. 传承文化精髓，打造魅力街区

大栅栏地区属于旧城区、历史文化保护区、传统商业街区，街道应充分挖掘文化资源，展现街区魅力。

一是挖掘、整理、恢复和保护丰富的各类非物质文化遗产，建立非物质遗产与物质遗产的有机结合方式，继承传统文化的精髓并展现其文化魅力。建立非物质文化遗产传承博物馆和展示推广中心，大力宣传非物质文化遗产及其保护成果，全面深入开展社会普及教育，提升地区文化品牌影响力。

二是坚持传统媒体与新兴媒体并重，强化大栅栏品牌宣传力度。持续开发深受群众喜好的特色文化活动项目，不断提高社会参与度与认同感。继续加强文体阵地建设，加大对地区文体团队扶持力度，引入社会文艺队伍充实地区文艺团队力量。广泛开展主题文化宣传活动，加强市民的法治观念和道德建设，全力提升地区居民文明素养。

三是优化产业布局，进一步促进“文商旅”融合发展。充分发挥历史文化保护区、传统商业街区的优势，以“十三五”为发展契机，推进大栅栏地区特色商业旅游和文化创意产业发展。促进文化资源向特色产品的转化，全面提升旅游、商业发展的文化品质，提升老字号品牌的社会影响力，创新具有市场影响力和吸引力的“文商旅”融合的特色品牌商品与活动，打造魅力街区。

3. 做好民生保障工作，构建和谐大栅栏

始终将保障和改善民生作为工作的出发点和落脚点，紧密围绕群众最关心、最直接、最紧迫的切身利益，着力构建“公共服务 + 社会服务 + 志愿服务”民生服务体系，持续改善人民群众生活质量，努力让群众享受共建共享发展成果。

一是落实惠民政策，大力提升公共服务能力。完善社会保障体系，全面落实各项社会保障和救助政策，推进社会救助法制化、规范化、体制化建设，提升助老、助残、助困、助学能力，在学有所教、劳有所得、病有所医、老有所养、住有所居上持续取得新进展。加快生活性服务业的转型升级，调整优化地区生活服务业态，逐步建设完善百姓生活服务中心。积极争取康复项目支持，拓展地区残疾人帮扶事业发展新思路，不断提升公共服务能力。

二是加大创新力度，着力提升社会治理水平。坚持改革创新，增强社会发展活力，逐步形成政府治理和社会调节、居民自治的良性互动，不断提升社会治理能力和水平。进一步优化“全响应”社会服务管理体系，提升社会治理能力。发挥社区“自治”功能，全面推进“参与式协商”民主自治模式，推行居民议事厅制度，健全完善多元的社区自治体系。

三是继续探索服务居民的长效机制和社区服务体系，建设和谐大栅栏。结合地区老旧平房多、困难群体多、老年人多、流动人口多、矛盾纠纷多、基础设施差的地区实际，以“提升服务品质，追求社区认同”为社区民生建设的目标，实现在第一时间全方位地知晓民情、了解群众需求，以满足居民需求为出发点和立足点，针对居民提出的服务需求，街道和社区统筹协调、形成合力，充分挖掘整合辖区资源，结合服务项目，组建相应的服务队伍，制定个性化便民服务措施，解决民需，最大限度提高群众的生活幸福感和满意度，推进和谐大栅栏建设。

（二）破解两大难题推进街区发展

“2”是破解两个难题。制约大栅栏发展和管理的难题很多，其中城市管理和流动人口调控是两个非常突出的难题。

1. 城市管理

由于历史遗留等问题，地区90%以上为平房区，需要通过精细化管理来破解文保区胡同管理难题，即打造精品胡同。为让精品胡同打造及精细化管理的成果真正惠及居民，通过各种渠道收集整理居民意见和建议，根据居民需求开展精细化管理工作，实现“人性化”服务。对专项问题进行专项整治，坚持打好“拆违、灭脏、清障、治污、治乱、撤市、缓堵”七大战役。做好违章建设治理、环境卫生保障、胡同绿化美化、车辆秩序管理、文化建设、经营秩序治理等工作。坚持深耕细作，加强街巷环境秩序管控工作。

一是坚持景观工程与民生工程相结合，探索城市管理新模式。在街巷整治建设过程中，与居民、商户代表深度沟通，公开施工方案，征求意见、建议，提出优惠政策，修缮各类房屋，全面改善居住环境。在规范交通秩序过程中，妥善协调交管等职能部门，充分走访调查、掌握社情民意，采取征集停车场所、引入管理机构、补贴停车费用、单行禁停规范等多项举措。在规范经营秩序过程中，着力将依法规范与商户自律有机结合，一方面法制先行，强化综合执法，奠定守法经营的基础，另一方面逐步树立守法经营的理念。

二是坚持美化工程与文化工程相结合，彰显区域文化新风貌。大栅栏地区胡同整治改造工作较多，在改造过程中除了修缮外，还要注入更多地区特色文化元素。通过收集、整理地区文化资源，把文化宣传与环境治理相结合，以高标准打造精品街巷，将地区特色文化与历史传承对外进行展示，以文化魅力彰显地区特色，切实提升地区综合品质。

三是做好爱国卫生工作。借助社区和商户自律组织，调动居民和商户参与爱国卫生工作的积极性，做好灭四害、门前三包和院落清洁等各项环境保洁工作。同时，做好环保节能、院落节水工作，大力宣传环保理念，妥善完成煤改电和节水院落工程，使环保观念深入社区、深入人心。

四是做好园林绿化工作。与区园林局密切配合，做好地区绿化设施和绿色植物的养护，做好树木伐除、修剪、打药和汛期排险等工作，使和谐春色洒满民居。

2. 流动人口调控

大栅栏地区常住的流动人口达到1.5万，而且这里不仅仅有常住的流动人口，每天还有众多的游客，像五一黄金周、十一黄金周等高峰时期到大栅栏来旅游的有可能达到20万人一天，一般情况每天可达七八万人。因此必须采取有效措施破解流动人口调控的难题。

一是提前做好人口调控措施，通过重点工程定向安置、产业和功能转移带动部门户籍人口疏解。

二是加强流动人口日常服务管理工作。对地区守法经营的外来居住群体提供均等化公共服务。实施动态监测机制，准确掌握流动人口底数和变化趋势。

三是对“五小”门店和各类市场进行整顿规范，加强对低端业态的规范管理，减少低端就业岗位对流动人口的过度需求。

四是开展对无照经营、超范围经营的专项整治工作，挤压违法经营生存空间，坚决遏制群租行为，对出租房屋有效治理，同时配合相关部门做好人口疏解工作，健全“以房管人，以业控人，以证管人”模式。

（三）“三带”建设优化街区空间布局

“3”是持续推进民生保障带、传统商业文化带、街区风貌保护示范带“三带”的建设。

1. 推进民生保障带建设

民生保障带主要是位于整个地区的西半部。在公共服务设施的建设上，要加强社区办公条件的改善，将辖区单位和群众服务的窗口进一步集中到公共服务大厅，进一步完善文体活动、人口家庭服务、安全生产指挥等中心的建设。同时，推进包括图书馆、居民活动室等公共服务设施建设，有效改善地区公共服务水平。坚持“访听解”长效工作机制，深化助老服务圈建设，提升养老服务水平，打造优质无围墙敬老院。推进养老服务专属医疗站建设工作，引入专业医疗机构，探索医养结合的为老服务模式。充分调动地区养老服务资源，发挥社会建设项目专项资金撬动作用，引进社会组织提供助老、助残、文体等各类活动。加快疏解人口和棚户区改造等工作，将腾退后的空地更多用于建设绿地、停车场、休闲娱乐设施，改善街区居住环境。

2. 推进传统商业文化带建设

传统商业文化带，就是老字号比较聚集的一条老街。一是要继续协商和探索推介大栅栏、推介老字号企业、开发回馈客户亲子旅游项目等事宜。二是要加强国家 AAA 级旅游景区的建设，推进景区识别导览体系建设。三是要与地区文化界人士合作，制作街区历史文化展示窗口。建立以胡同四合院为肌理、历史文化为底蕴、兼具品味人文环境的休闲旅游和文化创意为一体的特色街区。

3. 推进街区风貌保护示范带建设

大栅栏区域内有最为完整的胡同肌理，丰富的历史建筑风貌，弥足珍贵的历史文化遗存，以及众多的中华老字号，这些都是构成北京都城历史记忆和古都风貌的重要组成部分，是北京市面向全国乃至世界展示历史文化名城魅力的重要窗口。文保区风貌的保护需要处理好五个关系。

一是保护与发展的关系。旧城的改造要处理好发展与保护的辩证关系，既要坚持以人为本，为危旧房区群众排危解困，安排好群众生活，又不能破坏老旧城区的历史风貌。要最大限度地保护历史文化遗产的同时发展和建设城市，把城市的历史与未来有机地结合在一起，把这一区域打造成为历史文化公园和历史文化特区。

二是传承传统与业态提升的关系。大栅栏地区内的传统商业业态独具特色，在其业态提升的过程中，将传承传统与业态提升相结合，正确处理体验式购物与网购、手工创作与批量加工制作的矛盾，注重文化创意产业发展，让人们体会到历史文化气息的同时也感受到现代文化元素的存在，使历史与现代融会贯通。

三是历史文化风貌保护与房屋修缮的关系。大栅栏地区不同年代和风格的建筑是区域历史文化发展的重要符号，也是该地区的显著特征。但是随着社会的发展以及人们生活水平的提高，对基础设施和生活环境的要求也不断提高。在区域整体保护复兴的过程中，要兼顾居民居住条件改善与古都风貌保护工作，在不改变胡同肌理和房屋风貌的基础上，以文物保护为原则，对传统房屋进行修缮，完善市政基础设施，保障房屋质量和居住功能，达到设施完善、能源清洁、建筑节能的要求，使原住民居住环境得以改善，建筑文化底蕴得以体现和延续。

四是风貌环境保护与改善交通秩序的关系。大栅栏地区胡同较多，宽窄不一，随着北京市机动车辆的急剧增长，地区停车难、乱停车等问题突出，在保护现有胡同风貌的同时，要进一步梳理资源，协同各部门研究区域交通组织优化方案。利用有限的空间最大限度开辟地面、地下停车场、立体停车库等设施，科学疏导区域车流，不断改善地区交通秩序。

五是人口疏解和生态文明建设的关系。大栅栏地区公共设施用地中的文化娱乐用地、体育健身用地等服务型用地少，区域内几乎没有公共绿地。街道要结合现状，继续进行人口疏解工程，降低人口密度；改善绿色空间，在充分保护已有绿化的基础上，增加院落绿化、局部地区开辟小型绿地及公共开敞空间；并利用有限空间建设便民体育活动设施，为居民提供活动场所，在完善各类服务设施的同时，注重居民环境意识的教育和培养，倡导绿色生活模式。建设文尽其厚、地尽其用、居尽其安、行尽其便、景尽其美的宜居环境。

（四）四大平台实现社会治理能力现代化

“4”是以党建统筹平台、综治维稳平台、公共服务平台、城市管理平台四大平台为支撑构建社会服务管理体系。

1. 完善党建统筹平台，提升内在凝聚力

继续坚持以区域化党建助推区域化发展的工作思路。在推进区域化党建的基础上，坚持区域化统筹、项目化管理、组团式服务、社会化运作的工作机制。建立完善区域党建联盟的各项制度，扎实开展党的群众路线教育实践活动。坚持街道工委领导核心，发挥统揽全局、协调各方的作用，加强顶层设计，强化廉政宣传教育，扩大“老字号党建沙龙”影响力，整合区域化服务资源，在加强区域化党建联盟工作的基础上，固化区域事务民主共商机制，共同研究区域性党建工作。坚持以民生的需求为导向，建立区域化党建服务项目，开展大栅栏基层党建科技平台研建工作，统筹建立符合区域特色的全响应、网格化社会治理指挥中枢，系统推进政府代表进网格的工作。深化“大工委”“大党建”的工作理念，落实全面从严治党要求，聚精会神抓好党的建设，坚持高标准、高质量深入推进“三严三实”专题教育，为区域科学发展提供坚强保证。

2. 完善综治维稳平台，提升治理水平

固化“1 +6”综治维稳格局，发挥综治维稳中心的指挥中枢作用，完善风险评估、矛盾排查、社会面防控、联动响应、督办考核和综合救助六项工作机制，整合驻街职能部门资源，形成矛盾联调、治安联防、工作联动、问题联治、平安联创的“五联”工作模式。加大流动人口服务管理力度，围绕人口疏解工作，深入推进违法出租房屋、无照经营等专项整治工作，优化流动人口服务项目，加强噪声源和餐饮排污行为治理的力度，实现垃圾的减量化、无害化和资源化，推进小广告、地下空间及“七小三乱”等综合治理工作，着力提升市民生活环境品质。深入推进无毒社区、无邪教社区、平安社区、法治社区创建活动，营造和谐稳定社会环境。加强反恐防暴源头防控，提升应急处突能力。积极开展地区反恐宣传，提高地区居民群众的反恐防恐意识和突发事件自救能力，完善反恐信息举报奖励规范，逐步形成“专群结合、全民参与”的全社会反恐防恐常态化工作机制。

3. 完善公共服务平台，推进民生保障工作

街道始终把保障和改善民生作为工作的出发点和落脚点，坚持以人为本，从群众需求出发，加大民生工程投入，深化“访听解”、“社区工作日”制度，扎实推进“机关干部进网格”等工作，进一步拓宽群众诉求反映渠道，多为群众办一些顺民意、解民忧的好事、实事。坚持“全覆盖、保基本、多层次、可持续”的方针，要落实各项惠民、利民政策，全面推进社会保障体系建设。健全完善街道、社区综合救助网络，建立多元化救助帮扶机制。完善社区服务群众工作机制，提升社区工作者综合素质。推进政府购买社会服务，以委托、承包、采购的方式吸引社会力量的参与，并将适合社会力量的服务交给社会机构来承担。推进志愿服务工作体制机制改革，完善志愿服务长效机制，提高助老、助困、助学、助残服务水平。发挥社区自治组织的作用，充分调动群众的积极性、主动性、创造性，让人民群众共享改革发展成果。

4. 完善城市管理平台，提升街区管理水平

坚持问题导向，强化责任监管，加大整治力度，确保“城市病”整

治取得明显成效。改善地区整体环境，发挥联合执法小分队的职能优势，深入开展重点区域排查整治。结合文保区实际，着力破解胡同管理难题，推进街巷路面修缮及自来水管线改造恢复工程，提升街巷景观品质。深化“专业管理 + 商户自律 + 居民自治”的城市管理互动模式，持续推进五小门店自律自管会工作。统筹管理辖区各类协管力量，对专业管理部门、群团组织、社区的各类全日制协管力量进行整合，逐步实现规范化管理。加大企业服务力度，为区域内的商业街区企业促销活动提供保障支持，扩大地区文化影响力和凝聚力。通过推动“参与型”社区协商、“三社联动”、驻区单位资源开放共享，形成多元共治、积极协同的基层社会管理体系。

（五）五种工作模式推进文保区的修缮和保护

“5”是城市建设、商业街改造、市政道路带动、自愿腾退、节点式辐射五种工作模式。历史文化名城保护是大栅栏街道的重要工作内容，在实践探索基础上，大栅栏应采取五种工作模式来推进历史文化街区保护工作。

1. 城市建设模式

即在推进城市建设过程中加强文保区保护。解决民生困难的同时保护历史街区风貌，这是大栅栏街道的主要职责。大栅栏地区市政基础设施非常薄弱，很多市政管线都是新中国成立前就已修建，排水、排污能力差，房屋也比较破旧，需要修缮和改造。街道应坚持以居民需求为先的原则提供公共服务，加强市政基础设施建设。在加强城市建设、保护历史文化街区、传承历史文化的过程中，要做好历史文化保护宣传工作，提高群众意识，使人们在城市建设中自觉保护历史文化遗产。协调好城市建设与文保区保护工作，在进行城市建设工作前考虑已存在的文物遗存，做好相应保护对策，保护好历史文化街区肌理。

2. 商业街改造模式

商业街改造模式重点在拆违建，通过清理违建治理环境。在商业街建设中通过违建拆除，还原建筑历史风貌，然后对建筑进行修缮，这是一种文保区的改造模式。在推进文保区保护与改造的工作中，合理利用传统建筑的实体，保存好传统建筑的材质、色彩、样式等，延续历史街区风貌。以全面保护历史建筑的艺术价值为前提，结合商业业态的特点和不同建筑的面积、空间特点和价值特色等，尽最大可能地使商业功能与建筑的传统功能接近，延续文物保护单位、历史建筑的风貌特色，赋予商业街传统文化色彩，传承商业街区深厚的历史文化内涵。

3. 市政道路带动模式

通过市政道路和市政基础设施改造带动两边居民的腾退和房屋修缮，这就是市政工程带动腾退修缮改造模式。文保区的道路交通规划要以不破坏历史街区内的沿街传统风貌、方便居民出行、改善市政条件为目标，按照整体风貌保护的要求，维持既有道路空间尺度和道路网的整体格局，在保护原有风貌的基础上进行必要的修整。

4. 自愿腾退模式

自愿腾退模式就是居民自愿腾退修缮，这是文保区修缮的一种模式。这种腾退模式需要腾退工作的各方都能接受相关条件，达成协议。目前这种模式腾退比较困难，最为成功的例子就是杨梅竹斜街。破解这一难题的关键在于在腾退过程中，街道要在充分考虑居民合理利益诉求的基础上，研究相关的鼓励或补贴政策，制定社会认可的合理政策，不强制要求历史文化街区内的居民全部搬迁，采取逐户逐院腾退的原则，让居民自愿选择，实现疏解人口、改善居住环境的目标。

5. 节点式辐射模式

通过节点带动周边腾退、修缮、改造工作。如以观音寺、小凤仙故居、赛金花的故居等具有历史遗存价值的节点项目为重点进行腾退，然后带动周边区域的更新改造，展示其历史文化内涵，发展文化创意产业及休闲旅游业，形成新的文化旅游品牌。街道要在明确保护区哪些地方需要腾退修缮、哪些地方需要改造、哪些地方需要拆迁后，再进行腾退和改造，并加强腾退空间的使用和管理，确保“人随事走”，坚决防止非首都功能和人员再聚集。

参考文献

大栅栏街道工委、办事处：《大栅栏街道工委、办事处 2013、2014 年工作总结》。

大栅栏街道工委、办事处：《大栅栏街道工委、办事处各科室 2013、2014 年工作总结》。

西城街道蓝皮书调研组：《大栅栏街道工委书记田静专访简报》，2015 年 1 月 8 日。

西城街道蓝皮书调研组：《大栅栏街道办事处主任王志忠专访简报》，2015 年 1 月 8 日。

王少峰：《西城区提升城市精细化管理水平的思考》，2014。

数据报告

Data Reports

B.2

大栅栏街道基于工作人口的地区公共服务问卷调查报告

摘　要：　为全面提升街道公共服务水平，大栅栏街道针对辖区的驻区单位工作人员随机进行了街道公共服务需求问卷调查，主要从社区服务机构认知度、社区服务参与度、地区生活便利度、社区公共服务满意度和社区公共服务需求度五个方面着手展开调查，通过对反馈问卷的数据统计分析做横向对比、纵向对比及频数分析等，真实了解大栅栏街道公共服务现状、趋势及诉求，为整体提升大栅栏街道公共服务体系做好数据支撑及对策建议。

关键词：　公共服务　工作人口　需求满意度　大栅栏街道

街道公共服务是满足居民物质与精神文化需要的重要方式和载体之一。为了解大栅栏街道的公共服务现状、趋势及居民诉求，提高街道公共服务水平，特开展此次问卷调查。本报告所涉及的调查对象是大栅栏街道驻区单位的工作人员。调查进行时间为 2015 年 1 月。共发放问卷 200 份，回收 166 份，其中有效问卷 166 份，有效回收率为 83%。

一　调查样本情况

调查对象中，男女比例约为 1∶1.03。年龄在 26～35 岁以及 36～45 岁所占比重最大，分别占到总调研人数的 30.7%和 22.7%。职业分布情况以机关事业单位职工为主。户籍以本市户籍为主（61.4%），其中本区户籍比例达 15.7%。教育程度为高中或中专以下的人群所占比例最高，为 47.1%。家庭组成结构方面，51.4%的家庭是三口之家，所占比例最高。

从家庭收入上看，22 人家庭人均收入低于 1560 元，占调查居民总数的 13.3%；家庭月人均收入在 1560 元至 3400 元之间的被调查居民数量最多，比例达到 51.5%。

表 1　调查样本基本情况统计

性别	男			女		
	80			82		
年龄	25 岁以下	26～35 岁	36～45 岁	46～55 岁	56～65 岁	65 岁以上
	23	51	46	29	10	7
户籍	本市户籍	本区户籍	居住证	暂住证	居住半年以上但未办理居住证	外籍
	102	26	5	30	2	1
职业	公司白领	机关事业单位职工	公务员	其他		
	19	33	4	94		
学历	硕士及以上	大专或本科	高中或中专			
	10	62	64			

续表

家庭人数	四口以上	四口	三口	二口	一口	—
	18	23	74	14	15	—
家庭人均月收入	1560 元以下	1560 ~ 3400 元	3400 ~ 5000 元	5000 ~ 10000 元	10000 ~ 20000 元	20000 元以上
	22	85	29	22	5	2
本社区居住时间	三年以上		一年到三年		一年以下	
	108		36		9	

注：回收问卷中，全部题目漏答率在 15% 及以下，判定为有效问卷。由于题目漏答，表中对各属性的汇总统计数存在不一致并且小于有效问卷数的情况。下同。

二　社区服务机构认知度

（一）街道办事处认知度：73.5% 的人表示“知道”

对于大栅栏街道办事处，被调查者的认知度较高，73.5% 的受访者表示“知道办事处地址”，20.5% 的受访者表示“知道大体位置，但没去过”，还有 6.0% 的受访者表示“不知道”。

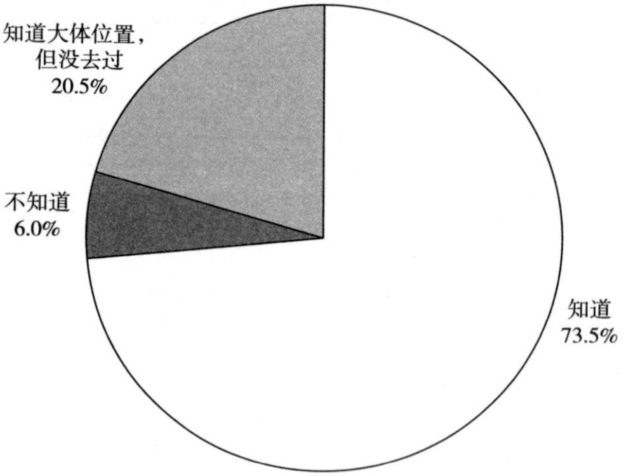

图 1　大栅栏街道办事处认知度

（二）社区居委会认知度：89.6%的人表示“知道办公地点”

调查显示，对于社区居委会的认知度要高于街道办事处，表示“知道办公地点”的受访者人数高达89.6%。对于居委会较详细的内容的认知度也较高。其中，表示“了解服务项目”的受访者人数占比为55.5%，表示“知道领导姓名”的受访者占43.9%，表示“参加过活动”的受访者人数占比为43.9%。此外，还有4.9%的受访者对以上情况都不知道。

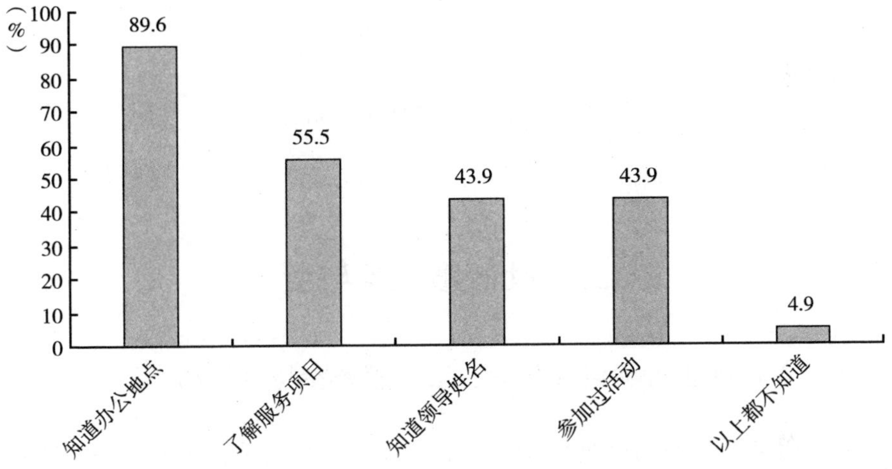

图2　大栅栏街道社区居委会认知度

（三）社区认同度：69.1%的人表示会以社区为荣

调查问卷以“您会以您单位所在的这个社区为荣并经常向朋友或亲人提起和夸耀吗?”这一问题来了解被访者对于社区的认同度。结果显示，23.0%的受访者表示“会”，46.1%的受访者表示“有时候会”，30.9%的受访者表示“不会”。

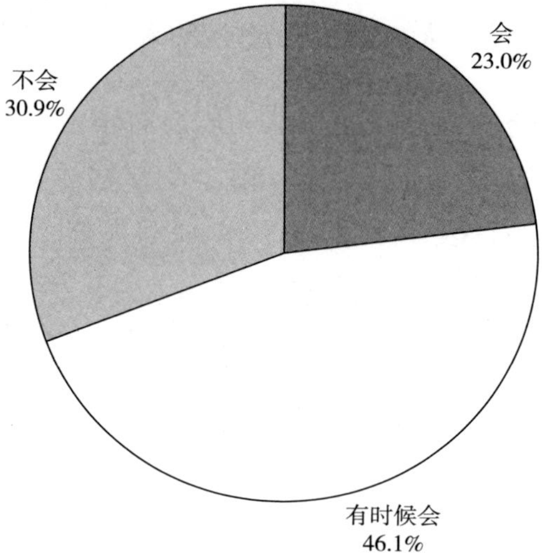

图 3　大栅栏街道社区认同度

三　社区服务参与度

（一）社区服务项目参与度：法律服务参与度最高

社区服务项目参与度是衡量社区服务项目水平的重要内容之一。调查显示，对于社区服务项目参与度，参与“法律服务”的受访者达 35.2%，所占比例最高。其次是参与“图书阅览”及“家政服务”，受访者分别为 29.1% 和 24.2%。除“婚姻介绍”和“人才交流”服务外，其余服务项目的参与度都在 10.0% 以上。但是，表示“都未参与”的受访者人数仍有 23.0%。由此可见，社区服务项目的提供者与驻区单位工作人员之间的接触仍存在一定的上升空间。

（二）社区文化活动参与度：曾参与的占比达73.3%

对于大栅栏街道社区文化活动参与度，29.7% 的受访者表示“经常参

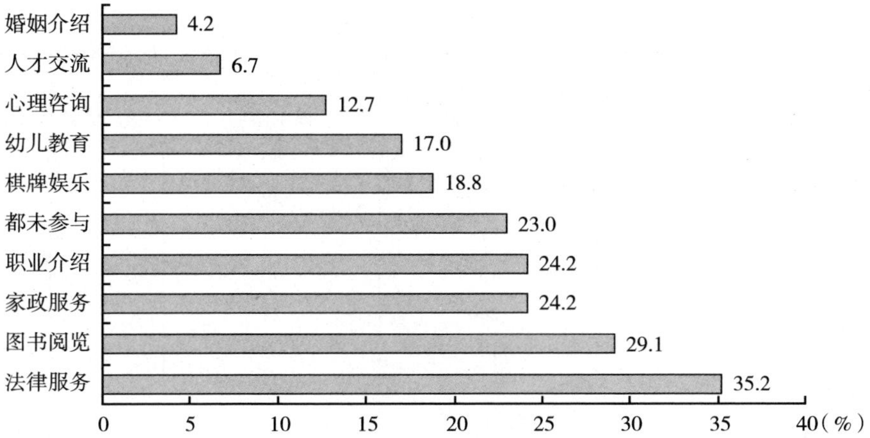

图4　大栅栏街道社区服务项目参与度

加”，43.6%的受访者表示“偶尔参加”，还有26.7%的受访者表示“从来没有”。其中，铁树斜街社区、煤市街东社区表示“经常参加”的比例最多，受访者表示“经常参加”的比例达到了50%和45%；而延寿街社区的参与程度最低，其所有的被调查样本均回答没有参加过社区文化活动。

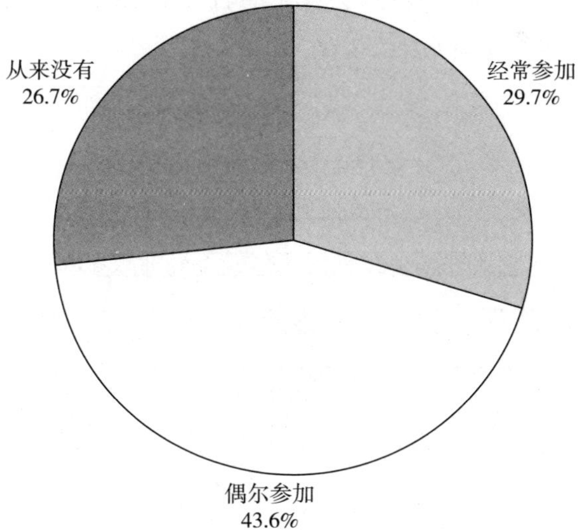

图5　大栅栏街道社区文化活动参与度

表 2　大栅栏各社区文化活动参与度

社区	社区文化活动参与比例(%)		
	经常参加	偶尔参加	从来没有
百顺社区	40	60	0
大安澜营社区	39	39	21
大栅栏西街社区	21	64	14
煤市街东社区	45	40	14
前门西河沿社区	24	24	52
三井社区	17	67	17
石头社区	6	59	35
铁树斜街社区	50	50	0
延寿街社区	0	0	100

（三）社区公益事业参与度：治安、助老助残、绿化居前三位

对于社区公益事业参与度，参与“治安”的受访者占比达 37.3%，所占比例最高。其次是参与“助老助残”和“绿化”比例，受访者占比分别达 35.5% 和 30.7%。除“APEC 会议志愿者”（受访者占比达 18.7%）外，其他社会公益事业的参与水平平均在 30% 左右。

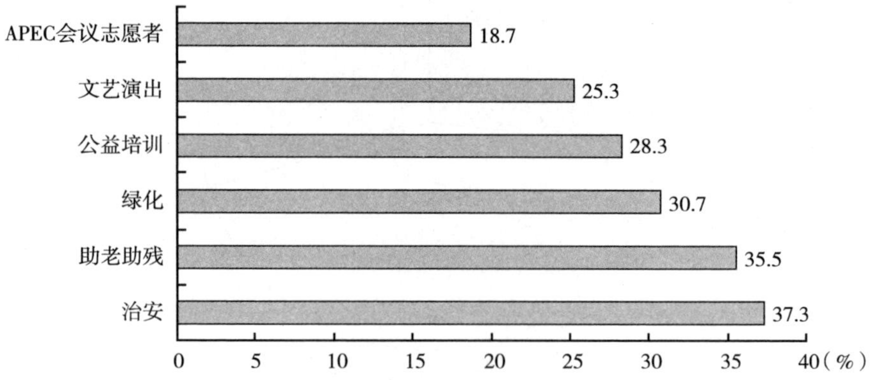

图 6　大栅栏街道社区公益事业参与度

四　地区生活便利度

（一）停车资源情况：40.2%的受访者认为停车条件很不好，影响工作

停车难问题是大栅栏街道的一个难题。关于停车资源，调查结果显示，14.6%的受访者表示“很好，没有”，40.2%的受访者表示“很不好，严重影响工作”。其中，煤市街东社区反映出来的问题最为突出，认为停车条件很不好的比例达到33.3%。

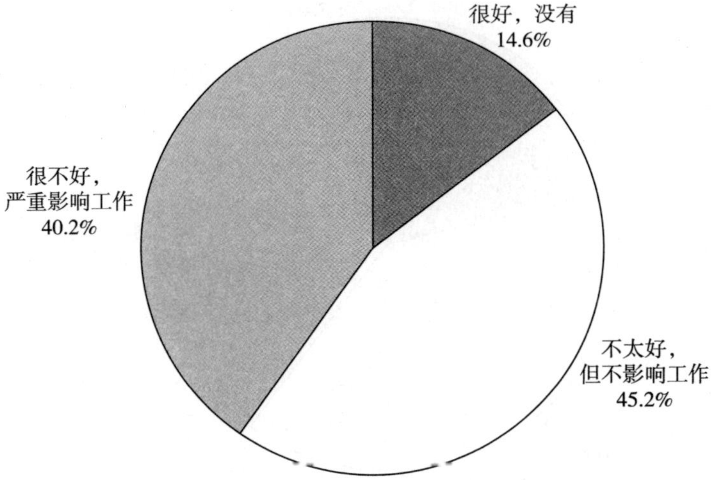

图7　大栅栏街道的周围停车条件

（二）交通便利度：39.9%的受访者从公交车或地铁下车后走到单位时间不超过10分钟

调查问卷对“最后一公里”换乘情况做了了解。其中，32.5%的受访者可以在步行“5～10分钟”到达，有21.5%的受访者表示需要步行“15分钟以上”才能到达单位。

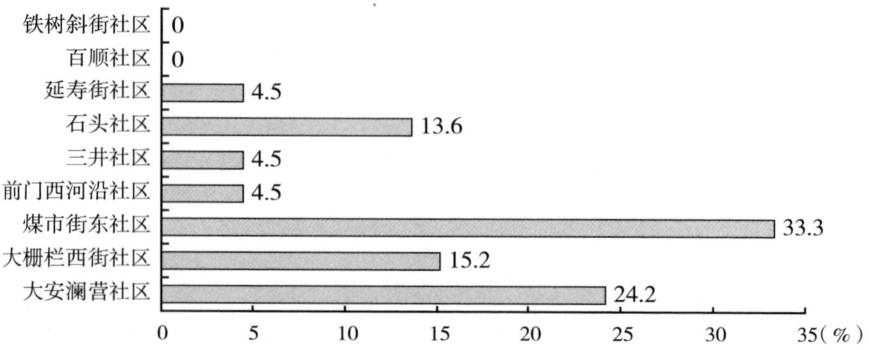

图 8　反映停车条件不好的样本社区分布情况

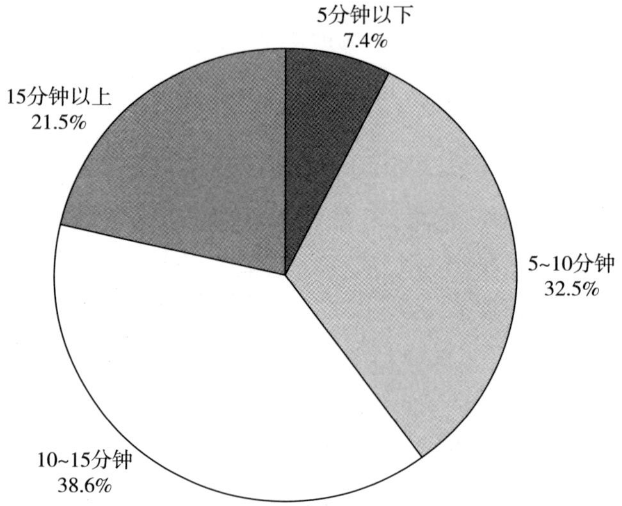

图 9　大栅栏街道的交通便利度

（三）早餐便利度：43.4%的受访者能较方便地找到正规早餐点

调查显示，对于大栅栏街道早餐便利度，43.4%的受访者表示“稍有不便，多走几步能找到”，30.8%的受访者表示“有流动的摊点，卫生难以保障”，5.7%的受访者表示“很不方便”，此外，还有20.1%的受访者认为“基本没有”相对正规的早餐点。

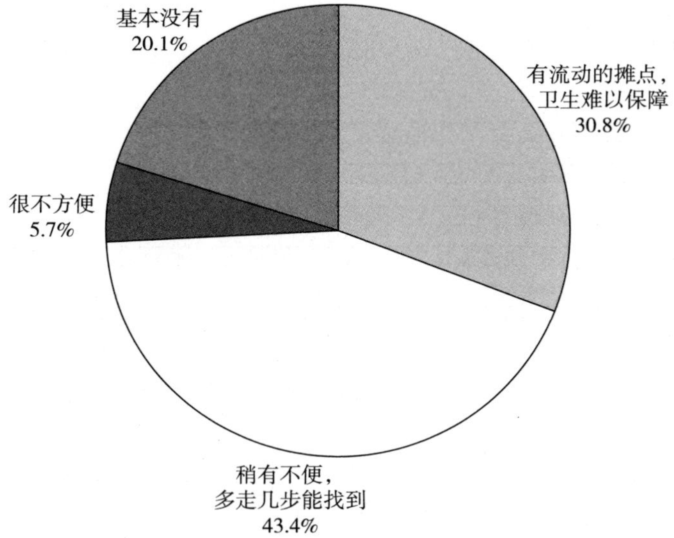

图 10　大栅栏街道的早餐便利度

五　社区公共服务满意度

（一）社会保障服务：医疗保险和养老服务满意度最高

对于社会保障服务项目，调查显示，医疗保险和养老服务的满意度较高，受访者分别达到 43.6%、39.3%。紧随其后的是就业服务和住房保障，受访者认为其满意的占比分别为 36.2% 和 25.2%。此外，仅有 6.7% 的受访者选择了“都不满意”。

（二）医疗卫生服务：53.1%的受访者表示“价格合理”

在关于医疗卫生服务的调查中，受访者最为认可的是价格合理。数据显示，53.1% 的人认为大栅栏街道的医疗卫生服务优势是价格合理，其次是就医方便，选择比例高达 35.6%。此外，仅有 10.0% 的人表示都不满意。

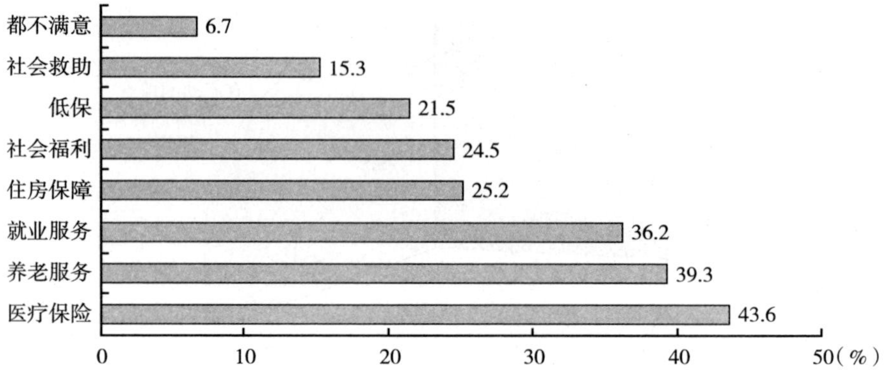

图 11　大栅栏街道社会保障服务情况

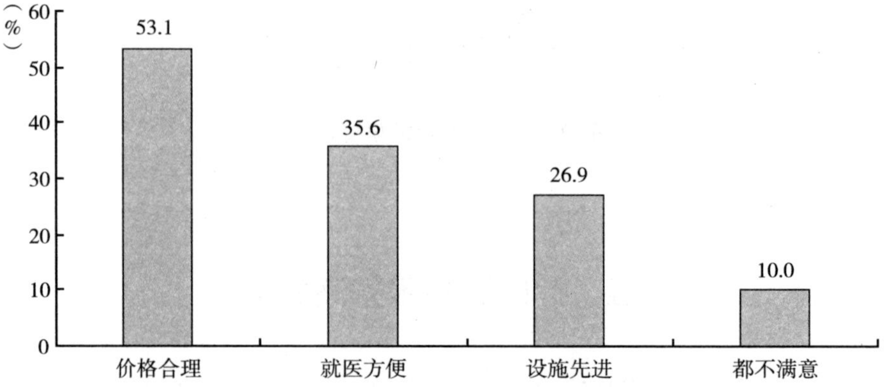

图 12　大栅栏街道医疗卫生服务满意度

（三）公共安全：69.2%的受访者对社会治安表示满意

在公共安全方面，有69.2%的受访者表示对社会治安服务情况比较满意。除此之外，40.9%的人表示对流动人口管理服务满意，27.0%的人表示对突发事件处理满意，仅有3.1%对以上都不满意。

（四）城市管理：57.6%的受访者认为城市管理存在的主要问题是违章停车

在城市管理方面，调查显示，57.6%的受访者认为城市管理存在的主要

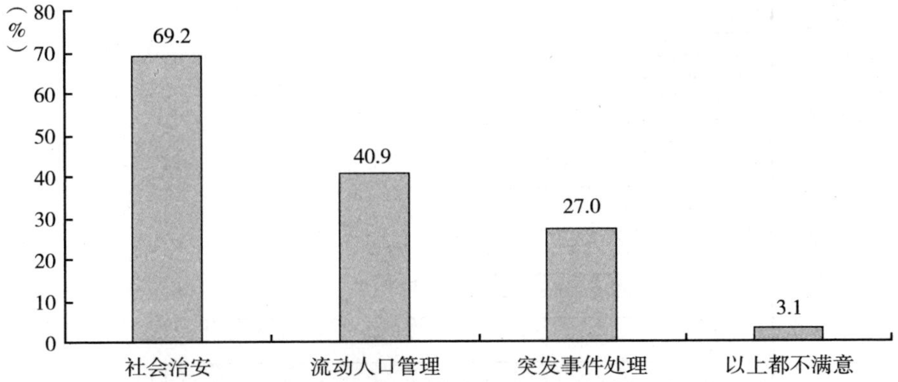

图13　大栅栏街道公共安全情况满意度

问题是违章停车，50.9%的受访者认为是绿化不够，认为是私搭乱建以及街巷保洁的人数占比分别为48.5%、32.7%。

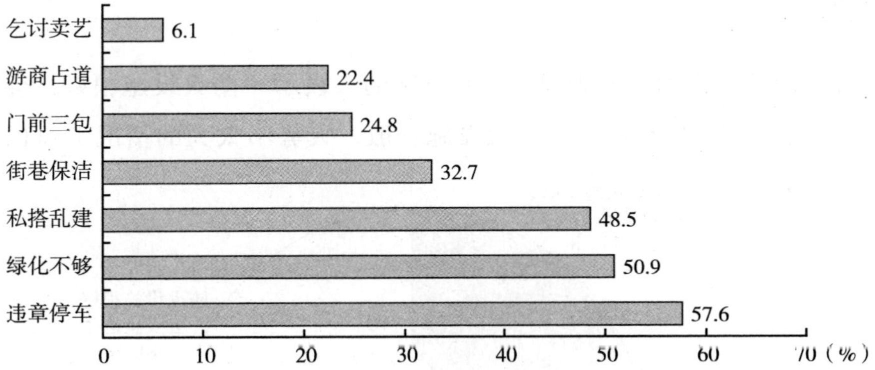

图14　大栅栏街道城市管理情况

（五）市政公用事业：仅22.4%的受访者对城市规划布局满意

在市政公用事业方面，受访者对于供水、供电等项目的满意度较高，其中，对供电的满意度达到61.2%。而与此相对应的是，28.5%人对市容市貌满意，22.4%的受访者对城市规划布局满意。还有7.3%的人表示“都不满意”。

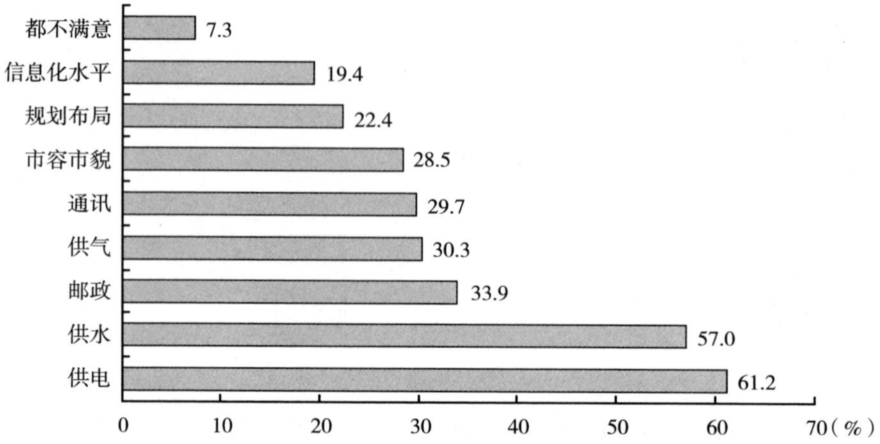

图 15　大栅栏街道市政公用事业情况满意度

（六）消防安全情况：40.1%的受访者认为防火设施很好，会安全逃生

在消防安全方面，调查显示，40.1%的人表示“防火设施很好，会安全逃生”，42.6%的人表示“防火设施一般，火势不太大的情况下可以逃

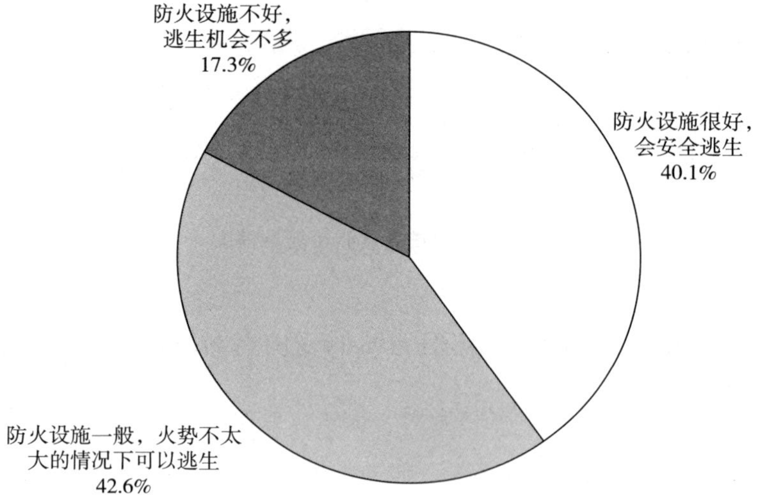

图 16　大栅栏街道消防安全情况满意度

生”。仅有 17.3% 的人表示“防火设施不好，逃生机会不多”。进一步从社区分布看，9 个社区中，被访问者认为“防火设施很好，会安全逃生”最靠前的社区是前门西河沿社区和煤市街东社区。

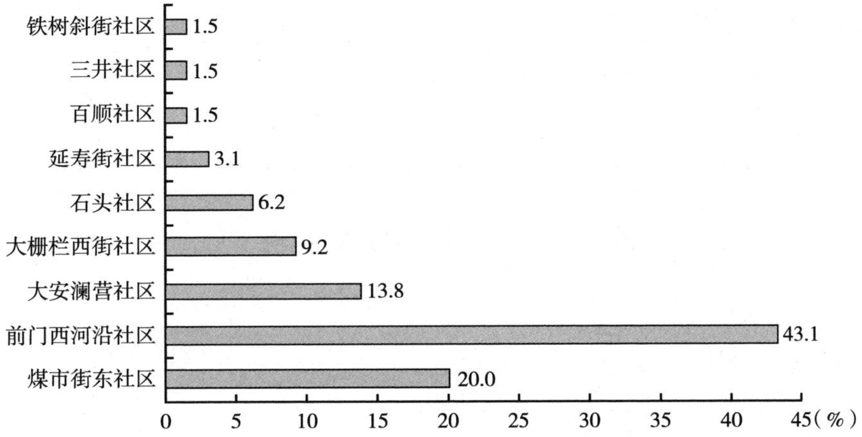

图 17　大栅栏街道各社区防火条件统计

六　社区公共服务需求度

（一）硬件设施需求：50%的受访者需要体育健身点

随着人们生活水平的提高，人们对于身体健康以及精神文化的关注日益上升。反映到社区硬件设施需求方面，50.0% 的人表示社区最缺乏的是体育健身点，29.7% 的人表示社区最缺乏的是卫生所，28.1% 的人表示缺乏公共广告栏。

（二）服务项目需求：老年服务、医疗保健和残疾人服务位列前三

在服务项目需求方面，调查显示，49.2% 的受访者表示最需要的是老年服务，其他排进前五的服务项目需求分别是医疗保健（30.8%）、残疾人服务（27.7%）、劳动就业（27.7%） 和文化娱乐（27.7%）。

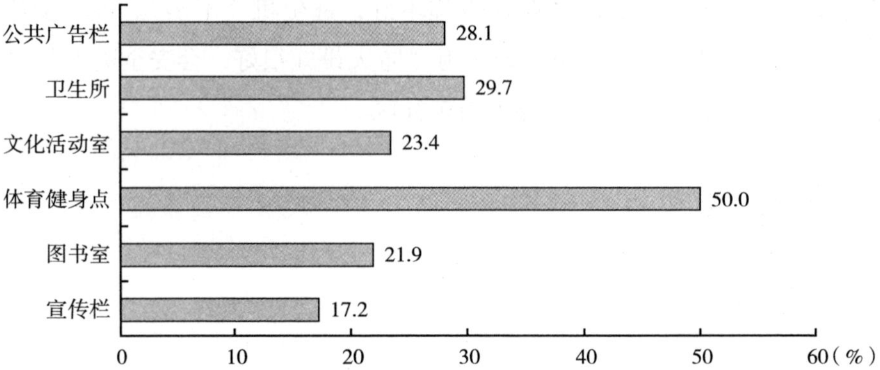

图 18　大栅栏街道硬件设施需求情况

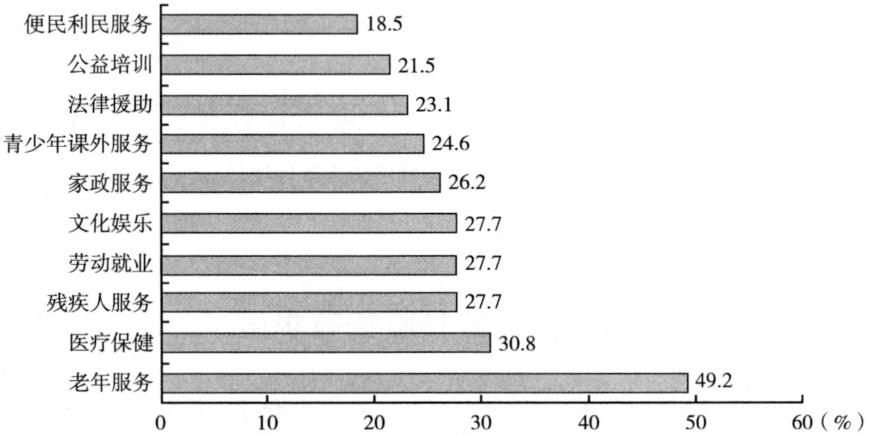

图 19　大栅栏街道服务项目需求情况

（三）服务缺口情况：公共活动室杂乱、社区经费少是存在的最大问题

大栅栏街道居民在服务项目需求方面，除了上述的社区服务项目之外，还有很多问题在调查过程中凸显出来。根据对受访者意见的归纳，公共活动室杂乱、社区经费少以及办事效率低等问题成为公共服务中存在的其他最受关注的问题。其中，对公共活动室杂乱问题反映最为强烈的是大栅栏西街社区以及大安澜营社区。

七 基本数据结论

基于对大栅栏街道驻区单位工作人员的调查，围绕社区服务机构认知度、社区服务参与度、地区生活便利度、社区公共服务满意度和社区公共服务需求度五大方面进行公共服务的供需现状分析，得出以下数据结论。

（1）73.5%的受访者表示“知道街道办事处地址”；89.6%的受访者表示“知道居委会的办公地点”。

（2）社区服务项目中，参与“法律服务”的受访者达35.2%，所占比例最高，23%的受访者从未参与过社区服务项目。

（3）对于社区文化活动参与度，曾参与过社区文化活动的受访者占比高达73.3%。

（4）对于驻区单位社区公益事业参与度，治安、助老助残、绿化位居前三，参与“治安”的受访者占比达37.3%，所占比例最高。

（5）对于停车资源情况的调查，有40.2%的受访者表示已经严重影响工作。与停车难问题相对应，57.6%的受访者认为城市管理存在的主要问题是违章停车。

（6）公共交通系统发达并且布局较为合理，39.9%的受访者“最后一公里”换乘步行时间不超过10分钟。但是，关于城市市政公用事业的调查显示，仅22.4%的受访者对城市规划布局满意。

（7）正规早餐点设置有待加强，43.4%的受访者表示“稍有不便，多走几步能找到”。

（8）对于社会保障服务项目，医疗保险和养老服务的满意度较高。

（9）驻区医疗资源方面，53.1%的受访者表示大栅栏街道的医疗卫生服务优势是价格合理；69.2%人表示对社会治安情况比较满意。

（10）40.1%的受访表示“防火设施很好，会安全逃生”。其中，前门西河沿社区和煤市街东社区的消防设施最能得到受访者的认可。

（11）硬件设施需求方面，受访者对体育健身设施需求较高，50%的人表示社区最缺乏的是体育健身点。服务项目需求方面最需要的是老年服务。

八　政策建议——多管齐下，推进街道公共服务健康发展

（一）加强基础设施建设，保障街道社区消防安全

根据大栅栏街道的消防安全调查结果，受访者对街道消防安全的满意度还未过半，仅有40.1%的人表示“防火设施很好，会安全逃生”，因此，应当从基础设施建设入手，全力保障街道社区消防安全。

一方面，强化消防基础设施建设。要解决消防基础设施建设的问题，首先政府要切实落实社区消防规划，完善街道消防基础设施建设。其次是街道在优势互补、资源共享、共同受益的基础上，利用现有的条件，争取辖区内各单位的支持，同时充分发挥社区居民的力量，多方参与配合，筹集资金和设备，提高社区消防器材等设施的建设力度，并给社区配备一定的灭火器、应急照明灯、救生器材等设施，来提高社区的自救能力。

另一方面，强化街道消防宣传教育。充分发动群众进行宣传，相关部门要定期对居民进行消防安全培训，并进行业务指导和组织灭火演练，要会使用灭火器、会扑灭初期火灾和组织相关人员逃生。其次是要在人员活动密集的区域建立固定的消防宣传栏和警示标语；在居民住宅楼单元口处设置醒目的消防安全警示标语；在重大节日和火灾多发时期向居民家庭发放消防宣传资料，形成自我宣传、自我发动、自我教育、自我受益的良好消防安全氛围。

（二）满足养老服务需求，完善社区养老服务建设

调查数据显示，大栅栏街道在公共服务项目需求中，49.2%的受访者表示最需要的是老年服务，因此，满足老年服务需求问题，是必须着力解决的一个现实问题。首先，要加大对老年人补贴政策的覆盖，同时也要调整现有

养老院的结构。从供给侧角度，应当侧重发展社区居家中小型的养老机构，以及离社区近的养老机构。其次，统筹规划，加强引导，从结构上进行调整。以家庭为单位作为支点，社区作为服务半径，社区的卫生服务中心要在业务上实施指导并监督，确保社区的居家老人能够获得专业的服务，努力探索居家养老社会化、多元化的养老服务模式。

（三）提升居民主体意识，强化社区认同度

社区文化的根本是强化居民对社区的认同感和归属感。在社区建设的道路上，离不开政府的指引，但是最重要的依靠力量还应该是社区居民。调查结果显示，大栅栏街道仍有三分之一的居民社区认同感不强。因此，解决居民社区认同感的问题建议做好以下几点。首先，加强社区职能的宣传力度。增强居民对社区职能的理解，有助于社区各项工作的开展，也可以增进居民与社区之间的联系。有沟通，才有助于提高社区在居民心中的归属感与认同感。更高一个层次说，也有助于促进社区自治建设，从而促进和谐社会的构建。其次，居民的社区居民管。每个人都有自己的“圈子”，社区也是一样，大多数居民习惯了“熟悉的脸孔”，一旦来了陌生人，开展社区工作，就会有排斥感。而居民自己选出来的干部，就自然而然地对其尊敬，能够听从其各项安排。也就保证了社区各项工作的顺利开展。最后，单位与社区的协调，单位的逐步放权，社区的逐步接管。既保证了居民的权利不会被搁置，也实现了“单位人”到“社区人”的转变。

B.3
大栅栏街道基于社区居民的地区公共服务问卷调查报告

摘　要：　社区公共服务是社区建设和管理的重点和核心，同时也是衡量一个地区社区总体水平的重要标志。为全面提升大栅栏街道社区公共服务水平，本文通过问卷调查的方法，对西城区大栅栏街道的9个社区居民开展社区公共服务需求的问卷调查，深入挖掘大栅栏街道社区公共服务现状、趋势及居民诉求，通过实证数据分析基层政府在组织开展公共服务过程中存在的问题及提出具体对策建议。

关键词：　社区公共服务　数据分析　大栅栏街道

良好的社区公共服务与社区居民归属感、认同感和凝聚力的增强息息相关。本报告所涉及的调查对象是北京市西城区大栅栏街道所辖9个社区的辖区居民，每个社区随机抽取20位居民进行调查，调查共发放问卷200份，回收179份，其中有效问卷179份，有效回收率为89.5%。

一　调查样本情况

（一）调查样本基本情况

调查对象中，男女比例约为1∶1.13。年龄在26～35岁、36～45岁、46～55岁以及65岁以上所占比重最大，分别占到总调研人数的19.0%、18.4%、

24.1%和和18.4%。调查对象以在职职工为主（79.8%）。户籍以本市户籍为主（58.1%），31.8%的人是本区户籍。教育程度为高中或中专的人群所占比例最高，为44.2%。家庭组成结构方面，47.9%的家庭是三口之家，所占比例最高。从家庭收入上看，27人家庭人均收入低于1560元，占调查居民总数的16%；家庭月人均收入在1560~3400元之间的被调查居民数量最多，比例为47.9%；其次是月人均收入在3400~5000元的被调查居民，比例为21.3%。受调查对象居住在大栅栏街道辖区时间超过三年的比例为85.6%。

表1　调查样本基本情况

性别	男			女		
	84			95		
年龄	25岁以下	26~35岁	36~45岁	46~55岁	56~65岁	65岁以上
	6	33	32	42	29	32
户籍	本市户籍	本区户籍	居住证	暂住证	居住半年以上，但未办理任何居住证件	外籍
	177	147	12	7	1	1
职业	在职职工	个体工商户	公司白领	机关事业单位职工	商业服务业员工	自由业者
	138	6	2	3	1	10
	私营企业主	专业技术人员	公务员	下岗失业人员	其他	
	4	1	2	4	4	
学历	硕士及以上	大专或本科	高中或中专	初中	小学及以下	
	5	6	76	27	4	
家庭人数	四口以上	四口	三口	二口	一口	
	36	20	81	25	7	
家庭人均月收入	650元以下	650~1560元	1560~3400元	3400~5000元	5000~10000元	10000元以上
	1	26	81	36	18	7
本社区居住时间	三年以上		1~3年		一年以下	
	125		12		9	

注：回收问卷中，全部题目漏答率在15%及以下，判定为有效问卷。由于题目漏答，表中对各属性的汇总统计数存在不一致并且小于有效问卷数的情况。下同。

（二）特定群体分析

1. 空巢或独居老人：人均月收入为1560～3400元的占64.7%

空巢老人是指无子女或子女不在身边、独自生活的老年人，对社区提供服务需求度更高，需要重点关注。我们将受访者年龄大于55岁并且家庭人口数少于等于2的人群单独抽离出来，共计11人（户），其基本特征如下。

性别构成中，女性所占比例为63.6%，男性所占比例为36.4%。60%为北京市户籍，其中本区户籍占40%。教育程度分布上，以高中或中专为主，占比为54.5%。100%的人居住时间在三年以上。需要注意的是，在家庭人均月收入方面，63.6%的空巢或独居老人家庭人均月收入为1560～3400元，明显高于调查总样本受访人群；其中，1560元以下有2人，明显低于全部受访样本。

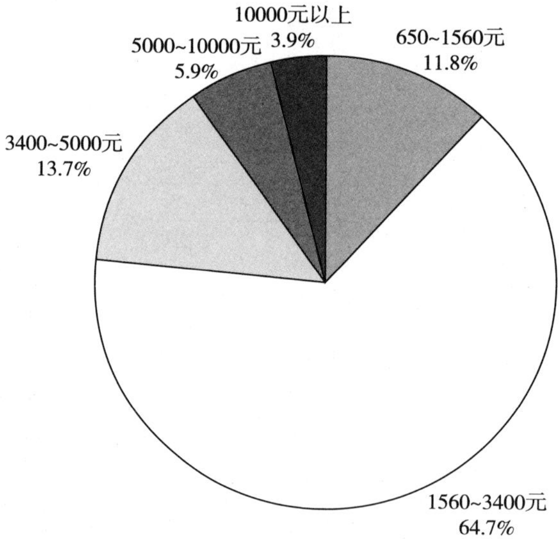

图1　空巢或独居老人家庭人均月收入

2. 流动人口群体的构成特征：教育程度偏低

流动人口管理是街道日常工作的一个重点与难点，我们也试图在此次调查中对这一部分人群进行描述，但是由于问卷下发对象选取的困难，所涉及的样本数量与实际人群分布存在一定差异。在进行样本选择时，我们将户籍选项中标明“暂住证”和“居住半年以上，但未办理任何居住证件”的两类人群作为研究对象。共涉及调查对象 10 人，其基本特征如下：在居住时间方面，选择“一年至三年”的人数最多，比例达 55.6%，高于全体样本水平。职业构成中，以个体工商户（30%）为主，比例明显高于全部样本水平。教育程度中，高中或中专以及初中所占比例分别为 30% 和 20%。

二　社区服务满意度：总体满意度达49.3%

（一）社区服务的总体满意度：49.3%的社区居民表示满意

对于社区公共服务的总体满意度，49.3% 的调查对象选择“好”，46.5% 的人认为“一般”，0.7% 的人认为“不好”，2.8% 的人表示“不清楚”，还有 0.7% 的人表示“与我无关”。

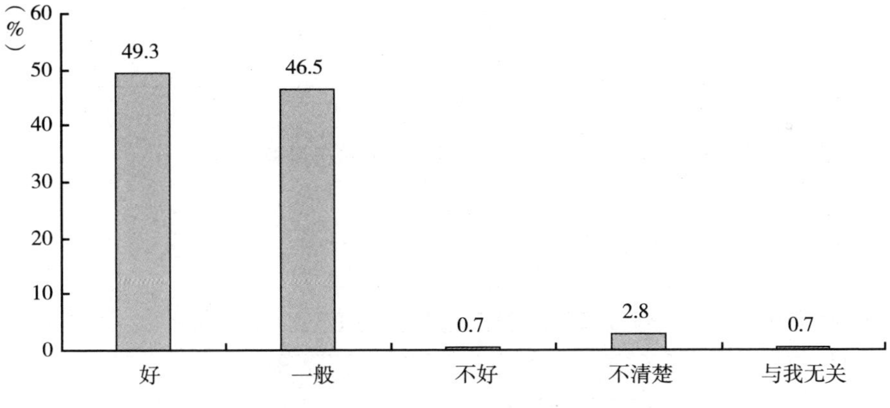

图 2　大栅栏街道社区公共服务需求人员总体满意度构成

（二）分社区服务满意度：大安澜营社区和百顺社区满意度最高

在大栅栏街道 9 个社区中，满意度比例位居前三的是煤市街东社区、百顺社区、大安澜营社区，其居民认为社区服务好的比例分别为 79%、67%、

64%。

进一步分析13项细分服务内容的满意度评价，加权汇总之后的社区排序：排名前三的是大安澜营社区、百顺社区、前门西河沿社区、煤市街东社区，得分均不低于3.7。

汇总以上两项可以看出，大安澜营社区和百顺社区同时进入前2位，是9个社区中居民满意度最好的社区。而三井社区在两项排位中均位居最后一名。

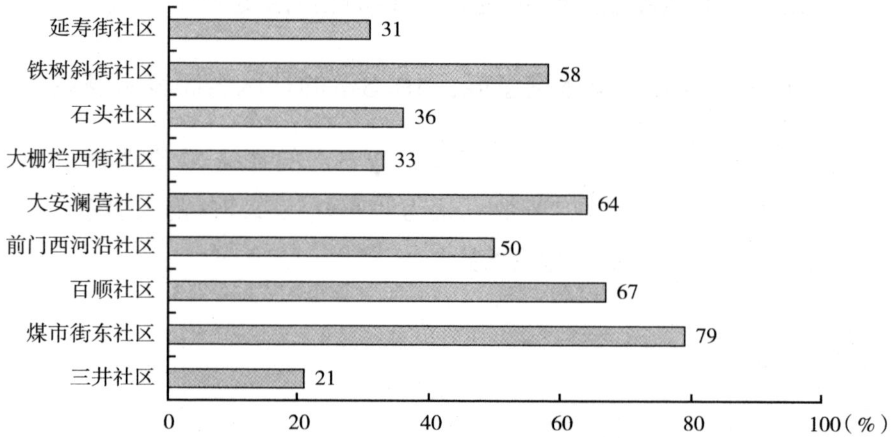

图3　大栅栏街道9个社区的公共服务满意度排名

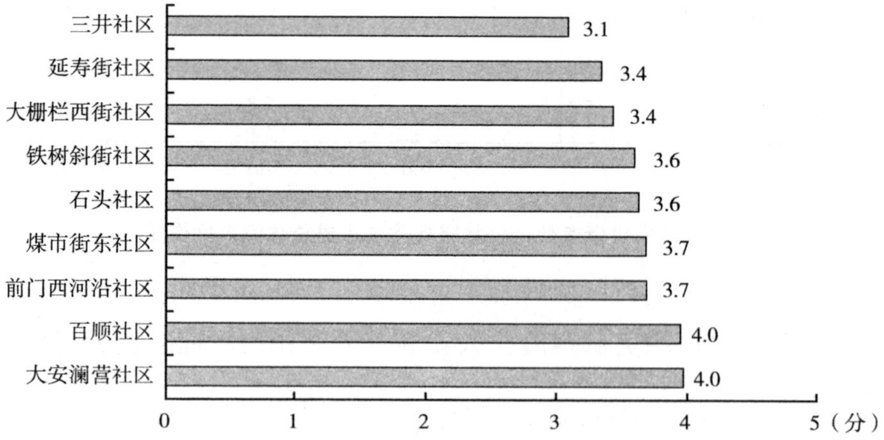

图4　大栅栏街道9个社区13项细分项目评价得分

（三）社区居民对居委会服务最满意

调查显示，大栅栏街道 9 个社区公共服务内容评价中，调查对象对社区的居委会服务最满意，均值为 4. 56。对停车条件评价最低，均值为 2. 25。

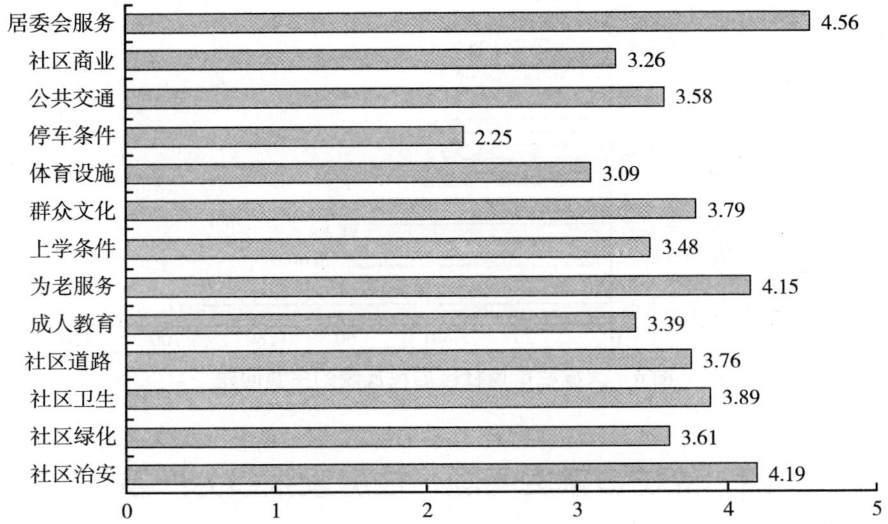

图 5　大栅栏街道社区公共服务内容评价情况

三　社区存在的问题：停车不方便、健身活动场所和设施不足、公共文化场所缺乏问题位列前三

居民停车不方便是社区居民最关注的问题。在社区存在问题的 20 个选项中，96. 5% 的居民认为大栅栏街道的社区应在“居民停车不便”的问题上加强工作力度。紧随其后的严重问题依次是“健身活动场所和设施不足”（81. 9%）、“公共文化场所缺乏”（66. 0%）、“居住条件差、下水道不通”（54. 2%）以及“入托难、入学难”（53. 5%）。

此外，统计每个社区排名前三的问题分布，较为一致的结论是，在大栅栏街道 9 个社区中，7 个社区均将“停车不方便”列为社区问题的首位。

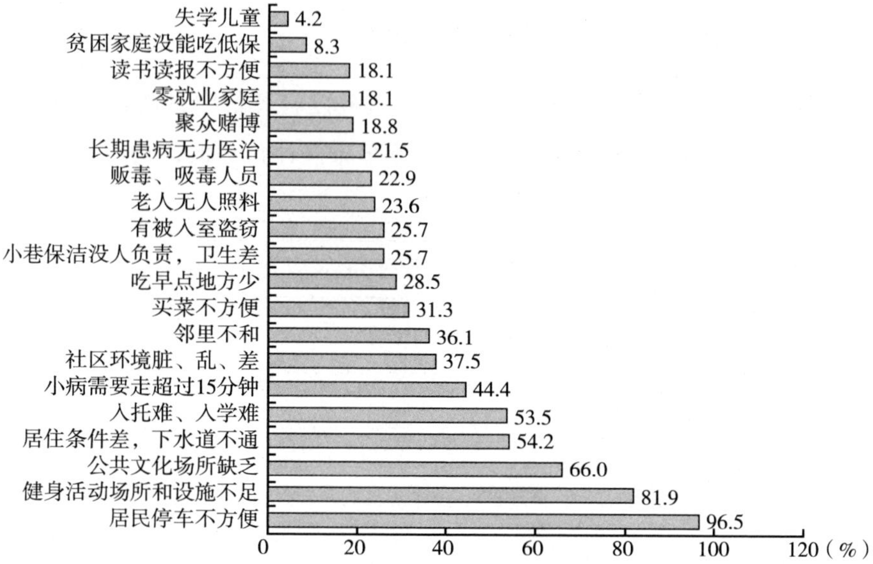

图6　大栅栏街道社区居民反映的主要问题

四　受访者家庭问题：住房紧张最为严重

对于受访者家庭自身而言，“住房紧张”是最为突出的问题。60.0%的

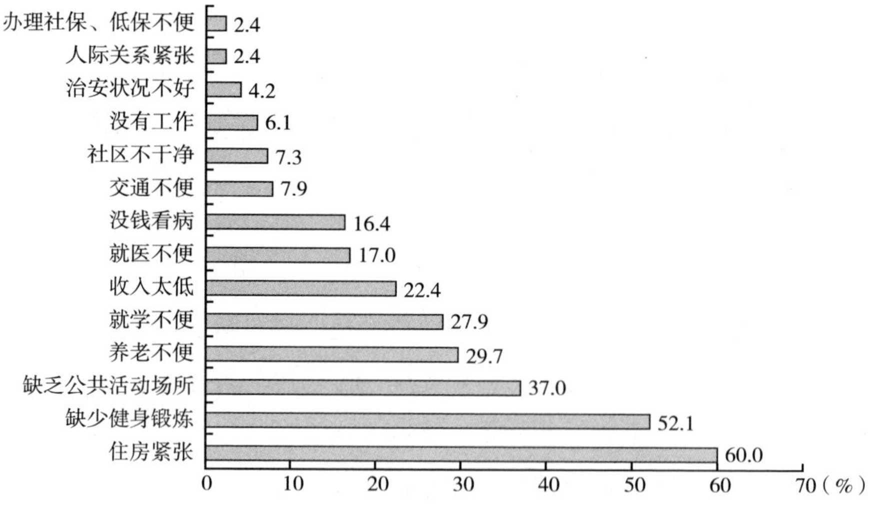

图7　大栅栏街道社区受访者家庭问题调查情况

人认为“住房紧张”希望改善住房条件，所占比例最高。其他排进前5位的问题分别是“缺少健身锻炼”（52.1%）、“缺乏公共活动场所”（37.0%）、“养老不便”（29.7%）和“就学不便”（27.9%）。

五 社区服务匹配度分析：“代缴水、电、天然气费”服务缺口最大

在问及被调查者最为重要的社区服务需求时，养老服务（52.9%），社区幼儿园（52.9%），社区医疗（51%），代缴水、电、天然气费（50.3%），家庭医生（41.8%）五项是获选数量最多的项目。

在社区可以提供的服务项目中，选择比例最高的是法律咨询，被选比例达79.6%。其他排在前五位的分别是就业指导（63.7%）、养老服务（38.9%）、社区医疗（37.2%）和物业（26.5%）。

而关于服务项目的供需配比方面，除就业咨询和法律咨询外，其他均处于缺口状态。进一步看，“代缴水、电、天然气费”服务要高于其他几项，成为缺口最大的领域。

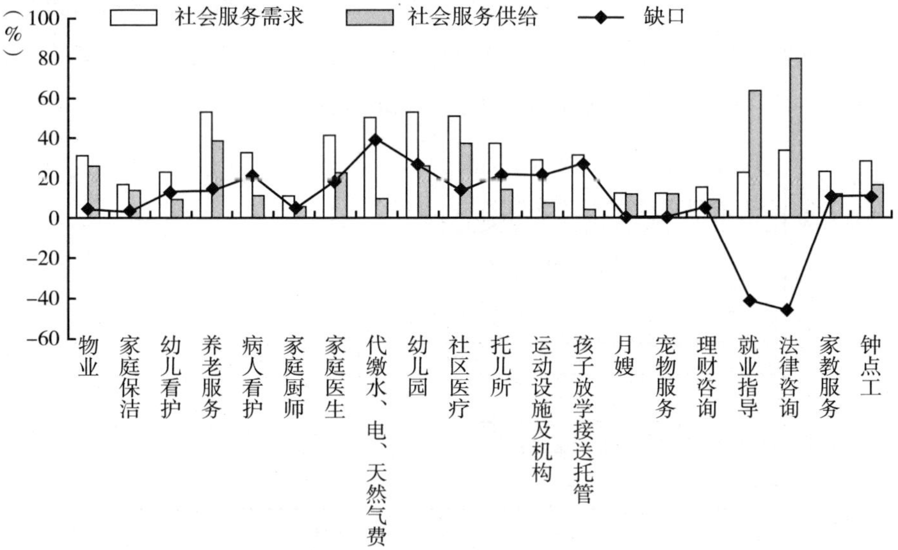

图8 大栅栏街道社区公共服务项目供需对比

六　社区养老：紧急救助呼叫系统需求最高

（一）居家养老仍是社区养老模式的主导

调查结果显示，受访者选择居家养老的比例是 42.4%，其次是老年公寓，占比达 31.9%，敬老院最低，为 25.7%。

（二）养老服务项目需求最多的是紧急救助呼叫系统

调查显示，大栅栏街道社区受访者对养老项目需求最多的是紧急救助呼叫系统，需求比例为 76.9%。其次是家庭医生和老年食堂，需求比例分别达到 71.0% 和 69.2%。其他的依次是专人指导（59.8%）、基本体检（52.1%）和家庭保姆（30.2%）。

（三）重点群体养老项目需求分布

社区养老的直接对象是年龄大于 55 岁的人群，他们对养老项目具有较高的关注度。以下对这部分群体的养老项目模式和养老项目需求进行分析。

通过调查显示，这个年龄段的重点群体对养老模式的需求是敬老院，比例为 37.7%。其次才是居家养老，比例达 36.1%。

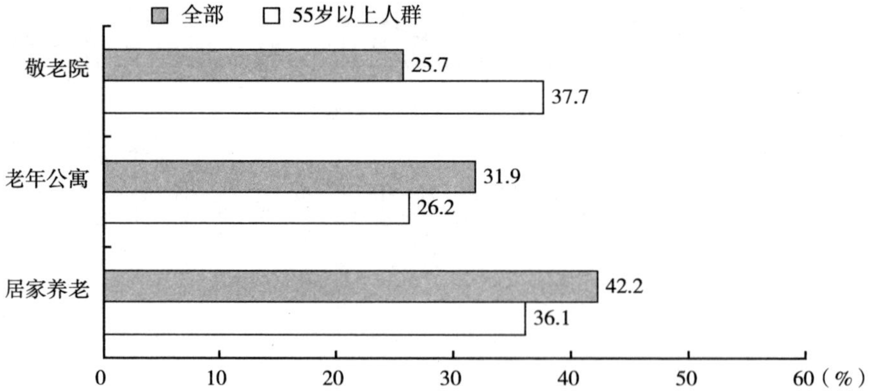

图 9　重点群体养老模式需求情况

重点群体对养老项目需求上，只有紧急救助呼叫系统、家庭保姆和基本体检低于全部样本；此外，在 6 个养老项目需求中，重点群体对于老年食堂的关注程度最高，比例达到了 78.4%。

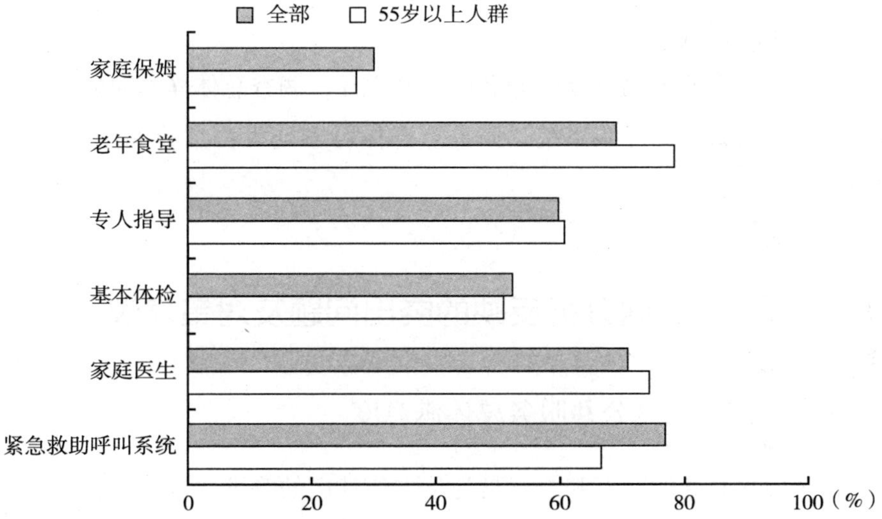

图 10　重点群体养老项目需求分布

七　基本数据结论

第一，对于大栅栏街道社区公共服务的总体满意度，49.3% 的调查对象认为满意。

第二，9 个社区中，大安澜营社区和百顺社区是居民满意度最好的社区。而三井社区在两项排位中均位居最后一位。

第三，分方面满意度调查中，对居委会服务满意度最高，对停车条件最不满意。

第四，在社区存在的主要问题方面，停车不方便、健身活动场所和设施不足、公共文化场所缺乏问题位列前三，其中 96.3% 的居民关注停车不便的问题。在大栅栏街道 9 个社区中，7 个社区均将“停车不方便”列为社区问题的首位。

第五，对于受访者家庭自身而言，“住房紧张”是最为突出的问题。60.0%的人认为“住房紧张”，希望改善住房条件，所占比例最高。

第六，从服务项目的供需配比方面看，“代缴水、电、天然气费”服务是缺口较大的领域。

第七，居家养老仍是社区养老模式的主导，调查总体样本对养老项目需求最多的是紧急救助呼叫系统。而重点群体对于老年食堂的关注程度最高，比例达78.4%。

八　数据分析反映的突出问题及对策建议

（一）提升社区公共服务总体满意度

社区公共服务的起点和终点是为了方便社区的管理，以及为社区居民提供良好的服务，居民的公共服务总体满意度是其好坏的重要衡量标准。调查结果显示，大栅栏街道社区受访群众对社区服务总体满意度还未过半。因此，应做好以下几点，来有效提升居民的公共服务总体满意度。

一是提高精细化管理水平，通过进一步优化内部管理、完善服务流程和提高服务水平，努力在满足居民群众多层次、多样化需求上深入实践和积极探索。二是提高优质化服务水平，提高民生服务保障水平。首先，进一步畅通了解民情民意的渠道，充分利用社区事务评议会、入户走访等渠道，定期征求意见、访贫问苦、定期开展监督、开展活动，把收集到的热点、难点问题和意见建议，整理成民情日记，及时反馈给社区党委。同时，把社区党委、社区管理服务站的工作向广大居民进行宣传和解释，做到社区居委会工作到位不越位，不添乱。其次，深化社区居委会为民服务的内涵，扎实推进民生工作。以“为民”为宗旨，以人为本，以社区居民需求为导向，切实解决老百姓最关心、最关注的热点、难点、重点问题。以“安民”为保障，坚持源头治理，发挥社区在矛盾调解中的基础性作用，把问题解决在社区，消除在萌芽状态。以“乐民”为动力，在社区开展丰富多彩的文体活动，增强向心力、凝聚力。以“帮民”为职责，实实在在为居民提供帮助。以“育民”为根本，广泛开展科普、文化、教育、卫生进社区活动，弘扬社区文化，使大家潜移默化地受教育，凝聚和融洽亲情、友情、邻里情。在此，社区工作的好坏，由居民评说，社区居委会转换角色，真正从“政府的手”转变为“居民的头”，发挥好调解会等对话平台，成为居民的贴心人。

（二）多举措提质社区老年服务水平

“空巢老人”衣、食、住、行是社区需要解决的大难题。大栅栏街道应当逐步建立和完善以居家养老为基础、社区服务为依托、服务内容多样化的社区老年食堂，尽最大可能满足大栅栏街道社区的老年服务需求。

一方面，加强老年食堂建设。吃饭问题是“空巢老人”面对的一个重要难题。近年来，老年食堂建设也在逐步推开，下一步要从满足需求、提升实效等方面加强工作。一是要多方倾听老人意见和需求；二是加强老年食堂工作人员的业务培训，为老年人提供更专业的服务；三是积极引入专业化的服务提供商，根据市场需要为老人提供预约、送餐等有针对性的服务，切实解决老年人的吃饭问题。

另一方面，丰富养老服务内容。十八届五中全会提出了构建以居家为基础、社区为依托、机构为补充的多层次养老服务体系的基本思路，社区居家养老是我国养老服务的基本形式。做好社区居家养老服务，应当积极发挥政府主导作用，广泛动员社会力量，充分利用社区资源，以老年人需求为导向，丰富养老服务内容，切实解决老年人在日常生活中遇到的各种困难，包括精神文化需求。首先要做好文化娱乐服务，进一步配置和完善老年人活动设施；其次是做好日间休息服务，建设必要的附属功能用房，重点针对散居孤老、高龄空巢等特殊困难老人，配置日间照料和短期托养的养老床位，实现对老年人的全方位服务，满足多元化需求。

理论报告

Theory Reports

B.4
统筹视域下的基层区域化党建研究

摘　要：随着经济社会结构的转型，以“单位制党建”为依托的垂直型党建模式的局限性日渐突出，在一定区域范围内，统筹设置基层党组织，打破组织上的条块分割与资源壁垒，已成为基层党建谋求创新转型发展的重要趋势。近年来，大栅栏街道通过基层组织固本、资源优势集成、社会组织协同、品牌培育推广四项机制，打造特色的区域化党建模式，逐渐形成了全覆盖、广吸纳和动态开放的基层区域化党建体系，为推动区域科学发展做出突出贡献。本文总结大栅栏街道在推进区域化党建取得成效的同时，分析了在工作理念、社会管理体系、党建保障体系等方面还面临的问题，并提出进一步深化认识、整合资源、拓宽渠道等改进措施建议。

关键词：统筹视域　区域化党建　基层党建　大栅栏街道

随着我国社会开放程度的日益加深，过去的“单位人”已逐渐转化为“社会人”，过去基层党组织建设一直发挥着基层社会组织化的核心作用，进入 21 世纪如何以党建来统领社会的再组织化成为一个新课题。我国首次提出区域性“大党建”是 2004 年中共中央组织部召开的全国街道社区党的建设工作座谈会。随后党的十七大明确提出，要从优化组织设置、扩大组织覆盖、创新活动方式三个方面推进基层党组织建设①。此外，为推动基层党建资源整合，党的十八大提出加大非公有制经济组织和社会组织党建工作力度，全面发展各个领域基层党建工作，进一步扩大党组织及党的工作覆盖面②。十八届三中全会进一步提出要健全党的基层组织体系③。十八届五中全会在健全党的基层组织体系基础上提出“强化基层党组织整体功能”的要求，更加强调发挥基层党组织体系统筹整合的功能作用④。

近年来，大栅栏街道通过区域化党建的建设，打破了传统组织的条块分割和资源壁垒，变单位党建为区域党建，从相对封闭走向整体开放，形成了以街道工委为核心，老字号商业街区为重点，社区党组织为阵地，辖区党组织广泛参与的联动互促体系。本文通过对大栅栏街道区域化党建的背景、做法与效果进行分析，为推动区域化党建探索提供新的发展思路。

一　区域化党建是社会经济结构深刻变革的必然要求

（一）区域化党建提出背景

新经济组织和新社会组织是随着社会经济结构的深刻变革而产生的，过

---

① 胡锦涛：《高举中国特色社会主义伟大旗帜为夺取全面建设小康社会新胜利而奋斗——在中国共产党第十七次全国代表大会上的报告》，2007 年 10 月 15 日。

② 胡锦涛：《坚定不移沿着中国特色社会主义道路前进为全面建成小康社会而奋斗——在中国共产党第十八次全国代表大会上的报告》，2012 年 11 月 8 日。

③ 中共十八届三中全会通过《中共中央关于全面深化改革若干重大问题的决定》，2013 年 11 月 12 日。

④ 中共十八届五中全会通过《中共中央关于制定国民经济和社会发展第十三个五年规划的建议》，2015 年 10 月 29 日。

去的社会关系更多是依靠传统单位内部形成的自上而下的行政关系来维系，而新形势下社会关系的组织化更加复杂，过去单位式的组织化已经无法涵盖所有组织和党员。在单位功能分化、组织体系变革、统筹一体化的社会背景下，基层党组织努力拓展社会化的工作平台和载体，构筑更具地域性、网络性、多元性、开放性、整合性的组织空间结构与合作型的组织关系成为发展的必然趋势。

此外，随着基层治理结构的融合加深，党员对单位的依附关系逐渐减弱，传统垂直型的党组织设置模式使基层党组织在管理上也出现“空白点”，基层党员管不到边、管不到位等问题日益突出，组织间条块分割和资源壁垒也不断加深。在社会经济结构转型背景下，基层党组织创新工作模式，实现党组织全统筹、全覆盖目标，构建起多元主体参与的区域化党建新体系，成为新时期党建面临的一个全新课题。

（二）区域化党建的内涵

区域化党建是在社会组织形式发生深刻转型背景下产生的党建新理念。“区域化党建”是一个统筹的概念，这个统筹可以从三个方面去理解。

一是它是一种体制机制的统筹，它打破了传统的条块界限，从特定区域范围内把分散的点整合到一个体系之中，按照一个体系来统筹各类党组织的管理和活动，实现了党建目标、行动的整体一致性。

二是层级上的统筹，区域化党建实际上处于原来的上级党建组织与基层组织体系之间的中间层级，这个组织层级实际上起到一个统筹各基层党组织，而又上联上级党组织的作用，从而形成了一个既能统筹基层组织的平台，又能发挥党组织领导核心的作用。

三是功能上的统筹，区域化党建发挥了统筹社会资源的作用。过去基层党组织很难统筹其他经济组织与社会组织，难以实现社会资源的整合，通过区域化党建的发展既引领了各类组织，又实现了区域化党建资源的有效整合，达到共建、共创、共享和共赢的目的。

（三）区域化党建的发展定位

区域化党建在变革社会治理模式，优化基层治理结构的基础上，达到对基层党组织科学治理的目标。

第一，在组织体系结构上，按照区域统筹的理念，以区域整合为基层，打造全覆盖、广吸纳、动态开放的基层党组织模式。区域化党建从体制上突破传统单位党建模式，向区域统筹方向转型，并以新的经济组织与社会组织大量出现的区域作为突破口，以街道党组织为核心，社区党组织、各类组织党员为参与主体，创新开放、共享的体制机制，形成一种多元参与的基层党建共同体系。

第二，在党建平台建设上，以区域服务为导向，打造多元化的社会公共事业管理服务平台，逐步实现城市服务管理的精细化和社会服务管理的扁平化。通过区域化党建构建社会服务的平台，培育和发展服务于社区事务的服务型社会组织，将区域内各类社会组织统筹到一个服务平台中，进而整合区域社会资源，扩大服务半径，形成区域服务发展合力。

第三，在党建工作方式上，以区域共治为目标，创新区域协同发展模式，推进区域党建工作的现代化。通过党建统筹的理念，区域内各类组织之间从原来的条块状态形成联动运行体系，实现跨行业、跨体制的共建模式。在党建工作运行方式上，组织间也更加注重统筹协调与共享共建，从而使基层党建工作更具有民主性、开放性与多元性。

（四）区域化党建的路径选择

自 2004 年 10 月，中共中央组织部首次提出构建区域性“大党建”的工作要求以来，上海、浙江、四川等地进行了区域性党建的探索，取得了一定成效。但是区域化党建探索还面临体制机制、政策创新等诸多难题。如何结合自身实际打造特色的区域化党建，需要从创新组织体系、构筑协同机制、拓展服务空间等方面着手，出台相关政策与统筹要素资源。

第一，创新组织架构。区域性党建模式比传统机制下的单位党建模式更具有地域性、多元性和开放性的特点。探索区域性党建首先就需要突破传统“单位党建”的限制，向“区域统筹”方向转变。近年来，社区、街道“两新组织”大量涌现，“两新组织”党建是难点，也是区域性党建的突破口，以“两新组织”党建与社区基层党组织共同构成区域化党建为基本架构，逐步扩展到区域内其他单位党组织，逐步构建以街道党工委为工作核心、社区党组织为工作基础、其他单位党组织为节点的党组织模式。

第二，构筑协同机制。区域性党建所体现出来的一种统筹下的互动协调运行模式，重点在于打破组织之间条块分割和资源壁垒，集聚与整合区域内各类党建资源，实现党建要素彼此融合与效能的共同提升。首先要实现党员管理协同，传统的党员管理采用的是自上而下垂直型的方式，随着社会经济结构的变革，出现对党员监管不到位等诸多问题。因此，必须要对区域内党员采用协同管理，增加党组织的覆盖面。其次，实行党务信息协同管理。由于传统的基层党组织之间各自为政，形成资源壁垒。区域化党建必须依托现代管理科学和信息科技手段，打造区域共享的党建综合平台。

第三，扩展服务空间。基层党组织建设不仅是党在基层组织的战斗堡垒，也是党的战斗力的核心和基础。因此，区域化党建承担着社会转型期党巩固执政基层的重要使命。在职能定位上，要充分发挥基层党组织在区域发展中的统筹协同作用，由过去单纯的党建服务向统筹协同转变。一方面，要对政府资源、社会资源进行整合，搭建区域性服务平台，将服务覆盖到整个区域。另一方面，需要通过集中整合各阶层群众的利益诉求，为基层党员群众提供全方位服务，增强党组织的凝聚力。

二　大栅栏街道打造特色区域化党建模式

大栅栏地区位于首都功能核心区，地区历史悠久，文化资源丰厚，老字号资源聚集，其历史文化、传统商业影响和相对完整的历史风貌遗存使得大栅栏具有无可比拟的文化价值。大栅栏街道结合地区特点，通过基层组织固本、资源优势集成、社会组织协同、品牌培育推广四项机制，实现区域联动互促，打造特色的区域化党建模式。

（一）基层组织固本机制——夯实基础，强基固本促发展

第一，提升领导班子整体工作效能。大栅栏街道坚持区域统筹理念，整合调动区域化优势资源，凝聚发展合力，共同推进区域发展已经成为班子共识。坚持民主集中，合力分工，科学决策，形成了务实高效、干事创业、团结和谐的领导班子。结合政务能力建设年和社会服务管理创新工作，组织领导干部到东城区东直门街道、西城区德胜街道全响应指挥中心等地交流考察学习，进一步开阔视野，更新观念，借鉴经验，提高能力。

第二，打造过硬干部队伍。大栅栏街道分专题、分层次、分类别开展学习培训活动，以改进作风、提高效能为目标，开展了“勤政为民务实清廉”主题实践活动，切实增强机关干部、社区工作者的群众工作能力。开展季度“岗位之星”和年度“双优科室”评比，激发干部队伍活力。建立副科级后备干部库，举办素质拓展系列培训，加强对青年干部的培养锻炼。选派干部参与区、街重点工作，全面提升锻炼干部组织协调能力，培养团队意识。

第三，增强基层党建活力。大栅栏街道为发挥基层党组织“红色引擎”作用，全面实施“非公党建活力工程”。选聘 13 名党建工作指导员，通过组织联建等形式，扩大非公党建覆盖面，筑牢“红色堡垒”。建立非公企业对口联系社区办法，成立“学雷锋”帮扶小分队，每家企业至少与一户困难群众开展“一对一”帮扶，完善“红色服务”。在非公企业密集的大栅栏商业街、琉璃厂东街建设区域性、开放性、综合性的党群活动服务中心，搭建工作联席会、发展论坛等研讨会商平台，共建“红色家园”。作为市级学习型党组织示范点，街道工委将非公党组织负责人培训统一纳入街道干部教育培训工作中，开展每月一次“智慧之光”专题培训，增强区域党组织负责人理论武装。举办区域化党建知识竞赛、“我的梦中国梦”区域化党组织宣讲活动，提升区域党建工作活力。

（二）资源优势集成机制——集成优势，整合资源促发展

大栅栏街道将分散在商圈内的文化、商业及旅游等各种优势资源进行重新整合，统筹调动发展合力，努力实现地区优势资源的集约式发展。

一是成立商业街区党建工作指导委员会。以26家老字号品牌及知名企业党组织为组成单位，统筹协调区域性党建工作的发展；实施“非公党建活力工程”，选聘13名党建工作指导员，深入企业指导企业党建工作。在指导委员会的基础上，不断吸纳辖区内具有品牌影响力的基层党组织，如全聚德、大碗茶和张一元等。在此基础上，成立区域化党建工作联合小组，共同探索区域性党建工作的开展，完善区域事务民主共商机制。

二是街道送知识、送文化、送技术进企业。街道将老字号企业党组织负责人的培训统一纳入街道干部教育培训工作中，实现企业党员与地区其他党员在工作和思想方面“同频”进步，并组织“七一慈孝之星”表彰、老字号党员宣讲等活动，带动老字号企业党组织及党员广泛参与，实现党员间的自我带动、自我影响。同时，搭建平台，定期聘请文化创意产业、信息安全等方面专家为老字号企业发展、区域发展“把脉”。此外，街道本着“政府搭台，企业唱戏”的工作理念，每年举办购物节活动，为商业街区内的企业提供展示和营销的平台。通过组团式的销售方式、特色化的宣传方式、集约化的统筹模式，不断传承与弘扬老字号企业的特色文化，搭建起商家与消费者的直接沟通平台，提升了老字号企业的经济收益。每年购物节期间，老字号企业的销售额平均比上一年同期提升10%。

三是开展“综合包户”活动。街道引导辖区企业发挥行业优势与困难群体签订综包帮扶协议书，企业选派党员骨干力量，以综合包户的方式为地区的困难家庭提供经济帮助。老字号企业走入居民家中，与困难群众形成“一对一”帮扶关系，捐资助学、关怀关爱，将企业文化与服务群众紧密结合。

（三）社会组织协同机制——引智借力，社会协同促发展

大栅栏街道注重发挥好群众组织、基层群众性自治组织、社会组织、企

事业单位的协同作用，实现公共服务与社会力量的互联、互动，逐步形成党委领导、政府负责、社会组织实施、社会各界广泛支持民生建设的良好局面。

一是加强社会组织孵化培育力度。引入项目发布机制，成立社会组织专项扶持资金和培育特色社会组织，在充分整合社区原有的社会组织基础上，重点培育“助老服务队”和“成长加油站”等10支社会组织志愿服务品牌队伍。街道工委、办事处加强对社区的指导力度，因地制宜，为每个社区打造一个精品型、枢纽型的具有社区特色的社会组织，实现对现有社会资源的最有效整合和优化。评选地区十佳公益团队、十佳公益项目和十佳风采人物，大力发展社区志愿服务和社会组织公益服务项目，形成政府公共服务的有益补充。

二是广泛引入社会组织和专业力量。与高校、驻街部队和辖区企事业单位共同签订战略合作及共驻共建战略协议，开展校地、军地和企地共建活动。采取项目制的工作模式加大弱势群体帮扶力度，开展“亲情卡”服务、“综合包户”志愿服务、“情暖万家”大走访等帮扶项目。充分发挥72万元社会建设专项资金引导、撬动作用，重点打造了百顺社区的京剧文化精品胡同、“晨曦法律服务中心”夕阳红财产管理法律服务工程等社会组织创新项目，与专业机构及社会组织合作，开展“废旧物品公益行”、“成长加油站”青少年拓展项目、社区灾害地图绘制等主题活动，不断推进社会组织公益资源与政府公共服务资源的有效整合和对接。吸纳区域老字号党员骨干力量，建立大栅栏导游志愿者讲解队，以文化讲解展现大栅栏的魅力。

三是充分发挥专家资源优势。组建街道专家顾问团，用好用足外脑资源，为老字号企业发展提供智力支持。结合街道文商旅科技创新平台建设，聘请了4名北京市文化创意产业、信息安全等方面的专家作为“北京大栅栏”区域发展特邀顾问，充分发挥专家、学者、企业家在品牌推广、策划研究等方面的独特优势，为大栅栏发展建设提供技术、智力、资源等方面的支持保障；与经济日报社、北京理工大学出版社、北京支部生活杂志社、新华网北京频道4家媒体成为宣传推广合作伙伴，进一步扩大北京大栅栏品牌宣传辐射面和覆盖面。

（四）品牌培育推广机制——培育品牌，宣传推广促发展

大栅栏街道针对地区特点，积极探索履行统筹职能、服务地区发展的工作思路，加快推进学习型党组织建设，创立了“老字号企业党建沙龙”特色品牌活动，通过活动进一步开发老字号企业文化，集中学习资源，建立共同远景愿景，凝聚区域智慧，推动共同发展，逐步形成了区域化学习型党组织建设的品牌。

一是党建沙龙紧密结合市区形势及当前工作开展区域组织学习。以“大栅栏老字号喜迎十八大”、“老店焕发新活力　聚力同绘中国梦”等为主题，学习贯彻党的十八大和十八届三中、四中、五中全会精神，组织老字号企业现场观看开幕式，学习中央精神和人民日报社论文章，讨论老字号企业如何在继承传统文化精髓的同时，适应新形势变化，实现新的跨越式发展。

二是通过举办老字号企业党建沙龙活动，打破了行政隶属关系，实行跨行业、跨领域和跨层级的区域联动，逐步形成了以统一需求、共同学习和共同利益为实现目标的党组织发展共同体。

三是突破原来小而全个体点位发展模式，转向区域统筹、集约共享式发展。街道工委采取“打包式”集约化工作形式，对学习计划、学习内容、学习师资、实践展示进行整体策划、整体组织、整体宣传。统筹化组织联合形成了学习型党组织活动品牌，引领区域商业繁荣。

三　大栅栏街道推进区域化党建的成效与问题

（一）大栅栏街道推进区域化党建取得重要成效

通过近年来区域化党建工作的逐步开展，为地区老字号企业的快速发展提供了重要支撑，注入了生机活力，有力推进了地区经济社会的全面发展。

1. 凝聚了区域发展合力

通过开展区域化党建沙龙、企业直通车等一系列服务地区企业的活动，

辖区各类单位企业对街道工委和办事处在协调统筹辖区发展上所做的努力的认同感不断提高，街道工委核心作用得以体现。党建沙龙活动改变了传统基层党建工作的方式方法，着力营造轻松开放、激励创新的氛围，拉近了政府与企业之间的距离，激发了老字号企业发展创新的意识，增强了区域发展的凝聚力。在参与辖区重大紧急的活动中，辖区企业特别是老字号企业党组织临时动员组织能力不断增强，企业一把手领导亲自出席辖区活动。老字号企业多年以来坚持对地区鳏寡孤独老人开展定期慰问，企业员工主动加入地区治安志愿队伍，区域党组织参与地区活动、服务地区发展的热情和响应水平进一步提高。

2. 塑造了大栅栏文化品牌

大栅栏街道工委通过组织策划各类宣传文化活动，创新工作载体，大力推进宣传工作，提升地区影响力和美誉度。2012 年 6 月，中央六部委就中宣部新书《辩证看·务实办——理论热点面对面 2012》首发座谈会在大栅栏街道举办，《新闻联播》、《焦点访谈》、《中国之声》、新华社等中央媒体对活动进行了报道。人民日报文章《海阔天空好扬帆——党的十六大以来以胡锦涛同志为总书记的党中央治国理政纪实》中提到大栅栏老字号企业党建沙龙活动。随着各级领导、游客对大栅栏关注度提升，到大栅栏参观、感受老字号，体验老北京生活逐渐变成一种时尚。

3. 融合了区域党建资源

一是搭建政府和企业之间的沟通平台。结合企业需求和地区规划建设，坚持开展“服务直通车——处级领导联系重点企业”制度，建立老字号企业促销及入驻协调保障机制，加大对区域经济发展的统筹力度，举办企业专题讲座，帮助企业解决实际问题，提高服务水平。二是搭建企业家之间的交流平台。定期开展论坛、参观、研讨等活动，进一步促进老字号企业形成品牌、诚信等同盟共识，成为地区经济发展诚实守信、创新经营的龙头企业，引领区域商业繁荣。三是搭建企业党员间的互动平台。坚持先进性标准，倡导个性化发展，坚持分类指导，打破行政隶属关系，实行跨行业、跨领域、跨层级的区域联动。四是搭建企业和专家之间的咨询平台。着眼企业的长远发展，组建专家顾问团，为老字号企业党组织的发展提供外脑支援和智力支持。五是搭建企业和社区之间的共建平台。积极探索与城管、工商、公安、社区公益性组织共同组成的社区服务团队，为居民、驻区企业提供便捷的社区服务。老字号企业党组织组建了综合包户、应急维稳等志愿服务队，发挥党员的专业技能优势为社区建设做贡献，同时还为社区居民开放传统文化展厅，共享文化资源，实现回报社会的目标。

（二）大栅栏街道在推进区域化党建进程中存在的问题

近几年，大栅栏街道区域化党建探索取得了突出成效，但是在区域化党建工作中仍面临一些问题。

1. 区域化党建的服务管理工作理念需进一步强化

目前，一些基层党组织和少数党员对大栅栏街道区域化党建工作的重要意义认识不足，对通过党建工作统筹辖区社会经济协调发展的意识还没有完全建立，不能将自己的工作与区域化发展相统一。此外，在工作中仍然过度依赖传统的“单位式”的管理模式，对于建立“区域共同体”的发展观念还需要进一步深化。

2. 区域化党建与社会服务管理体系需进一步融合

大栅栏街道发展面临“文保区胡同管理”和“流动人口服务管理”两大难题。大栅栏街道在区域化党建工作中，需要进一步与社会服务管理体系相融合，保证改善民生，从而破解“文保区胡同管理”和“流动人口服务管理”难题，打造出商业文化、风貌保护和民生服务为特色的三条工作带。

3. 区域化党建保障体系需要进一步加强

区域化党建探索实践需要建立长效机制，街道基层党组织如何协调好“两新组织”和驻区单位之间的复杂关系，仍然是大栅栏街道区域化党建面临的一个难题。街道需要进一步创新工作理念，优化资源配置，形成“党委领导、政府负责、社会协作、公众参与和法治保障”的社会服务管理体制，使地区发展建设成果更多地惠及民生。

四　其他地区区域化党建的实践借鉴

2004 年 10 月中共中央组织部首次提出构建区域性“大党建”的工作要求后，山东、吉林等地结合自身实际进行了区域化党建的探索，取得了突出成效，许多经验可供学习借鉴。

（一）济南市舜耕街道：网格化管理与融入式服务相结合

济南市早在 2004 年就提出了“网格化管理理念”。舜耕街道党工委将网格化管理与区域化党建相结合，逐步探索出“网格化管理、融入式服务”的区域性党建模式。

第一，以整合资源为导向，构建区域性党建组织体系。舜耕街道通过整合辖区资源，设立了区域化党建委员会，很多规模较大和党员较多的驻区单位党组织都包含在内，通过党建委员会打破了组织间的界限，整合了辖区的党建资源。共建委员会完善了常设机构与协调机制的建设，下设常设机构——社会工作联席会，在联席会内设 7 个专项工作协调小组，小组领域涉及经济发展、民生保障、社区和谐、平安建设、环境改造、党群共建和精神文明等社区建设的主要方面。为了加强协调，舜耕街道还专门设立了社区党建协调委员，完成街道共建委员会交办的社区党建共建协调的各项工作，使党建共建统筹协调落到实处。

第二，以网格管理为基础，优化基层党组织模式。舜耕街道在区域性党建过程中引入了网格化管理方式，将街道划分为若干网格，在划分过程中确定了“地缘、业缘、趣缘和社会优质资源”的划分标准。“地缘”是指以街道办下属的 5 个社区居委会所管辖的区域进行划分；“业缘”是指按照街道行业的不同分类来进行划分；“趣缘”则按照现有兴趣小组进行划分；“社会优质资源”是指按照能为街道建设服务的有利资源来划分，如机关、学校等。通过这个标准把社区划分成网格，以网格为单位建立起基层党组织。网格化管理工作模式解决了基层党建工作和地缘化服务管理产生的矛盾，逐步形成了全覆盖、广吸纳和动态开放的基层党建模式。

第三，以融入式服务为导向，建立区域一体的党员管理服务体系。舜耕街道树立“融入式服务”理念，通过完善街道和社区党员管理服务中心与党员服务站以及“七彩养老超市”等服务平台，根据不同网格党组织的不同特点设立不同的服务小组，进一步搭建服务平台主动为党组织和党员提供不同的服务，将服务半径扩大到整个区域，提升了党建服务效能。同时，街道还搭建了各类组织信息共享平台，在全区域范围内解决党组织办公与活动场所等问题，实现了区域化党建资源的统一管理和统筹利用。

（二）辽源市龙山区：一轴三扇党建组织体系

辽源市龙山区在构建区域化党建的进程中，依照“条块结合、资源共享、共驻共建”的原则，逐步探索建设区域化党建工作新格局。

第一，建立“一轴三扇”组织体系，完善区域化党建工作运行机制。所谓“轴”指社区党组织应该扮演主轴的角色，带头成立区域共建协调委员会，发挥统筹、协调、部署、带动区域内各组织加入区域化党组织体系中来。“扇”是指根据三类组织成立的三个指导小组形成辐射带动整个区域的党建工作体系，这三个小组分别是社区党建工作指导小组、辖区单位党建工作指导小组和“两新”组织党建工作指导小组。在“一轴三扇”组织体系下，建立了区域性党建联席会，吸收区域内各类组织共同参与到区域共建协调委员会中来，形成定期议事、共同决策的工作机制模式。

第二，创新社区内部工作运行模式。龙山区鼓励各单位建立党组织，比如成立“网格建党支部”、“楼栋建党小组”等，同时还规定党员达到一定人数可以设立党总支或党委，发挥党总支或党委的辐射带动作用。充分发挥党员带动作用，划定网格党建责任区，建立党员中心户，根据区域化党建需要成立党员志愿者服务工作队，包括政策宣传员、党建指导员、民事调解员、民情信息员、环境协管员、民生服务员、廉政监督员和社会治安员。

从以上两个案例可以总结出，区域化党建是按照区域统筹的理念，在一定的区域范围内，统筹设置基层党组织，逐步形成以街道党工委为工作核心、社区党组织为工作基础和其他基层党组织协同发展的党建体系。在区域化党建的探索过程中，首先是要突破传统的单位制党建体系，逐步形成全覆盖、扁平化和开放共享的基层党建体系；其次，区域化党建就是突破区域条块分割和资源壁垒，集聚与整合区域内各类党建资源，实现党建要素彼此融合与效能的共同提升。最后，要以服务为基本导向。区域化党建要通过服务凝聚人心，夯实基层基础，通过发挥党组织统筹协调作用服务于区域的和谐稳定发展。

五　对大栅栏街道进一步推进区域化党建的建议

（一）进一步深化认识，树立区域化党建统筹发展的工作理念

首先是进一步树立“大党建观”、“大服务观”的理念，树立区域化发展的工作理念，以共同利益为纽带，以大栅栏品牌建设为共同目标，广泛发动地区单位、企业、社区、居民、社会组织参与地区发展建设的大局之中。其次是进一步认识到区域化党建的重要性。区域化党建是经济社会结构转型的必然要求，区域化党建将在未来街道、社区发展中起到统筹协调的重要作用，将成为夯实基层基础的重要支撑，必须持续不断完善和创新建设模式。最后是进一步巩固党执政基层，提高党建工作的客观要求。对于区域发展来说，区域化党建打破传统单位制管理模式，区域资源统一整合，从而提刀区域竞争力。

（二）进一步整合资源，促进区域化党建与社会服务体系融合

首先是整合人力资源，统筹对街道、社区组织、社保等工作人员的管理，完善培训及考核评价机制，建立健全绩效激励机制，解决街道工作人员不足等问题。其次是整合信息资源。推进部门联动，整合党员、常住人口与流动人口等信息统计平台，开放接口，实现信息资源的共享和统筹。三是加强阵地资源的有效整合，对街道辖区内党员服务管理中心、卫生服务中心、

文化活动中心进行统一规划、统筹建设与统筹使用。最后是整合帮扶资源，将社区用于社会服务的专项资金进行有机结合，统一使用。

（三）进一步拓宽渠道，构建完善的区域化党建管理保障体系

首先是组建街道工作队。街道在区域化党建工作中，需要整合各个层面的力量，调整充实党员服务团队。同时，加大培训力度，提升区域内党务工作者的理论素质与业务能力。其次是强化经费保障。注意党费支持、社会募捐、社区自筹等多元资金支持社会工作开展，逐步破解社区工作经费难题，街道需要将工作经费拉入财政预算，采取办法，逐步解决社区工作经费的难题。最后，强化阵地保障。街道需要加强基础设施建设，为区域化党建工作提供良好的阵地，从而更好地开展党建工作。

参考文献

张梅：《街道社区区域化党建工作的实践与思考——基于济南市市中区舜耕街道基层党建创新的调研分析》，《中共济南市委党校学报》2012 年 4 月。

大栅栏街道办事处：《四项机制联动互促推进区域科学发展》，2013 年 8 月 8 日。

周晓彦：《辽源市龙山区构建区域化党建工作新格局》，《新长征》2012 年第 12 期。

谭果：《浅析区域化党建的逻辑动力和科学路径》，《湖南行政学院学报（双月刊）》2011 年第 3 期。

谢方意：《区域化党建：内生逻辑、功效与路径》，《探索》2011 年第 4 期。

杜彬伟：《区域化党建及其功能定位研究》，《黑龙江社会科学》2011 年第 4 期。

杭勇敏、陶维兵：《社区治理视阈下的区域化党建模式创新》，《学习与实践》2014 年第 3 期。

程勉中：《统筹目标视阈下的区域化党建》，《攀登（双月刊）》2013 年第 6 期。

B.5
志愿服务的可持续发展研究

摘　要：　志愿服务是新常态下社会治理的重要创新举措。大栅栏街道的志愿服务活动通过以区域化党建统筹为引领，注重项目品牌的发展，实行社会化培育运作模式，加强制度机制建设，其志愿服务开展卓有成效。为进一步推进大栅栏街道的志愿服务优化转型升级，使志愿服务特色化、持续化，本文结合志愿服务的基本理论，通过对国内外优秀经验的归纳总结，从组织队伍、项目服务内容和志愿精神等方面对大栅栏志愿服务可持续发展提出建议。

关键词：　志愿服务　区域化党建　大栅栏街道

大栅栏街道是“综合包户”志愿服务的发源地，自 1983 年第一份学雷锋“综合包户”协议签订之日，“综合包户”成为大栅栏街道志愿服务的一张名片，在全国有着广泛的影响力。在大栅栏街道，“学雷锋志愿服务”综合包户活动已经坚持开展了三十多年。近年来，街道以培育和弘扬社会主义核心价值观为主要内容，以共筑邻里互助爱心家园为总体目标，不断整合资源，拓展项目，丰富内容，创新机制，逐步形成了浓厚的结对帮扶、邻里互助的社会良好风气，志愿精神的代代传承已经潜移默化地成为大栅栏精神文化体系的重要组成部分，促进了地区各项事业的和谐发展。

一　志愿服务是现代社会的重要标志

（一）志愿服务的内涵

志愿服务在西方国家有着深厚的传统，不同学者对于志愿服务内涵有不同的理解。有从志愿服务起源来对其定义的；也有采用前联合国秘书长科菲·安南对于志愿服务的界定；还有一些学者根据青年志愿者的行动来界定；也有从志愿服务具有的民间性或非政府性特征来界定。目前各国公认的志愿服务的定义是 1997 年底第 52 届联合国大会上通过了的 52/17 号提案提出的，该提案由 123 个国家提交，并把 2001 年确定为国际志愿者年（International Year of Volunteers）。该提案给志愿服务下的定义为："任何人志愿贡献个人的时间和精力，在不为物质报酬的前提下，为推动人类发展、社会进步和社会福利事业而提供的服务。"① 这一定义使志愿活动成为一种具有自愿性、利他主义，不接受物质报酬的组织化活动。

（二）志愿服务的四大特征

根据联合国 52/17 号提案志愿服务的内涵，志愿服务具有四大特征：自愿性、非营利性、公益性以及组织性。首先，志愿服务是一种为他人提供无偿服务和帮助的活动，是基于自身的良知、信念和责任的自觉行为。其次，志愿活动是不为物质报酬的，即不以营利为目的。这里的非营利性并不划定志愿服务不接受任何报酬，维持职业化志愿服务基本生活保障和政府或机构为志愿服务提供最基本的资金支持也是属于非营利的范围。再者，志愿服务的目的是推动人类的发展和社会进步，为社会福利事业做出贡献，本身就具有利他的公益性。只要是他人、社会受益，志愿者本身在服务的过程中受益也无损于公益性。最后，组织性。随着时代的发展，志愿活动的组织性越来越高，越来越依托于专门组织提高志愿服务的专业性和服务效率。在我国，共青团是青年提供各种服务的重要载体，越来越多的非政府组织和基金组织也开始开展各种志愿服务。

（三）志愿服务体系的组成要素

志愿活动需要依托组织体系开展，这个组织体系由一系列的要素构成。

① 1997 年底第 52 届联合国大会上通过的 52/17 号提案。

这些要素主要包括志愿精神、志愿人员、志愿行为、志愿组织、志愿资源。志愿精神作为志愿活动价值体系的基础，认为无论种族、无论等级、无论阶层、无论亲疏，只要是生命就需要关爱和帮助。志愿行为属于一种社会创新实践，可以包括志愿活动、志愿宣传等各种社会创新的探索和实践。志愿服务的主体——志愿者，在志愿服务体系中扮演了最重要的促进关系，即公民角色认同。跨越种族、超越职业需求和利益关系的志愿服务，是公民培养社会责任感、事业心，体现自我价值、认同自我身份的有效途径。当今社会逐渐朝服务型社会转型升级，志愿者参与社会服务的过程其实就是一个参与民主政治，培育现代公民精神的过程。尤其在中国经济社会新常态发展的重要时期，志愿事业成为聚集社会资源的另一种有效途径，充分整合了市场资源、社会资源等各方面的资源优势，无形中成为促进现代社会发展进步的重要力量。

（四）我国志愿服务发展历程

我国志愿服务发展大致经历了四个阶段：1949～1956 年过渡起步阶段、1957～1966 年运动式成长阶段、1978～2000 年社会化展开阶段、2001 年至今蓬勃发展阶段。在不同的社会背景下我国志愿服务不断发展（见表 1）。

表 1　中国志愿服务发展历程

时间	社会背景	关键词	主要内容
1949～1956 年过渡起步阶段	改造与变革	当代中国志愿服务的雏形	1. 志愿服务呈现出崭新的社会风尚，社会捐助互助逐步迈向组织化。 2. 新成立的中央政府对苦难群众的救济工作十分重视。 3. 1950 年 4 月，召开了中国人民救济代表会议，确定“在人民政府领导下，以人民自救自主为基础开展人民大众的救济福利事业”的基本原则。 4. 会后成立了中国人民救济总会，推出节约捐赠“一把米”“一件衣”“一元钱”等救济活动，组织群众互助共济。 5. 标志着志愿服务开始起步。

续表

时间	社会背景	关键词	主要内容
1957～1966 年运动式成长阶段	单一与固化	全民学雷锋运动	1. 全民学雷锋运动。 2. 1963～1966 年近 130 万城市知识青年自愿参加下乡运动，支持农村和边疆地区社会主义建设，决心为祖国分忧、展现个人价值。 3. 1963 年以来，中国先后向亚、非、拉和东欧的 65 个国家和地区选派志愿医务人员约 2 万人次。
1978～2000 年社会化展开阶段	改革与探索	志愿服务社会体系的初步建立	1. "五讲四美三热爱""文明礼貌月"等常规性实践活动。 2. 1988 年天津市和平区新兴街道诞生了"为您服务"志愿者小组。 3. 20 世纪 90 年代初，在共青团系统的组织推动下，产生了全国性的青年志愿者组织。 4. 1995 年第四届妇女大会将"非政府组织国际论坛"引入中国，"志愿者组织""第三部门"等术语推动了我国志愿服务事业理论层面得到发展。
2001 年至今蓬勃发展阶段	构建和谐社会	全民参与	1. 2001 年是国际志愿者年。截至 2001 年底，我国大陆共有 7.69 亿年满 18 岁以上的居民正式或非正式地参加了志愿服务，志愿服务参与率达到 85.2%。 2. 2006 年《中共中央关于构建社会主义和谐社会若干重大问题的决定》提出"建立与政府服务、市场服务相衔接的社会志愿服务体系"。 3. 2007 年党的十七大报告提出"完善社会志愿服务体系"，确认志愿服务作为一种非正式的社会支持，有助于社会多样化的形成和自主性的生长，有利于构建和谐社会。 4. 2008 年汶川抗震救灾第一次涌现大规模的民间志愿者，累计有超过 491 万各地志愿者以各种形式参与其中。 5. 2008 年 8 月北京奥运会、残奥会志愿活动开启了志愿者元年。

资料来源：高嵘：《当代中国志愿服务发展历程与特征》，《理论学刊》2013 年第 5 期。

在发展市场经济、推进社会转型的同时，中国各省、自治区、直辖市一直没有放弃对志愿服务的不断探索和前进。通过结合本地区的实际情况，借鉴国际经验，大胆创新，探索建立起适合自身发展的志愿服务体系。

（五）发展志愿服务是党和国家以及社会发展的重要要求

1. 党和国家层面：高度重视志愿服务的发展

党的十六届六中全会明确提出要建立社会志愿服务体系，并明确了以“相互关爱服务社会”为主题，提出了“政府服务、市场服务相衔接”的建设模式①。党的十七大提出在推进社会建设加快改善民生的基础上要求“完善社会志愿服务体系”②。党的十八大报告进一步提出了要广泛地开展志愿服务，在原有的基础上提出了“推动学雷锋活动，学习宣传道德模范活动常态化”的要求③。十八届三中全会也明确提出“支持和发展志愿服务组织”④。十八届五中全会也把志愿服务活动作为慈善事业的重要内容⑤。由此观之，志愿服务已经成为我国经济社会可持续发展的重要组成部分。

2. 社会层面：有利于提高社会服务水平，构建和谐社会

志愿者在志愿服务过程中，通过培训和管理等活动得以提升自身的志愿服务水平，从而在无形中强化了现有的社会服务水平。在当今亲疏远离的社会环境中，志愿服务工作可以渗透到社会的各个角落，给人民提供了互帮互助和相互交流的平台。志愿者与服务对象接触时，既是服务信息传递的过程，可以将志愿机构的相关信息、困难等传递给服务对象，以拉近彼此的距离；同时，这又是一个有效构建和谐社会的过程，优质的志愿服务工作可以加强被服务对象对人、服务以及社会的信心。

---

① 十六届六中全会做出的《中共中央关于构建社会主义和谐社会若干重大问题的决定》，2006 年 10 月 12 日。

② 胡锦涛：《高举中国特色社会主义伟大旗帜为夺取全面建设小康社会新胜利而奋斗——在中国共产党第十七次全国代表大会上的报告》，2007 年 10 月 15 日。

③ 胡锦涛：《坚定不移沿着中国特色社会主义道路前进为全面建成小康社会而奋斗——在中国共产党第十八次全国代表大会上的报告》，2012 年 11 月 8 日。

④ 中共十八届三中全会通过《中共中央关于制定国民经济和社会发展第十三个五年规划的建议》，2013 年 11 月 12 日。

⑤ 中共十八届五中全会通过《中共中央关于制定国民经济和社会发展第十三个五年规划的建议》，2015 年 10 月 29 日。

二　大栅栏街道志愿服务体系建设的“四把利剑”

（一）以区域化党建统筹带动区域化志愿服务整体发展

大栅栏以区域化党建为统领，充分发挥统筹地区发展的职能和作用，对志愿服务工作进行通盘考虑、统筹谋划，整合地区老字号企业党组织资源，统领地区各界力量，建立了党组织搭台，党员骨干组织实施，群众广泛参与，项目管理机制运作的志愿服务模式。

1. 统筹志愿服务资源

加大党组织统筹力度，充分挖掘区内人大、政协、统战人士资源，主动上门，广泛发动辖区的企业、单位、部队发挥行业优势，参与志愿服务，与困难群体签订帮扶协议。截至目前，辖区共有 65 家企业与地区的困难家庭建立了帮扶关系。

2. 统筹志愿服务项目化运作

发挥区域化党建的组织优势和活动优势，传播志愿服务价值与理念，引导区域党组织参与志愿服务活动，加大对志愿服务品牌活动的孵化力度，举办以“综合包户”志愿服务为主题的党建沙龙活动，发布 19 个助老、助残、助学、助困、互助、促进 4050 人员再就业项目。目前在大栅栏街道开展的助老项目占志愿服务项目总数的 45%；助残项目占 25%；助学项目占 12%；其他便民互助项目占 18%。

3. 统筹志愿服务的各方力量

坚持以党建带团建，充分发挥党团员在志愿服务活动中的先锋模范作用，带领号召机关、社区、企业党员群众广泛参与志愿服务。大栅栏拥有志愿者队伍 64 支，实名注册志愿者 3090 人，党团员占 76%，成为参与地区志愿服务的主体。重大节日和重点时期，地区党员带领 1872 名治安志愿者走上街头，主动参与地区维稳巡逻和服务保障任务中，有力地提升了地区安全稳定的保障水平。

（二）以制度机制建设为载体推动转型升级

大栅栏将“综合包户”作为社会建设的重要组成部分，与地区整体发展紧密结合，逐步形成了“党组织统筹、党员骨干引领、社会组织协同、项目化运作”的志愿服务体系。

1. 建立统一工作体系

街道根据实际制定了《大栅栏街道“邻里互助守望幸福”综合包户志愿服务行动实施方案》，组建了以工委书记、办事处主任为组长的领导小组，确定主管领导，吸纳21个部门和社区成员单位，明确各部门的职责，从街道整体工作角度，形成了统一的工作体系。

2. 完善监督考核评价机制

街道将该实施方案向社会公布，并与项目承接单位签订结对共建协议书，项目实施过程接受全社会的监督。督察组对志愿服务项目开展情况实行全过程评价，考评结果作为各单位年终总评的重要依据。

3. 建立激励机制

大栅栏街道借助高校、社团、公益机构、社会单位等优势资源，用社会化的运作机制激发社会参与志愿服务的活力，逐步实现志愿服务模式由传统型向专业化的转变。通过多种渠道整合各类资源，为志愿服务活动的开展提供必要的资金和物质支持。同时，作为全市首家试点单位，启动“志愿云”管理系统。志愿者持印有二维码的实名制服务卡可随时将服务信息通过手机终端录入“云系统”，作为积分奖励的依据。街道还引入星级动态评选机制，对评选出的“公德之星”和公益团队（项目）实行星级命名。从而培育地区道德模范、公益模范，着力宣传普及志愿服务理念，推动志愿服务的公益化和常态化。

（三）以培育品牌项目提升志愿服务上新水平

街道在思考和谋划地区志愿服务工作中，充分注重品牌的培育与打造，在传承历年志愿服务的基础上，针对地区的特点和需求，以“邻里守望爱心互助”为主要内容，精心培养出地区“十佳风采人物”、“十佳公益团队”和“十佳服务项目”，使志愿服务就近化、常态化和品牌化。石头社区女子助老服务队和京铁爱心传递队同被评为2013年“爱在西城”优秀公益团队，充分展现了地区群众风采，营造了地区广大群众参与志愿服务的良好氛围。

1. 以社区为龙头加大志愿服务组织培育力度

加强对社区的指导力度，针对每个社区的不同特点和区域优势，在每个社区打造一个有社区特色的枢纽型党员志愿服务组织，例如“尚德公益组织”、“成长加油站”等志愿服务品牌队伍。石头社区女子助老服务队和三井社区义务指路队等社区品牌志愿服务组织已逐渐成为志愿服务亮丽品牌。

2. 深化“综合包户”品牌项目内涵

不断拓宽“综合包户”服务项目的范畴，将服务范围延伸到助学、助困、便民、互助、促进再就业等多个领域，服务方式也从最初的一包一，到综包一，一包综多种形式，之后又出现专业力量和社会资源注入的文化项目。2012年与京都文化公司签订了“综合包户”传统文化体验行的服务项目，成为大栅栏志愿服务新时期创新发展的重要形式之一。近年来，内联升、戴月轩、老舍茶馆、泰丰楼等工商联单位十几年坚持捐资助学活动，北京公安处特警队帮助空巢重病老人和残疾人，参与“综合包户”近二十年从未间断。

3. 立足区域特点培育特色志愿服务项目

针对大栅栏地区流动人口多、流动人口子女教育问题，搭建了“成长加油站”志愿服务项目，引入了北京师范大学、中国青年政治学院等高校及专业社工的力量，开展流动人口子女宣传教育志愿服务活动。其中以关爱农民工子女服务为主题建设“七彩小屋”，实行开放式素质拓展教育。此项品牌活动得到团中央及各级部门的大力支持，作为中国儿童慈善基金会专业服务项目，对成长加油站志愿服务给予支撑。

（四）以社会化培育运作模式激发志愿服务的新活力

街道注重发挥基层群众性的自治组织、社会组织、企事业单位的社会协同作用，不断扩大志愿服务覆盖面，形成了“党组织搭台、党员骨干组织实施、群众广泛参与、项目管理机制运作”的新格局。

1. 引入社会组织和专业力量扩展志愿服务形式

与北京市城市再生资源服务中心合作开展“废旧物品公益行”活动；与北京青年压力管理服务中心合作开展“心灵驿站”心理咨询服务项目；与辖区怡德亨律师事务所合作，成立了晨夕法律援助中心，为地区老年人提供免费法律资源；与泓德中育社会发展中心合作，开展公共安全教育训练推广项目，以铁树社区为试点，绘制社区灾害管理地图；与北京理工大学法学院合作，建立社区法律教育实践基地，提供多方位的法律援助等。

2. 转变志愿服务组织运作模式

传统的志愿服务组织模式主要是由“自上而下”的组织发动，逐渐转变过去单一的运作模式发展成为“自上而下”组织发动与“自下而上”社会参与相结合的双轨培育方式。按照以类相聚的标准，将志愿服务分为互助式温情服务、菜单式项目服务和平台式专业服务三种形式互助，对重点志愿服务组织加强培育和孵化力度。

3. 创新志愿服务自助自管理念

针对辖区五小门店多的特点，在大栅栏西街及商户集中的社区成立了社区商会组织，组建了自律自管会，落实“门前三包”，提升商户自治水平，重点时期服务保障工作中，以7户门店为一个单位建立“安全示范岗”，协助社区开展巡逻防控等工作，提升了自我管理、自我服务的水平。

三　大栅栏发展志愿服务取得的成效和存在的不足

（一）志愿服务的发展促进了大栅栏街道的繁荣发展

1. 汇聚资源服务民生

目前大栅栏街道市级志愿服务站点共计8个，三井社区七彩小屋、社区服务中心青年汇、铁树斜街社区和延寿街社区2014年获批首都学雷锋志愿服务站；石头助老、三井社区便民和铁树社区党员文明劝导获批为首都学雷锋志愿服务岗。这些站点已经成为志愿服务工作的主场地，地区常设志愿服务机构有社区卫生服务中心、爱角俱乐部、晨夕法律援助中心、爱之门公益服务中心等9家，为居民提供测量血压、血糖、中医按摩、法律咨询、理发等便民服务。在城区供电局便民服务中，供电局的党员服务队深入社区，不仅为居民普及安全用电知识，还为空巢、高龄老人安装照明小夜灯，更新老化线路。瑞蚨祥等多家企业设立“义务销售柜台”，帮助自谋职业者、残疾人群体销售手工艺品。50家企业参加的“老字号专场招聘会”上，主动降低辖区失业人员准入门槛，现场达成就业意向107人。2003年以来，街道工商联分会成员先后与100多人次家庭困难的学生签订了综包助学协议。铁路公安处特警支队的队员们十七年如一日坚持结对照顾地区多户孤残家庭。多家单位的会议室、活动室免费向社区开放，成为居民开会活动的好去处。煤东社区的“邻里节”上，居民能够享受到来自辖区企业的优惠商品和优质服务。志愿服务让群众在方方面面真正受益处、得实惠。

2. 建立联盟共同成长

为使服务资源进一步得到整合互补，街道将原有的分散项目整合成十大品牌项目，使各志愿组织强强联合，形成集团军。不仅提升志愿服务水平，还使服务组织真正有了用武之地，在服务中得到锻炼和提高，实现服务组织与服务项目共同成长。通过整合资源明确每个项目的牵头科室、对接资源和资金来源，真正保障了品牌活动可持续发展的驱动力。像北京师范大学专业服务团队在三井社区开办的“成长加油站”，为外来务工子女提供课外教育服务。通过联盟还吸引了清华大学、北京理工大学、北京工业大学等多所高校志愿者的参与，进一步提高了街校共建服务水平。地区有10家老字号企业建立了“企业文化”博物馆，通过联盟将北京坊、非遗展示厅等串联成“老字号文化体验行”线路，形成弘扬地区传统文化的特色品牌。“老字号文化沙龙”更是争取到地区专家顾问团的支持，将围绕企业发展战略推出系列讲座，为老字号企业的新发展把脉支招。对特困家庭的结对帮扶项目由物质捐助拓展到心理、健康咨询、技能培训、家政服务等更加个性化、专业化，更有针对性的服务内容。

3. 凝心聚力推动发展

学雷锋“综合包户”志愿服务活动坚持开展三十多年来，不仅成为服务地区居民的重要形式，不断培育精神文明新风尚，还影响带动更多人把社会主义核心价值观的要求融入日常工作中，在为家庭谋幸福、为他人送温暖、为社会做贡献的过程中感受奉献的快乐，逐步形成浓厚的结对帮扶、互相帮助的良好社会风气，志愿服务精神已经成为大栅栏精神文化体系的重要组成部分。同时，志愿服务的理念和作风不断融入党建、民生改善、城市管理等地区发展建设工作中，成为地区发展的重要推动力。地区的环境面貌、经济发展、文化繁荣、民生改善等各项事业取得显著成绩。市区重点工程前门西河沿街开街后，成为集文、商、旅、居为一体的文化休闲大街；百年劝业场修缮完工，首次亮相就云集了“威尼斯 100 在北京”“大栅栏领航员”“黟县百工”“看见造物”等众多展览，成为集博物馆艺术中心、文化中心为一体的新“大栅栏会馆”。

4. 志愿服务队伍不断壮大

与高校、驻街部队、辖区企事业单位签订合作共建协议 59 份，综包单位由最初的 11 家发展到 76 家，与地区 192 户困难家庭建立了帮扶关系，累计签订“综合包户”帮扶协议 439 份。发布 32 个助老、助残、助学、助困、互助、再就业项目，新增项目 6 个；有 64 支志愿者服务队，注册志愿服务人员 3090 名，受益达万余人次。目前，在大栅栏地区参与学雷锋“综合包户”的志愿服务队伍主要有党员、团员、军警、外来务工人员、工商联分会成员等社会各类志愿者。服务群体为孤寡病残居民、军烈属、4050 人员、特困生、空巢老人等弱势群体，主要是从物质和精神等方面给予帮助，以“手拉手”“结对子”“一包一”“一包多”“多包一”等活动形式给他们提供急需的帮助和服务。志愿服务队通过富有特色的活动形式诠释着社会主义核心价值观的内涵。

5. 品牌带动效应不断增强

在“综合包户”志愿服务活动中，注重典型引领、润物无声，培育了一批优秀企业、社会组织、居民群众典型代表。如张一元、老舍茶馆、瑞蚨祥、内联升等重点企业捐资助学、文化惠民、照顾孤老的典型事迹；石头社区助老服务队、三井社区“爱心畅行指南针”义务指路队等优秀志愿服务组织；社区党员杨淑香大姐义务照顾90岁空巢老人多年直至养老送终；关爱农民工子女的开放式素质拓展教育项目“成长加油站”、以会馆和京剧为主要内容的传统文化体验、“首铁特警爱心互助队”等优秀项目；组建百姓宣传团让居民走上讲台，通过身边的人和事，影响居民群众，催化社会主义核心价值观成为人民的精神追求和自觉行动。通过在志愿者队伍中开展“十佳风采人物”“十佳公益团队”的星级评选活动，来带动邻里互助、广泛参与的志愿服务氛围，使学雷锋“综合包户”志愿服务成为培育和践行社会主义核心价值观的新型社会动员方式。

（二）大栅栏街道志愿服务发展存在的不足

1. 认识上与现代志愿服务精神尚有差距

志愿服务是全民的服务过程。志愿服务要充分发挥全民志愿服务精神。志愿服务是民众的志愿精神发光发热的过程。大栅栏志愿服务以区域党建统筹为引领，志愿服务的实践主要依靠党政力量、地方企业力量。政府企业学校学生等被当作志愿服务的主体，而老百姓大多作为服务对象来参与志愿服务实践。在调研过程中发现，大部分志愿者在服务过程中混淆了志愿服务的真正内涵，把志愿服务活动等同于单纯的做好事。没有充分调动广大居民的积极性，开启全民服务的志愿活动。

2. 志愿服务内容不够丰富

志愿服务的项目设计是对志愿组织能力的重要挑战。志愿服务项目的多样性会增强志愿者参与服务的积极性，进而增加对志愿组织的信心，增强志愿服务在公众当中的口碑和公信力。大栅栏通过对志愿服务的不断探索，取得很大成效。但与其他地区志愿服务相比较，大栅栏的志愿服务尚存在方式和内容上较为单一，没有真正做到多元化和多样性的问题。长期以来形成的惯性思维影响了志愿服务内容形式的创新，导致服务形式雷同，缺乏持续性。

3. 志愿服务的可持续发展体系尚未真正形成

志愿服务的可持续发展需要形成长效机制。大栅栏街道虽然在思考和谋划地区志愿服务工作中，充分注重品牌的培育与打造，也形成了以“邻里守望爱心互助”等品牌，精心培养出地区“十佳风采人物”、“十佳公益团队”和“十佳服务项目”，但如何在此基础上，进一步推动志愿服务的常态化、体系化，打造出独具特色而又良性发展的志愿品牌，走出一条志愿服务的可持续发展之路，是大栅栏街道需要深入研究的关键性问题。

四　志愿服务的国内外经验

（一）从政府推动到深入民心的美国志愿服务

1. 美国志愿服务的四个发展历程

美国的志愿服务历史悠久、覆盖面广、群众参与度高。可以说，志愿服务的发展与美国历史潜藏着密不可分的关系。从最初的美洲殖民地至今，美国的志愿服务主要经历了四个发展阶段（见表2），即1607～1781年的爱国奉献团结互助时期、1782～1913年自发性主动性的个人主义志愿精神时期、1914～1945年政府介入的志愿服务时期、1946年至今与时俱进的志愿服务时期。随着历史向前推进，每一个阶段历史都赋予了美国志愿服务以不同的光环使命和主导内容。

表2　美国志愿服务的四个发展阶段

发展阶段	主要内容
从殖民地到美国(1607～1781)	一个由志愿者建立起来的国家
西进运动(1782～1913)	基于个人主义的志愿精神的光大
从一战到二战(1914～1945)	以政府为主导的志愿服务
志愿者的国度(1946年至今)	志愿精神不断光大,与时俱进,随处可见

资料来源：高嵘：《美国志愿服务发展的历史考察及其借鉴价值》，《中国青年研究》2010年第4期。

2. 美国志愿服务的四大发展特点

历史悠久的美国志愿服务主要包含以下几个特点。一是社会志愿者组织在美国志愿服务中的重要作用。志愿组织形式通常分为两大类。一类是由教会、社区、企业、居民等自发组织形成的适应地方需求的综合性服务组织，主要提供科教文卫、就业发展、娱乐服务活动等各项服务，服务范围涉及面广；另一类是依托专业性服务组织的志愿服务团队，主要是提供更加专业的针对性服务，依托社会特定需求来确定自己的服务对象和服务内容。二是各级政府大力支持志愿服务的发展。政府的大力支持是美国志愿服务发展的重要因素，无论是国家还是地方政府都制订了一系列支持志愿服务的政策、计划，使美国志愿服务融入经济社会发展的各个方面。为保证志愿活动的积极性和持久性，政府出台相关优惠政策来支持志愿活动的发展，在很大程度上激励了志愿精神和参与意识的发扬。三是行之有效的立法保障措施。美国志愿服务法制化是志愿服务发展的基本前提和保障。且志愿服务法制化趋势日益显著。不论是1990年颁布的《国家和社区服务法案》，还是1997年颁布的《志愿者保护法》，均彰显了政府对志愿服务的大力支持。四是与时俱进的志愿服务发展。随着互联网的普及与发展，互联网已经成为美国志愿服务的重要载体和平台，互联网技术为美国的志愿服务提供了打破时间、空间界限的可能，也为志愿服务提供了全方位的信息资讯服务，催生了志愿服务的新形式、新模式。

（二）创新社会治理背景下的杭州下城区志愿服务模式

1. 下城区社区志愿服务模式发展的四个阶段

社区志愿服务是我国社会志愿服务的重要组成部分。中华民族互助互济的传统美德为志愿服务的发展提供了良好的发展环境和基础。城市社区志愿服务是创新社会治理的重要内容。在杭州市下城区开展的“社区志愿服务项目超市”，是创新社会治理背景下对城市社区志愿服务发展模式的良性探索。杭州市下城区社区志愿服务事业肇始于20世纪90年代初，经过多年实践，如今下城区社区志愿服务工作已经摸索出了独具下城特色的社区志愿服务模式。该模式的形成过程主要包括四个阶段：1993～2000年的普及和兴起阶段、2001～2003 年的整合推进阶段、2004～2007 年的调整夯实阶段、2008 年至今的深化创新阶段（见表 3）。

表 3　下城区社区志愿服务模式发展的四个阶段

时间	主要内容
1993～2000 年 普及和兴起阶段	1993 年 12 月，下城区社区志愿服务以青年志愿服务行动为契机正式拉开序幕。通过深入社区广泛开展社区志愿服务活动，并初步进行社区志愿服务的组织化、制度化建设。但存在居民参与较少、服务对象单一、服务活动简单化、机制欠缺等问题。
2001～2003 年 整合推进阶段	以胡锦涛同志“建设两支队伍”重要指示为标志，积极进行社区志愿服务的实践探索与科学研究 。通过各项制度建设整合推进社区志愿服务事业的发展，不仅在全市率先实现志愿者服务站率 100%，还初步建立了社区志愿服务的组织网络体系、组织领导体系和基本工作机制。
2004～2007 年 调整夯实阶段	随着《杭州市志愿者服务条例》等相关志愿服务政策法规的出台，下城区社区志愿服务进入了有序推进、规范发展时期。志愿服务逐渐融入城市发展，志愿者队伍不断壮大，整体素质得到提升，志愿者服务水平不断提高，志愿服务形式不断创新，志愿服务工作向专业化方向发展。
2008 年至今 深化创新阶段	基本形成了制度化管理、网格化建设和项目化运作的格局。在完善制度和管理的基础上，下城区坚持项目化运作，不断完善服务，积极引进项目化管理，创新服务载体，实施品牌化战略。

资料来源：金碧华等《社会治理视野下社区志愿服务的实践与创新——对“下城模式”的重新解读》，《社会工作与管理》2014 年 7 月第 14 卷第 2 期。

2. 不同时期下城区社区志愿服务模式存在不同的发展特点

不论是管理模式、组织形式、运作机制还是服务导向上，下城区社区志愿服务都独具特色（见表 4）。在管理模式上，重视管理体制的创新，形成网格化管理。以志愿服务总队为功能核心，建立涵盖临时党委、服务和队伍三级网络志愿服务体系，以发挥其最大的管理效能。在组织形式上，首先，以“三结合”的招募手段加强社区志愿者队伍建设；其次，培育和发展志愿服务组织，有效凝聚民间的公益团队；最后，实施社区专职志愿者培养计划。在运作机制上，逐步建立起一套科学合理且行之有效的项目化运作机制。在服务导向上，不断推进“志愿下城”的志愿服务品牌建设。

表4　下城区社区志愿服务模式发展的主要特点

类别	关键词	主要内容
管理模式	网络化管理	1. 建立志愿服务临时党组织网络。 2. 建立志愿服务四级队伍网络。 3. 建立志愿服务四级服务网络。
组织形式	多元化发展	1. 加强社区志愿者队伍建设。 2. 培育发展志愿服务组织。 3. 有效凝聚民间公益团队。 4. 实施社区专职志愿者培养计划。
运作机制	项目化动作	1. 建立专家咨询制度。 2. 定期邀请青少年教育专家、资深工作者举办志愿服务项目研讨会，拓展志愿服务项目内容，深化工作内涵。 3. 建立项目设置论证制度，采用社会调查——了解需求——项目策划——组织实施——项目评估的流程。 4. 进行项目公告，做到事先预告，方便社区居民按需要接受服务。 5. 做好项目实施。服务项目包括：品牌型常规化社区志愿服务项目——“志愿为民统一服务日”“社区志愿服务项目超市”等。
服务导向	品牌化推进	1. 号召社区志愿者自觉做到服务意识强、服务质量优、群众满意度高的工作目标，使各自的服务品牌深入社会、深得民心。 2. 强化品牌管理机制。 3. 以“公益”为导向，深入挖掘服务品牌的可持续发展潜力，并采取具体措施增强志愿服务的品牌活力。

五　大栅栏街道志愿服务的可持续发展方向

（一）淡化行政色彩，赋予志愿服务新活力

作为在地方社会治理与创新中成长起来的先进典型，“十佳风采人物”、“十佳公益团队”和“十佳服务项目”等服务活动以制度建设为保障，不断提升民众的知晓度，迅速实现了由“服务”到“品牌”的蜕变。政府在对“十佳风采人物”、“十佳公益团队”和“十佳服务项目”服务项目从政策设计到项目执行等方面给予了大力支持。政府的主导和推动是这些品牌得以

形成的重要因素，这也是我国志愿服务活动的显著特征。但是，依托党政资源打造服务品牌并不是志愿服务建设的长久之计。因此，在志愿服务未来的可持续发展进程中，要淡化行政色彩，赋予志愿服务新活力。首先，要厘清政府在志愿服务中的角色。一方面，政府在志愿活动中可以在政策、资源保障、规范性供给等各方面产生积极作用；另一方面，过多的干预、注重形式等带来的问题也不容忽视。通过借鉴国外的成功经验，政府在志愿服务中应该扮演倡导者、管理者、协调者的角色，而不是服务的主导者和提供者。其次，强化志愿组织能力建设。当政府主导逐步让渡给社区志愿服务组织时，对于志愿组织提出了较高要求，没有政府过多的资金政策支持，志愿组织需要提高自身的能力，以适应社会的需要从而生存下来，形成良性循环。通过创新其志愿服务项目，促进服务项目的供需对接，完善志愿组织内部治理结构，提高志愿服务的效率和效果等各方面进行志愿组织的能力强化。

（二）创新服务内容，注重特色化、持续化

志愿服务的可持续发展和特色品牌的树立，需要创新志愿服务内容，创新志愿服务方式，创造更多属于大栅栏自身的志愿服务品牌。一是转变传统的服务形式。志愿服务走品牌化道路，应转变传统的服务形式，实现多个转变。主要是由分散服务向集中服务转变、由救济式服务向开放式服务转变、由物质帮扶向精神抚慰转变、由定点服务向流动服务转变、由单一便民服务向全方位多项服务转变。充分利用科学技术实现网络信息志愿服务，以扩大其志愿品牌的知名度和美誉度。二是提供人性化服务。志愿服务组织的品牌化道路，必须要以服务对象的精神需求为重点领域，给予服务对象以人性化服务。

（三）弘扬志愿服务精神，倡导全民参与

志愿服务精神是志愿服务的灵魂，全民参与是志愿服务精神最大限度的体现。现代社会的利益分化恶化了人与人之间的社会关系。志愿服务的社会功能可以有效调整人与人之间的社会关系，拉近人与人之间的相互距离，同

时也调整整个社会结构与社会关系。参与志愿服务也是培养公民意识的过程，是促进社会和谐的重要途径。大栅栏街道应该发挥志愿服务传统，扩大参与广度和深度，将“志愿服务爱心互助”的正能量坚持不懈地传递下去，影响和带动更多的人参与到志愿服务的行动中来，发挥大栅栏品牌资源优势，将志愿服务不断融入党建、民生改善、城市管理等地区发展建设工作中，促进大栅栏街道志愿服务的规范化、常态化、可持续发展。

参考文献

大栅栏街道办事处：《志愿服务传递三十载、爱心互助畅行大栅栏》，《北京大栅栏报》2013 年 12 月 15 日。

西城区大栅栏街道宣传部：《弘扬社会主义核心价值观共筑邻里互助爱心家园——大栅栏街道深入开展“综合包户”志愿服务活动》，2014。

谭建光、朱莉玲：《中国社会志愿服务体系分析》，《中国青年政治学院学报》2008 年第 3 期。

高嵘：《当代中国志愿服务发展历程与特征》，《理论学刊》2013 年第 5 期。

龚万达：《国外志愿服务研究综述》，《江西师范大学学报（哲学社会科学版）》2010 年第 8 期。

高嵘：《美国志愿服务发展的历史考察及其借鉴价值》，《中国青年研究（国外研究）》2010 年第 4 期。

金碧华、朱麟飞、龚逾慈：《社会治理视野下社区志愿服务的实践与创新——对“下城模式”的重新解读》，《社会工作与管理》2014 年第 14 期。

赵怀娟、夏伟：《社区志愿服务品牌建设：经验、问题与对策——以 W 市“一米阳光”为例》，《理论导刊》2013 年第 7 期。

王春兰、袁明符：《我国社区志愿服务的品牌化发展探讨》，《重庆工商大学学报（社会科学版）》2011 年第 28 期。

卢惠琛：《中山市社区志愿服务的问题及对策研究》，中山大学硕士学位论文，2009。

党秀云：《论志愿服务的常态化与可持续发展》，《中国行政管理》2011 年第 3 期。

B.6

关于历史文化街道保护的研究

——以大栅栏琉璃厂为例

摘　要：历史文化街区是地区发展的“活化石”，具有重要的历史、科学、艺术价值。改革开放以来，伴随着我国城市化的不断发展，许多具有宝贵价值的历史文化街区遭到严重破坏，历史文化街区的保护、修缮与可持续发展成为城市建设与管理的重要焦点。大栅栏琉璃厂地区是北京历史记忆与古都风貌的重要组成部分，得到历届市、区两级政府和相关部门的高度重视，文保区的品质得到整体提升。本文在借鉴北京市其他历史文化街区保护经验的基础上，认为大栅栏街道应该进一步推进大栅栏琉璃厂地区的保护与复兴，将此区域打造成为全市的历史文化保护示范区，为北京市探索推进文保区各项工作积累经验。

关键词：历史文化街区　保护修缮　创新发展　大栅栏街道

对于一座城市而言，历史与文化永远是其独特魅力的根本。伴随着经济和社会的发展进步，人们已经越来越重视对历史文化的保护与传承。放眼全国，北京的什刹海、天津的五大道、南京的秦淮河夫子庙、福州的三坊七巷、杭州的南宋御街，无一不是所在城市的亮丽名片。历史文化街区是地区发展的“活化石”，是不可复制的宝贵资源，只有对其进行整体的保护更新，才能让缄默破旧的老街区焕发出新的生机和巨大的发展潜力。

一　历史文化街区是历史文化名城保护的重要内涵

（一）历史文化街区的基本概念

1986 年，国务院《批转建设部、文化部关于请公布第二批国家历史文化名城名单报告的通知》中多次强调了“历史传统文化特色的街区”的重要性和必要性，通知将“能够代表城市传统文化风貌的街区”当作历史文化名城的重要准则，在“制定历史文化名城保护规划”的任务中把“保护文物古迹及具有历史传统特色的街区”当作首要任务，具有传统城市风貌的街区始终是历史文化保护的首要或重要内容。①

2008 年国务院颁布的《历史文化名城名镇名村保护条例》在附则中明确提出了“历史文化街区”的概念，“历史文化街区是指经省、自治区、直辖市人民政府核定公布的保存文物特别丰富、历史建筑集中成片、能够较完整和真实地展现传统格局和历史风貌，并具有一定规模的区域。”②

2015 年 4 月，住房城乡建设部、国家文物局下发了《关于公布第一批中国历史文化街区的通知》（以下简称《通知》），公布了第一批 30 个中国历史文化街区，北京市皇城历史文化街区、大栅栏历史文化街区、东四三条至八条历史文化街区进入该名单，《通知》指出：“要督促各地要做好中国历史文化街区保护各项工作，并积极改善历史文化街区的基础设施和居住环境，在延续街区风貌的同时激发街区活力，严禁违反保护规划的建设行为发生。”③

① 国务院：《批转建设部、文化部关于请公布第二批国家历史文化名城名单报告的通知》，1986。

② 国务院：《历史文化名城名镇名村保护条例》，2008。

③ 住房城乡建设部、国家文物局：《关于公布第一批中国历史文化街区的通知》，2015。

表 1　第一批中国历史文化街区名单

序号	名称	序号	名称
1	北京市皇城历史文化街区	16	浙江省绍兴市蕺山（书圣故里）历史文化街区
2	北京市大栅栏历史文化街区	17	安徽省黄山市屯溪区屯溪老街历史文化街区
3	北京市东四三条至八条历史文化街区	18	福建省福州市三坊七巷历史文化街区
4	天津市五大道历史文化街区	19	福建省泉州市中山路历史文化街区
5	吉林省长春市第一汽车制造厂历史文化街区	20	福建省厦门市鼓浪屿历史文化街区
6	黑龙江省齐齐哈尔市昂昂溪区罗西亚大街历史文化街区	21	福建省漳州市台湾路 - 香港路历史文化街区
7	上海市外滩历史文化街区	22	湖北省武汉市江汉路及中山大道历史文化街区
8	江苏省南京市梅园新村历史文化街区	23	湖南省永州市柳子街历史文化街区
9	江苏省南京市颐和路历史文化街区	24	广东省中山市孙文西历史文化街区
10	江苏省苏州市平江历史文化街区	25	广西壮族自治区北海市珠海路 - 沙脊街 - 中山路历史文化街区
11	江苏省苏州市山塘街历史文化街区	26	重庆市沙坪坝区磁器口历史文化街区
12	江苏省扬州市南河下历史文化街区	27	四川省阆中市华光楼历史文化街区
13	浙江省杭州市中山中路历史文化街区	28	云南省石屏县古城区历史文化街区
14	浙江省龙泉市西街历史文化街区	29	新疆维吾尔自治区库车县热斯坦历史文化街区
15	浙江省兰溪市天福山历史文化街区	30	新疆维吾尔自治区伊宁市前进街历史文化街区

（二）历史文化街区的划定原则

1. 风貌完整性

在我国历史文化相关法律条文中，一直将历史文化街区当作历史文化名城的主要内容，1986 年公布的第二批国家历史文化名城名单报告时就强调了历史文化街区是展现历史文化名城风貌的重要准则，国务院颁布的《历史文化名城名镇名村保护条例》中明确强调，申报历史文化名城，需要有至少两处历史文化街区。① 因此，历史文化街区内的风貌必须基本一致，有较为完整的视觉环境，能够从整体上保持和延续名城的风貌。建设部发布的国家标准《历史文化名城保护规划规范》（GB50357 - 2005）规定要求："历史文化街区的用地面积不小于 $1hm^2$；历史文化街区内的文物古迹和历史建筑的用地面积宜达到保护区内建筑总用地的60%以上。"②

2. 历史真实性

《历史文化名城保护规划规范》强调："构成历史风貌的历史建筑和历史环境要素基本上是历史存留的原物。"③ 这也就意味着，拆旧仿古、古城重建等"冒牌古董"与历史文化街区的保护并不是同一范畴。这些假古董的背后存在着巨大的商业利益驱动，不仅造成了巨大的财政浪费，也破坏了历史文化街区的历史真实性，模糊了文物真迹与文化赝品间的界限。

3. 生活延续性

生活延续性是指过去历史文化街区的生活方式、精神风貌、传统风俗在现代社会依然得到很好的延续和传承，历史文化街区不只是保存了物理存在，精神价值也得到很好的保护。《历史文化名城保护规划规范》指出，"历史文化街区保护规划应该包括改善居民生活环境和保持街区活力的内容。"④ 而生活在历史文化街区中的居民正是历史文化街区的活力和力量所在。生活延续性原则则是历史文化街区与文物古迹地段有所区别的关键所在。

（三）历史文化街区保护的意义

1. 保护文化遗产

历史文化遗产是一个国家和民族文化的生命密码保护和精神支撑，蕴含着国家和民族特有的文化思想意识、文化思维方式和文化精神机制，是保护文化主权和文化身份的基本依据。历史文化街区具有重要的物化文化和精神

① 国务院：《历史文化名城名镇名村保护条例》，2008。

② 建设部：《历史文化名城保护规划规范》（GB50357 - 2005），2005。

③ 建设部：《历史文化名城保护规划规范》（GB50357 - 2005），2005。

④ 建设部：《历史文化名城保护规划规范》（GB50357 - 2005），2005。

文化双重保护价值，保护其中蕴含的历史文化遗产就像保护其他文化遗产一样具有同等重要的意义。概括来讲，文化遗产的价值可以归纳为重要的情感价值、文化价值、实用价值三个层次。

2. 改善街区的居住环境

历史文化街区不论是在过去，还是在现在和将来，都是人类居住和生活的家园，因此，改善街区的居住环境，改善基础设施和公共服务设施是保持历史文化街区活力的重要内容。同时，只有改善了街区的居住环境，提高了居民的生活水平，才可能要求居民主动去保护街区的历史文化，才谈得上提升历史文化街区的品位，才能使历史文化街区在保护历史文化同时随着时代的发展而发展，最终实现保护与提升的良性循环。

3. 促进街区的可持续发展

对历史文化街区的保护，不但可以优化街区的环境，增加街区的吸引力，还可以弘扬地方特色，唤起人们对民族历史文化的自觉意识，从而带动街区以旅游业为龙头的第三产业的发展，实现整个街区以及街区所在城市的可持续发展。

二　大栅栏琉璃厂探索历史文化街区保护之路

（一）大栅栏琉璃厂历史文化保护区基本概况

大栅栏琉璃厂地区地处正阳门西南，紧邻天安门广场，东起前门大街，西至南新华街、东椿树胡同一线，北起前门西大街、安平里市政规划道路一线，南至珠市口西大街、前孙公园胡同一线，占地面积约 1.3 平方千米。范围内囊括了大栅栏及东、西琉璃厂街三片历史文化保护区，是南中轴线西侧内涵最为丰富、历史文化地位最为突出的历史风貌区域，被称之为一部活的“北京南城历史画卷”。学术界对这一区域评价极高，两院院士吴良镛先生曾称它是“一部中国城市史活的教材”。区域内最为完整的胡同肌理，丰富的历史建筑风貌，弥足珍贵的历史文化遗存，以及众多的中华老字号是构成北京都城历史记忆和古都风貌的重要组成部分，是北京市面向全国乃至世界展示历史文化名城魅力的重要窗口。

大栅栏琉璃厂区域内有各级文物保护单位和未定义为文物保护单位的不可移动文物共52处，其中，全国范围内重点文物保护单位共2处，北京市级文物保护单位共6处，西城区的文物保护单位共16处，普查登记项目28处。作为北京著名的传统商业街区和中国传统文化艺术的圣地，区域内非物质文化遗产项目、老字号云集，现有各级非物质文化遗产项目14项。大栅栏琉璃厂历史延续数百年，至今仍然充满活力。大栅栏是首个“中华老字号集聚区”，琉璃厂历史文化产业集聚区是北京30个文化创意产业集聚区之一，东、西琉璃厂被命名为“中国文房四宝第一街”。大栅栏琉璃厂的保护与复兴对于北京市加快建设全国文化中心和具有世界影响力的文化中心城市具有重要的意义。

（二）大栅栏琉璃厂历史文化保护区历年保护情况

历届北京市委、市政府和区委、区政府高度重视该区域的建设。1978～1985年由市政府牵头对琉璃厂大街进行了改造。1990年，大栅栏、东琉璃厂和西琉璃厂均被列为北京市确定的第一批旧城共25片历史文化保护区。

在项目实施改造方面，2003年启动月亮湾环境综合整治工程，2006年完成月亮湾改造；2004年，启动煤市街道路工程建设，2006年11月底通车；2006年，以土地一级开发方式启动CH地块改造；2007年，完成了煤市街以西公交扰民整治及21条胡同改造；2008年，启动奥运前旧城整治工程，完成珠宝市街、粮食店街东侧、煤市街两侧改造以及大栅栏商业街的改造；2009年，完成了区域煤改电工程，实施了大栅栏西街保护修缮和北火扇低洼院落提升改造，完成了26条胡同市政基础设施改造。特别是在第一阶段城南行动计划中，2010年由市发改委牵头，确立了杨梅竹斜街的保护修缮市区两级试点项目，并且于2011年启动实施保护，标志着历史文化保护街区逐步进入了利用有机更新保护修缮机制的新阶段。2012年对东、西琉璃厂进行了综合整治，大栅栏琉璃厂地区的保护发展进入了一个新的时期。

在以上改造实践中，在政策资金支持下，实施了区域部分基础设施改造及重点项目建设以及一系列保护修缮工程，改善了区域环境，促进了区域产业发展，尝试了文保区内市政道路修缮、土地一级开发和微循环改造等模式，累计完成投资近 80 亿元，部分实现了区域保护性规划，为下一步改造以及社会投资主体进入奠定了基础。

（三）大栅栏琉璃厂历史文化街区保护的五种模式

自 2002 年以来，大栅栏街道先后实施了月亮湾改造、煤市街道路拓宽、CH 地块一级土地整理、大栅栏商业街整治、大栅栏西街提升改造、杨梅竹斜街保护修缮试点、西河沿市政道路改造等工程。通过保障房对接、货币补偿等方式，共拆迁腾退 3858 户，面积 190749 平方米，外迁 9344 人；完成了 49 条胡同的市政道路建设；完成了大栅栏商业街、大栅栏西街、珠宝市街、粮食店街、北火扇、杨梅竹斜街、琉璃厂东街、琉璃厂西街等 8 条胡同的杆线入地工程；修缮房屋 13950 间次，20.6 万平方米，实施“煤改电”近 3 万户。通过上述工作，完善了市政基础设施，优化了城市环境，改善了居民生活条件，提升了文保区整体品质。近十年来，按照全市文保工作的部署和要求，结合大栅栏琉璃厂地区实际，西城区加强区级统筹，成立了大栅栏琉璃厂建设指挥部，充分发挥国有企业主体作用，按照“五个一”工作机制，探索了五种工作模式。

大栅栏街道在琉璃厂地区进行修缮改造时探索了五种工作模式。

一是片区改造模式。以 C、H 地块为重点，整体开发，集中打造历史文脉与现代服务业高度融合的文商旅展示体验区。H 地块已经完成搬迁，正在办理供地前期手续。

二是腾退修缮模式。2011 年实施的杨梅竹斜街保护修缮试点项目，是全市最早启动的文保区综合保护试点项目之一，探索了协议腾退的方式，实施了人走权留、合作共建、微循环保护、平移并院、公众参与，特别是吸引各类社会主体参与投资改造，形成了渐进式、引导性的城市有机更新发展模式。目前，街两侧 1700 户居民，只有 529 户选择了迁出，1171 户“老北

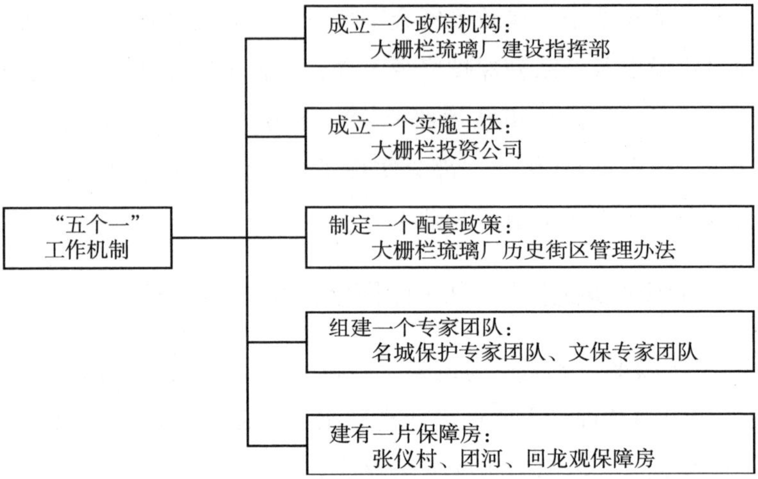

图1　大栅栏琉璃厂历史文化街区保护"五个一"工作机制

京"留了下来，占到将近七成。

三是整治提升模式。以大栅栏商业街和大栅栏西街为重点，在整治改造中提升整体环境、带动产业发展。

四是节点辐射模式。以观音寺、钱市胡同等节点征收为重点，以点带线，多点连片，形成多主题节点群落。

五是市政带动模式。以煤市街、前门西河沿为重点，市政先行，以线带面，提升道路景观形象，促进业态升级。

（四）大栅栏琉璃厂历史文化街区保护中存在的问题

1. 缺少纲领性的可实施规划

以往出台的该区域控规的有关内容已难以实施。文保区建设的标准、要求，区域内的路网设计、市政基础设施改造等如何布局实施，缺乏纲领性、指导性的总体规划。市政、交通等规划的实施如何与文物保护、风貌保护的政策相适应、相衔接，亟待研究明确，否则将影响大栅栏琉璃厂地区保护复兴工作的深入推进。

2. 城市有机更新与文保政策存在矛盾

大栅栏琉璃厂老旧平房密集，房屋破旧，违规且低质建筑多，四类房屋

15044 间，占全区总数 40917 间的近四成之多；市政基础设施不健全，路面狭窄，配套服务设施不足，尤为严重的是大栅栏有 114 条胡同，绝大部分不能通行消防车，存在严重的火灾隐患。然而，文保区内市政引入，交通组织、路网分布等受到现行文物保护、风貌保护政策的制约，限制了区域的有机更新及长远发展。

3. 多年的政策、认识原因造成投入不足

历年文物腾退修缮投入不足，大量的文物和有价值的院落被社会单位和居民占用，保护和有效的更新利用存在严重的问题。该地区人口稠密，以大栅栏地区为例，总人口 68343 人，人口密度 53813 人/平方千米，是西城区平均人口密度 29692 人/平方千米的近两倍，成为旧城“热岛效应”最为集中的地区；在大栅栏区域，按照当前规划，未来需疏解人口约 3.9 万人（约 1.4 万户），需要落实安置房源规模约 163 万平方米，但目前缺乏长效的、完善的人口疏解配套扶持政策，人口疏解力度不足。城市更新的不足，不能满足文保区风貌保护的要求，居民生活环境和生活品质受到影响。

4. 缺乏长效保障机制

目前缺少支持文保区长足发展的政策、有利于区域城市更新发展的指标支持、特殊的技术规范和要求、审批流程的再造与简化、针对文保区特殊便利的工作程序等。缺少具体协调实施的组织机构，使打造历史文化保护示范区缺乏长效保障机制。

三　北京其他历史文化街区保护的经验借鉴

自 1990 年起，北京市已分三批划定了 43 片历史文化保护区，其中旧城内占 33 片。《北京城市总体规划（2004～2020 年）》强调北京要“弘扬中华民族的历史文化，对历史文化名城风貌进行保护，逐步形成传统文化和现代文明交相辉映、具有一定高度包容性和多元化的世界文化名城”①。

① 国务院批复《北京城市总体规划（2004～2020 年）》，2005。

（一）前门大街："四个百分之百"保护原则

前门大街是北京商贾文化、市井文化、建筑文化最具代表性的区域，位于京城中轴线的南端，也是首都历史文化名城保护最核心的区域之一。20世纪80年代后期，前门地区大量的文物建筑被湮没在民居之中，原有的历史风貌逐渐消失，整个街区亟须得到有效的保护与修缮。

1. 前门大街的发展方向

前门大街以综合历史文化商业街区为发展方向，定位为集商业购物、旅游观光、文化休闲、高端会展、品牌餐饮为一体的"中华民族品牌商业街"，主要经营民族自主品牌与专卖店、旗舰店、形象店等。

2. 前门大街的基本保护原则

针对前门地区的修缮保护，重点贯彻"四个百分之百"的保护原则和"十个必保"的保护要求，即以百分之百的诚信态度继承和发扬中华民族优秀的传统文化；以百分之百的抢救行动保护前门地区全部文物和有价值建筑；以百分之百的抢救行动保护胡同肌理和整体城市风貌；以百分之百的抢救行动保护老字号品牌和非物质文化遗产；保护国家级的文物保护单位、市级的文物保护单位、区级的文物保护单位和文物普查单位、挂牌保护院落、有价值传统建筑、历史文化保护区、有价值的建筑构部件、古树名木和著名老字号。

3. 前门大街的保护举措

一是腾退。前门大街于2005年底全面启动了搬迁工作，共完成了3760户居民和300家企业的搬迁，有效缓解了地区的人口压力，为有计划、有步骤地实施房屋整体保护创造了条件。

二是修缮。前门积极抢救重点建筑和文物遗迹，腾退并按原状修复了市级文物阳平会馆戏楼，修缮了灵应三官庙、乾泰寺等文物普查单位和新华书店、月盛斋、盛锡福、祥聚公等11个重点建筑，以及鲜鱼口兴华园浴池、转角楼等有价值的传统建筑。

三是建设。前门大街在建设过程中注重历史与传统的交辉整合，其中有

52 座建筑是按照历史风貌复原的，在新建的 14 座现代建筑中注意融入了传统元素。在复原正阳桥面时，在 1735 平方米总长有 834 米的御道恢复了历史的真实面貌。

四是市政改造。前门街区的市政改造涉及上水、雨污水、电力、电信、道路、有线电视，并引入了天然气解决居民的取暖和做饭问题，使居民达到现代生活的要求，实现了保护历史文化街区和改善居民生活环境的统一。

（二）烟袋斜街：政府适度干预的改造模式

1. 烟袋斜街的改造背景

烟袋斜街处于什刹海历史文化保护区的范围内，在历史上主要经营古玩、文物、日杂和小吃，被称作“小琉璃”，是老北京著名的胡同之一。但是从民国一直到新中国成立后的几十年，由于该地区涌入了大量人口，许多商店变成了民居，四合院也沦为了大杂院，居住环境持续恶化，整个区域出现了大量的低质量违建与危房，原有的商业环境被破坏殆尽。因此，如何恢复斜街的历史景观与价值、如何解决传统建筑保护与更新的矛盾、如何改善区域的居住条件，如何平衡区域居住、商业、旅游之间的关系，成为政府部门不得不考虑的问题。

2. 烟袋斜街的改造举措

2000 年，北京开始对烟袋斜街进行改造。与开发商主导的改造模式不同，烟袋斜街提出基于“有机更新”旧城改造思想的政府适度干预的小规模改造模式，更多地强调对传统文化的保护以及对现有居住形态的尊重，避免一次性的彻底开发。这种模式由政府先抓好违章建筑的拆除、沿街立面的整治，以及市政基础设施的改造，并对地区有价值的文物和建筑进行了保护性修缮，然后再逐步引导居民自发地进行房屋的修缮和商业活动的转型发展，改变了政府干预“一步到位”的做法。

政府通过宣传、劝说、鼓励等方式引导居民按照政府制定的要求对房屋进行修缮；而对那些确实经济实力修缮房屋的居民，会主动通过各种渠道帮助居民把房屋出售给愿意修缮房屋的人；对于不进行改造也不愿意出售房屋的老百姓，将采取一定强制措施。

烟袋斜街改造后，良好的传统风貌、基础设施、居住条件吸引了越来越多的休闲商业进行投资，许多原先出租给城市流动人口的房屋全部被房东收回并用作经营。并且伴随着“胡同游”的蓬勃兴起，生意也都较为红火。2010 年 11 月 10 日，文化部、国家文物局授予烟袋斜街“中国历史文化名街”称号，这是继 2009 年国子监街之后，北京第二条获此殊荣的老街。

（三）南锣鼓巷：基于历史街区可持续再生的实践

1. 南锣鼓巷更新改造的背景

南锣鼓巷的历史可以追溯到元代，距今已经有 700 多年的历史，是元大都建成的一条商业街。我国唯一现存的完整的元代“八亩院”式胡同院落肌理就保留在南锣鼓巷，这里还保留着我国规模最大、品级最高、保存最完好的棋盘式传统民居区。同时，南锣鼓巷地区文化单位、名人故居集聚，具有深厚的历史文化底蕴和丰富的旅游文化资源。1990 年北京市公布了第一批 25 片历史文化保护区范围，南锣鼓巷被划入其中，其原有的城市肌理和重要的历史建筑得以存续并成为北京城市特色重要的组成部分。

然而，长期以来受多方面因素的影响，南锣鼓巷的物质环境和人文背景还是遭到双重破损。地区人口过度膨胀导致保存完好的普通民居较少，而沿街低档次自发形成的“七小门店”、酒吧、垃圾回收站等严重破坏了原有的历史风貌。

2. 南锣鼓巷可持续再生的策略

一是制度上，统一思想，提前规划。2006 年，南锣鼓巷所属的交道口街道委托北京大学制定了《南锣鼓巷保护与发展规划（2006～2020 年）》，全面规划了锣鼓巷的用地调整、空间结构、道路交通、旅游发展和重点项目，开始了南锣鼓巷历史文化风貌的保护与治理。之后还详细出台了《南锣鼓巷绿化美化工程设计》《南锣鼓巷亮化方案》《南锣鼓巷景观优化整治工程设计》等专项规划和设计方案，形成了区域中长期发展实施纲要。

二是融资上，拨款启动，赞助运营。南锣鼓巷在融资问题上采取政府引导、社会多元投入模式，启动保护阶段主要依靠政府投入，而后期发展运营则依靠社会资金。以政府投入撬动社会资金的投入，解决了启动资金与运营资金的衔接问题，实现了“街区越好投资越多，投资越多街区越好”的良性循环，实现了历史文化保护与街区发展的双赢。这一模式还保留了政府作为历史街区管理主体性，确保了街区不会过度商业化，沿着正确道路发展。

三是风貌整治上，整体保护与小规模更新。一次性整体改造极易对历史文化街区的传统风貌造成破坏，形成崭新、冷清、没有传统历史韵味的“历史新区”。为此，南锣鼓巷对整个地区推行保护性控制，提出“开发单元”的构想，以点轴的形式对街区进行小规模的整治和开发，从而以局部变化影响整个系统的自行修复。

四是业态调整上，主要以文化创意产业为主要方向。以历史文化风貌的保护为前提，有针对性地赋予街区一定的现代城市功能，以达到持续发展的目的，并逐步成为世界公认的重要理念。结合南锣鼓巷的实际情况，政府选择适合历史文化街区发展的高品质的文化创意产业作为区域产业升级转型的方向，打造出了文化创意集群，形成了自己的特色

五是社区治理模式上，采用多元主体共同参与方式。在社区治理的实践中，以提升社会治理与治理体系现代化为目标，逐步形成了社区相关利益主体共同参与、合作的共治模式，增强了辖区居民的社区归属感和凝聚力，激发了社区发展的内在动力。

四　推进大栅栏琉璃厂历史文化街区保护的思考与建议

（一）大栅栏琉璃厂历史文化街区保护要处理好七个关系

1. 保护与发展的关系

古都风貌是北京实现可持续发展的最重要文化资源，也是其他城市无可比拟的最大竞争力所在，旧城的改造要处理好发展与保护的辩证关系，既要

坚守完整保护好历史风貌的底线，又要坚持以人为本，切实解决好区域内居民生活困难，改善居住条件，只有这样才能实现真正的保护基础上的城市更新。大栅栏琉璃厂地区在最大限度地保护和修缮历史遗存的同时，逐步发展和建设富有活力和生机的城市，将城市的历史和未来发展连接在一起，把这一区域打造成为历史文化公园和历史文化特区。

2. 传承传统与业态提升的关系

大栅栏琉璃厂地区以其前店后厂的传统商业业态而独具特色，在其业态提升的过程中，将传承传统与业态提升相结合，充分发掘大栅栏及琉璃厂地区近七百年历史的商业文化积淀，正确处理体验式购物与网购、手工创作与批量加工制作的矛盾，注重文化创意产业发展，打造琉璃厂文化旅游区、梨园文化旅游区、会馆故居民俗区、大栅栏传统商业旅游区、传统四合院胡同展示区等特色旅游片区，结合大栅栏京剧艺术博物馆、大栅栏京剧艺术文化馆、大栅栏非物质文化遗产博物馆、钱市胡同传统银钱业博物馆、大栅栏街道青少年活动中心等文化设施的建设，促进大栅栏琉璃厂地区以特色文化演艺、创意设计、文化艺术、特色餐饮、特色商业以及中华老字号在内的多主体文化特色产业的发展，使历史文化遗产让人们感受到古老历史和文化气息的同时，通过与现代化气息的融会贯通，逐步提升文化品质。

3. 历史风貌保护与房屋修缮的关系

大栅栏琉璃厂地区不同年代和风格的建筑是区域历史文化发展的重要标志，近年来随着城市居民生活水平的逐渐提高，对城市基础设施的改善和对良好生活环境优化的诉求也在进一步提高。在区域整体保护复兴的过程中，要将改善居民居住条件与保护古都风貌并重，在不改变胡同肌理和房屋风貌的基础上，以文物保护为原则，对传统房屋进行修缮，完善市政基础设施，保障房屋质量和居住功能，达到设施完善、能源清洁、建筑节能的要求，使原住民居住环境得以改善，建筑文化底蕴得以体现和延续。

4. 胡同现状与市政管线改造的新技术标准的关系

大栅栏琉璃厂地区一直保留有标志北京历史延续的城市肌理、形态丰富的街坊功能和形式复杂的景观风貌，在北京棋盘式的路网格局中独具特色。

然而，该地区在市政供给上也面临不少问题。近年来，针对胡同宽窄不一的特点，街道采用分段和区域互补的方式及雨污水双层敷设工艺一定程度解决了历史文化保护区对市政工程的需求。结合现状，在传统分散敷设方法不能满足市政供给的区域的情况下，还应打破现有管理体制、投资模式等因素的制约，开拓新思路，采用新方法，有效利用地下空间，减少道路杆线和架空线，保证城市的整体景观。

5. 风貌环境保护与改善交通秩序的关系

大栅栏琉璃厂地区胡同众多，宽窄不一，随着北京市机动车辆的急剧增长，地区停车难、乱停车等矛盾突出，在保护现有胡同风貌的同时，要进一步梳理资源，协同各部门研究区域交通组织优化方案。利用有限的空间最大限度开辟地面、地下停车场、立体停车库等设施，协商和鼓励社会单位停车资源向公众开放；利用技术手段加强交通监控；开辟自行车租赁站点，倡导和鼓励绿色出行；采用车辆单行、限行、禁行等方式，科学疏导区域车流，实行微循环试点，不断改善地区交通秩序。

6. 人口疏解和生态文明建设的关系

大栅栏琉璃厂地区公共设施用地中的文化娱乐用地、体育健身用地等服务型用地少，由于街区结构限制，区域内绿化空间极其缺乏，几乎没有公共绿地。由于过去规划不够合理，实施不够理想，原来很多的高端服务用地、文化用地现在都被居住和商业功能占据，区域内房屋密集，私搭乱建现象非常严重，居民居住面积狭窄，居住环境恶劣。

结合现状，一要继续进行人口疏解工程，降低人口密度；二要改善绿色空间，坚持以分散、小型为主的原则，在充分保护已有绿化的基础上，采取垂直绿化与立体绿化相结合的方式，建设一批小区绿地、院落绿地、街边绿地，利用文化保护单位增加文化绿地，形成符合历史文化街区特点的绿化空间系统。充分利用地铁站、交叉路口等空间增加公共活动空间，如在观音寺小广场、海王村等设置小型绿化节点，为居民、游客提供一定尺度的舒适游憩空间，提升区域生活及旅游品质；三要利用有限空间建设便民体育活动设施，为居民提供活动场所；四要充分考虑生态环境的良性循环，充分利用太阳能，设置太阳能路灯、安装太阳能淋浴器、配备节水龙头等；五要在完善各类服务设施的同时，要加大生态环保意识的宣传和培养力度，逐步形成一种绿色低碳的生活方式。通过上述方式，力争实现文尽其厚、地尽其用、居尽其安、行尽其便、景尽其美的宜居环境。

7. 政府投资与社会投资的关系

目前的文保区改造建设多以政府投资为主，杨梅竹斜街保护修缮试点项目作为政策资金资本金注入及多元化融资试点为旧城风貌保护做出了重要的探索与实践。下一步要继续探索融资渠道，发挥政府的引导推动作用，通过基金市场化运作等方式盘活各类资源，促进地区发展。

（二）将大栅栏琉璃厂打造为历史文化保护示范区

大栅栏琉璃厂地区要进一步推进保护与复兴工作，在借鉴北京其他历史文化街区的保护经验的基础上，努力打造成为全市的历史文化保护示范区，展示古都风貌和历史文化名城的魅力，为北京市探索推进文保区各项工作积累经验。

1. 尽快编制《大栅栏琉璃厂地区保护复兴实施规划》，形成区域中长期发展实施纲要

在2005年、2006年相继出台的《北京前门大栅栏地区保护、整治、复兴规划》和《北京大栅栏煤市街以西及东琉璃厂地区保护、整治、复兴规划》的基础上，由市、区政府共同参与编制未来五到十年项目实施规划，并用法规或规范性文件进行审批，为未来项目实施及政策保障提供纲领性指导，系统规划项目实施部署，明确市区政府、实施主体以及社会相关主体责任划分，梳理系统性政策并明确不同阶段持续稳定的政策支持，明确各项保障措施，包括相关政策审批流程以及不同阶段的项目投资计划，避免因缺乏长期针对性统筹规划而导致政策资源难以有效统筹，项目无法持续推进。

2. 优化审批流程，简化再造程序，完善系统性政策保障

历史文化保护街区保护复兴与普通房地产开发模式不同，旧城保护性修缮项目的历史遗留问题的复杂性及改造模式的特殊性使得当前房地产开发项

目的审批流程已无法适用，严重制约了历史文化街区保护复兴的进程。经实践研究，依托杨梅竹斜街保护修缮试点项目实践，文保项目行政审批政策虽已在房屋确权、土地确权以及土地出让方面取得突破，但仍需进一步根据文保区项目特性制定与完善土地使用权利用及权属管理的法律法规，提出有针对性的行政审批流程，并将各项前置手续并行，审批权限下放，批量办理，缩短周期，优化流程，提高效率。

此外，应进一步明确规划依据及动态规划管理。当前文保区规划尚无形成具体规划指导依据，规划指标管理严格，每个院落在改造前仍需逐个进行立项及规划审批，导致有机更新模式缺乏灵活的规划指标动态平衡及调整机制，项目工作量大，周期较长。应当尽快进行规划动态管理的研究探索，院落规划指标根据区域总体平衡灵活指标控制，并按照组团式院落规划进行批量审批，在系统规划的同时提高效率。

在市政基础设施建设规划审批方面，旧城因胡同宽度限制，曾出台《历史文化街区工程管线综合规划规范》，但在当前实际市政规划审批过程中并未以此为依据，仍参照普通市政工程审批规范，导致项目无法取得规划审批手续。可以考虑旧城按照相关市政规范为依据进行审批，且必要时应在规范基础上弹性考虑，结合新技术使用创新，推进旧城市政基础设施建设。

3. 统筹资金支持，完善投融资体系

鉴于文保项目的公益性、社会性、重要性、不可复制性，建议市相关部门进行系统性的资源筹划，根据项目需要建立年度保障计划和专项保障资金，按年度落实资金，给予持续的资金支持，提供实现目标的资金、土地、价格优惠、对接路径等保障，确保项目顺利实施。

进一步降低成本，减轻投资压力。一是各种税费成本，例如土地出让金、各种税费、公房划转成本等各种成本支出；二是给予贴息及产业补贴等政策，包括集成文化创意产业、旅游业等相关产业政策，促进产业发展，降低市场化主体进入门槛；三是分离公共设施及配套服务建设等纯公益类项目的投资，确保主体项目实现更大效应的市场化运作。

完善和建立大栅栏及琉璃厂文保区保护复兴平台，统一资金平衡，多渠道筹集保护复兴资金。研究完善项目资金运作模式，以政策资金作为种子资金，通过银行贷款及信托基金等多元化方式放大资金规模，吸引社会投资主体进入，充分发挥政策资金杠杆效应进行项目区域内资金滚动运作，形成资金滚动运转的良性循环。

4. 发挥指挥部平台作用，不断探索创新，完善长效保障机制

根据文保区提出的“政府主导、市场运作和共同参与”的管理要求，不断探索新的工作机制和模式，加大试点力度。充分发挥指挥部“规划、建设、管理、发展、服务、示范”六大职能，搭建五个综合平台，健全统筹协调工作机制，协调文保区改造各环节、各部门关系，提高效能，形成合力，确保各项工作高效、有序推进，使改造成果得以有效延续和保障。

一是整合资源平台。开展区域土地资源、房屋建筑、资金及项目情况等各种资源的调查摸底工作，统筹区域商业、旅游、文化资源，与各成员单位充分沟通，充分利用各类服务资源。结合区域项目建设，依据区域规划功能定位，提升街区整体文化氛围，丰富街区文化内涵。

二是打造政策集成平台。深入挖掘适用于本区域的各项政策，进行政策集成，制定区域管理办法，并配合政策实施的深入，对一些不适应现阶段发展的政策进行修改完善。

三是创新实验平台。在大栅栏琉璃厂区域进行集成政策试点和机制创新试点。以杨梅竹斜街和大栅栏西街的管理入手，探索属地参与、部门配合、商会自制、居民参与的管理方式，形成相互衔接、相互监督、主次互补、精细管理的工作模式。

四是构建综合服务平台。进一步梳理与街道、各委办局、企业等相关单位的关系，明确工作职责，抓好制度落实，优化工作程序，提高工作效能。进一步加强内部管理，增强服务意识，与属地街道、各委办局、项目实施主体建立良好的沟通机制，拓宽企业融资渠道，打造宜居的生活环境。

在大栅栏琉璃厂地区建设过程中，要正确处理保护与发展的关系，在传承传统的同时提升业态，保护历史风貌的同时不断提高居民生活水平，高效

率使用政府投资的同时广泛吸纳社会投资，才能将大栅栏琉璃厂地区打造成为历史文化名城保护示范区。

参考文献

王志忠：《关于加快推进大栅栏琉璃厂历史文化保护区保护复兴的调研报告》，2012年12月20日。

包书月、张宝秀：《传统商业街区改造在历史文化名城保护中的作用——以前门大栅栏商业街为例》，《北京规划建设》2011年第3期。

《历史文化街区和风景旅游区的保护整治利用》，中国规划网：http：//www. zgghw. org/html/guihualuntan/zhuanjialunwen/2010/0602/5862. html，2010年6月2日。

《北京旧城历史文化街区保护案例评价分析》，华人频道网，http：//www. hrtv. cn/zt/jinliangjun/105. html，2014年3月18日。

这兰春：《旧城改造中的利益互动——烟袋斜街整治改造启示》，《北京观察》2006年第12期。

吕斌：《南锣鼓巷基于社区的可持续再生实践——一种旧城历史街区保护与发展的模式》，《北京规划建设》2012年第6期。

调研报告

Survey Reports

B.7

关于大栅栏街道综治维稳“1 +6 +X”模式的调研报告

摘　要：　综治维稳工作能及时有效地化解社会矛盾，有利于社会稳定、治安秩序良好，增强群众安全感，实现人民安居乐业，促进社会和谐发展。大栅栏街道结合地区特点积极打造综治维稳平台，大力加强社会管理，以重点地区秩序整治为突破口，着力破解地区秩序管理难题，开展了“1 +6 +X”综治维稳工作，探索出能有效解决社会管理中凸显问题的工作方法和思路，提升了城市管理精细化水平。本文在总结大栅栏街道成绩的基础上，分析了街道在城市精细化管理中仍然存在的问题，并提出了科学规划、优化结构、强化基础、响应民需等进一步推进地区精细化管理的措施建议。

关键词：　综治维稳　城市管理精细化　以人为本　大栅栏街道

十八届四中全会提出了“深入推进社会治安综合治理，健全落实领导责任制。完善立体化社会治安防控体系，有效防范化解管控影响社会安定的问题，保障人民生命财产安全”①，这为新时期做好综治工作提供了新的指针，也提出了更高要求。大栅栏街道作为首都核心区的核心区域，综治维稳工作一直是街道工作的重中之重，经过多年探索，逐步探索出一套行之有效的综治维稳体系，以此为基础，进一步提升工作水平以应对新时期的新要求仍然是街道的重要任务。

一　大栅栏街道实施综治维稳“1+6+X”模式的必要性

（一）城市综治维稳工作存在的问题

综治维稳是社会治安综合治理与维护社会稳定工作的简称，维护稳定是社会综合治安的目标，是需要依靠社会治安综合治理来实现的，两者密切相关不可分割。我国正处于社会转型期，群众利益诉求多元，各种矛盾凸显，更应加大力度推进综治维稳工作，及时有效地化解社会矛盾，实现社会稳定、治安秩序良好，群众安全感增强、人民安居乐业，促进社会和谐发展。当前我国城市社会综合维稳工作主要存在以下几个问题。

一是治理方式陈旧。城市社会治安综合治理工作一直是政府高度关注的工作，其方式方法也在不断改进，但是与经济社会发展速度相比仍然滞后。社会治安综合治理把“打击和防范并举，治标和治本兼顾，重在治本”作为治理方针，而在进行综合治理工作中，却以打击为主，防范力度不够，表现为在打击过程中雷厉风行，而源头治理工作落实不到位，预防和打击犯罪的手段还比较单一，没有综合运用政治、经济、文化、法律、教育等手段进

① 十八届四中全会通过《中共中央关于全面推进依法治国若干重大问题的决定》，2014年10月23日。

行综合防治，在大规模严打犯罪斗争后往往会出现反弹现象。

二是群防群治观念淡薄。群防群治是群众自发的预防和治理违法犯罪活动，是综治维稳的一项重要工作内容。然而现阶段无论是群众还是政府部门，群防群治观念都很淡薄。社会舆论的参与监督不够以及基层政府和街道组织对失业青年、下岗职工、流动人口的有效教育程度不够，导致群防群治的观念淡薄。

三是综治维稳人员、部门之间配合不够，缺乏有效协调机制。综治维稳涉及很多社会治安资源，包括政法机关、公安机关、保安公司及其他专业队伍等，需要各部门之间的有效协调和沟通，在实际工作中各个部门和治理人员之间会出现不同程度的推卸责任的现象，缺乏有效的保障机制来规范其行为。

（二）大栅栏街道综治维稳“1+6+X”模式的三大发展需要

大栅栏地区作为首都政治核心区，特殊的地理位置、复杂的维稳形势、艰巨的安全责任迫切地需要街道敢于担当、迎难而上，切实建立一套科学合理、运转高效的工作机制。近年来，大栅栏街道在不断梳理地区安全稳定工作的基础上，基于以下三个缘由探索出“1+6+X”模式。

一是政治责任和工作使命的需要。大栅栏地区紧邻天安门广场，是首都政治中心区的西南屏障，承接重要国事活动的安全保卫任务，特殊的区域位置决定了地区特殊的政治敏锐性，安全稳定压倒一切。同时，大栅栏地区有着丰富的历史文化资源，是梨园文化、京味文化、传统商业文化的聚集之地，也是北京首批25片历史文化保护区之一。“同仁堂”等28家著名的中华老字号企业均坐落在此，是全国首个“中华老字号集聚区”。其历史文化价值的独特性、完整性、社会认同性和可持续发展性使其成为浓缩中国传统文化的名片，辖区各类事件衍生的社会效应和影响极大，历年来备受各级领导及社会各界的高度关注，辖区安全稳定责任重大、任务艰巨。

二是街区管理与民生保障的需要。大栅栏地区整体业态呈现低端化，辖区五小门店多、旅馆多、流动人口多，复杂的商业环境、密集的流动人口导致可防性案件、侵财犯罪案件高发，占道经营、无照游商、黑车揽客等治安秩序类问题时有发生，使得大栅栏地区成为首都城市秩序管理的重中之重。同时，辖区是由114条胡同组成的典型老旧城区，街巷狭窄、市政设施不全、房屋破旧、电线老化等一系列改造滞后的问题十分突出。大部分建筑相互毗邻，一旦发生火灾，极易引起火势蔓延，造成严重后果。历史风貌保护区胡同整治、违章建筑拆除等城市管理工作与改善地区居民居住条件之间的矛盾日益深化，地区保稳定工作形势严峻。

三是统筹协调和条块结合的需要。街道工委、办事处作为区委、区政府的派出机构，肩负着统筹辖区安全稳定的重大职责。在基层保安全、保稳定任务越来越重、要求越来越高、难度越来越大的形势下，仅仅依靠街道工委、办事处的推动和某个部门的“单打独斗”是远远不够的，充分发挥街道工委统揽全局、协调各方的领导核心作用迫在眉睫。但长期以来，由于行政管理体制分割，“条块”缺乏较为完善的协调机制，安全稳定工作在街道的错位、缺位现象时常出现，如何解决各职能部门“联”而不紧、“联”而不顺等问题，将其力量进行全面统筹是综治维稳工作的重中之重。特别是涉及职能交叉、边界模糊、规定不明的问题，各级政府对街道协调各职能部门条块结合共同管理的期待越来越高。

二　综治维稳“1+6+X”模式：一个中心、六个机制、X项工作措施

近年来，大栅栏街道结合地区特殊的区位特点，积极打造综治维稳平台，大力加强社会管理，以重点地区秩序整治为突破口，着力破解地区秩序管理难题，逐步形成了综治维稳工作中心统一受理、统一分流、统筹指挥的矛盾联调、治安联防、工作联动、问题联治、平安联创的“三统五联”工作模式，地区各类秩序明显好转。为搞好重点地区秩序整治，提升城市管理精细化水平探索出了一条新路子，即“1+6+X”模式，“1”即一个综治维稳工作中心，“6”即固化地区综治维稳工作格局所健全的六个机制，“X”则为提升地区平安建设水平推行的X项工作措施。

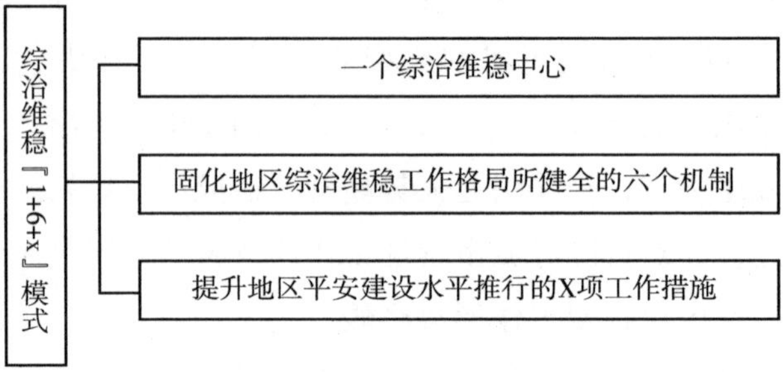

图1　大栅栏地区综治维稳“1+6+X”模式

（一）精心打造综治维稳中心平台，统筹地区综治安全维稳工作

按照北京市西城区政法委要求，大栅栏街道于2010年成立了综治维稳工作中心。为确保其具有可操作性和长效性，街道工委、办事处在全方位调研的基础上，充分发挥综治维稳的作用，精心打造中心平台，不断强化其在地区综治安全维稳工作中的统筹协调、指挥调度、资源整合的作用。着力构建以综治维稳中心为指挥中枢，派出所、工商、城管等驻街职能部门为支撑，社区为网格，驻街企业单位为延伸，地区维稳信息员、志愿者、管理员为节点，条块结合、专群结合的工作格局，并逐步形成“三统五联”工作模式，进一步提高了地区综治安全维稳工作的精细化、多元化、常态化管理水平。

此外，街道通过对中心的定位提升、功能扩展，既使得社会管理力量集聚到中心，实现集成化，又使社会管理功能得到强化，实现“1+1>2”的工作成效。目前，街道综治维稳工作中心、社区综治维稳工作分中心较好地承担和发挥了社情信息掌控、矛盾纠纷调处、维护和谐稳定三大功能，成为基层社会管理服务的重要平台，筑牢了社会治理第一道防线。

（二）建立健全六个机制，固化地区综治维稳工作格局

1. 建立健全排查调处机制，提升矛盾化解能力

街道建立综治维稳工作中心月矛盾排查例会制度，街道党政一把手参

会，主管副书记主持，分析形势，找准矛盾，明确责任，落实措施。针对突出问题，责任部门专题研究，反馈办理结果。注重完善地区多元化调解体系，培育晨夕法律服务中心，充分发挥社区顺馨恳谈室、信访接待室、司法工作室“三室合一”作用，使专业法律服务和社区调解有机结合，及时受理、调处辖区内的矛盾纠纷和突发性事件。推行民情信箱、民情热线，最大限度给群众表达诉求的空间，积极引导大家以理性、合法的形式表达意见和利益诉求，有效提升矛盾化解能力。仅2015年1～10月就预测评估存在较大隐患的人和事29件，制定工作预案6份；召开矛盾排查会10次，接待群众来访139件次，回复来信29件。

2. 建立健全风险评估机制，提升源头预防能力

街道制定重大决策社会稳定风险评估工作方案，对重大活动、重点工程以及涉及群众切身利益的重要事项和影响社会稳定的重大问题，全面开展社会稳定风险评估。对可能出现的不稳定因素进行逐项分析、准确预测，对预测评估出来具有较大隐患的事件，及时提出对策性建议或意见，研究制定预防和处置工作预案，从源头上减少和化解不稳定因素。

3. 建立健全联动响应机制，提升应急处突能力

街道着力健全地区点、线、面相结合的联动防控体系，地区各职能部门、街道联合执法小分队负责地区主要大街“线”的监控，安全生产办组织消防、食药监、工商等部门做好地区单位内部“点”的安全检查，地区治安志愿者负责胡同内部“面”的巡逻防控，发现问题及时上报。投资购买35部手持电台，形成地区400兆无线指挥系统，直通各社区及相关部门一线。机关、社区及相关职能部门组建应急队伍，应急响应状态下，辖区800余人的日常储备力量可及时赶赴现场，共同处理突发事件、维护现场秩序。

4. 建立健全社会面防控机制，提升动员防范能力

针对大栅栏地区地理位置特殊、敏感期多的特点，街道广泛发动地区居民和社会单位参与社会面巡逻防控工作，建立起楼门院长队伍、党员义务巡逻队、电动车巡逻队、文明劝导队等治安巡逻队伍，积极动员地区流动人口

建立治安示范岗，投入地区群防群治工作，切实做到胡同有人巡，院落有人看。在此基础上，街道注重机制建设，总结深化2008年奥运、新中国成立六十年大庆等安保工作经验模式，建立大栅栏地区重点时期巡逻防控运转机制，形成地区社会面防控三级预案。仅2015年1～10月，重点时期和重要节点启动社会面防控一级预案19次，二级防控预案57次，三级防控预案29次，累计出动治安志愿者21581人次。

5. 建立健全综合救助机制，提升帮扶稳控能力

为提高市、区、街三级救助资源利用效率，街道建立了地区综合救助平台，民政科牵头，综治办、残联、计生办、社会办、司法所、红十字会、安全生产办、城管科等14个部门为成员，统筹地区救助资源，有效化解因生活困难衍生的矛盾纠纷。针对地区困难上访人员诉求，逐一分析情况，对接政策，稳定情绪，合力解决。针对特殊困难居民，集中讨论，制定方案，合理利用多项政策渠道解决困难，化解矛盾。同时，发挥综合救助的社会稳压器作用，统筹协调相关部门为辖区特困重点人员办理低保、医保及临时救助，解决生活和就医困难，减少重点人员抵触情绪，落实稳控措施。在2013年的拆除违法建设工作中，街道启动综合救助机制先后为13人办理临时救助，救助金额4.4万元，为6户家庭提供就业指导，走访残疾、独生子女家庭12户次，既圆满完成了拆违任务，又有效解决了矛盾纠纷，切实做到地区居民困有所帮、忧有所排。

6. 建立健全督察督办机制，提升有效执行能力

街道对阶段性重点工作、重大事件处置、重大矛盾纠纷调处等事项进行专项督察督办。针对市区督办的问题，专题研究，明确责任，督导各部门落实。针对矛盾排查会梳理出的问题及评估的风险实行督办反馈，仅2015年1～10月就下发督办通知书72份，各项工作得到有效落实和积极反馈。对在督察考核中发现在启动机制、巡逻防控、联动响应等工作中不落实或落实不到位的单位和个人，强化问责，对工作表现突出、保障有力的单位和个人给予请功和嘉奖。

（三）推行X项工作措施，提升地区平安建设水平

1. 网格建设强化社会管理实效

街道科学确定防控单元，将大栅栏地区划分为60个网格，将每个网格作为构建社会管理的基础细胞单元。推行“一格一长、全责管理”的“全响应”网格化社会服务管理模式，以实名制方式落实网格基础力量、专业力量、响应力量。建立覆盖网格内人、地、物、事、组织的八类台账，对地区房屋居住、安全、防火等情况进行登记核查，形成“一户一表”、“一院一图”的精细化管理模式。通过日常对网格内各类安全隐患的检查、各类违规行为的劝导及突出问题的上报，形成“及时发现问题、及时处置问题、及时有效解决问题”的科学运行机制，对社会面实施无缝隙管理。

2. “1533”大安监管理体系深化安全生产严查

打造地区“一个平台、五类安全、三项机制、三个层面”即“1533”的大安全的监管体系和综合执法联勤联动机制。投入150余万元建立安全生产工作平台，集中将街道安全生产办、消防工作站、交通办、食药监所合署办公，承担地区生产安全、消防安全、交通安全、食品安全、药品安全等五类安全的组织、协调、宣传、教育、检查工作。在日常检查中设定五类标准化的检查内容，形成“一次入户、多项并检”的工作模式。建立三项工作机制，即例会、会商、联合检查机制，理顺工作流程。做实社区、重点单位、五小单位三个层面的安全生产网络，延伸工作覆盖面。2015年1～10月，开展综合检查2740户次，消除隐患1925起，隐患整改率100%，有效提高了五类安全检查效率。

3. 胡同集合式灭火法破解平房区消防难题

大栅栏地区消防基础薄弱、火灾风险系数高，街道经过反复研究论证和实战演练，创新推出“胡同集合式灭火法”。该方法在人员力量上将网格队员、义务消防队、单位内保、专业消防队四支力量加以整合，明确工作职责，实现基层消防社会化。硬件上，将地区消防应急箱、灭火

器、消防应急柜加以整合，实现消防设施的规范化。机制上，对火灾发现、报警、扑救等消防流程进行了“三级”程序化设计，实现火情处置的流程化，提高了地区初期灭火能力，有效解决了胡同地区火灾扑救难题。该方法得到新华社、北京日报、法制晚报等多家新闻媒体和网络媒体的推广。

4.“358”旅店管控工作法深化旅店业管控

大栅栏地区有各类旅店145家，其中营业的有136家。为强化管理，消除隐患，街道与派出所配合，采取集中清查与强化日常管控相结合的方式，在全市总结推广“358”旅店管控工作法。民警在每日上勤之前，必须落实“三件事”，即查询当天旅店发案情况、查询涉及旅店的协查和通知、查询本所旅店内高危地区人员登记住宿情况，熟知当日工作重点。在检查中，按照“五见面八查”的要求开展工作。“五见面”，即对高危地区人员、可疑人员、接触复杂人员、长包房人员和作息时间异常的五类人员见面；“八查”，即查负责人值班、查制度落实、查安全隐患、查住宿人员登记簿、查旅店信息系统、查住宿旅客身份、查旅客随行人员、查旅客携带物品。落实“高危人员查获比对流程”、旅店业百分评比考核机制等典型经验，全面加大对中小旅店内各类上访人员、违法犯罪嫌疑人的查控力度。2010年以来，利用此工作方法共查获网上在逃人员120人。

5.项目管理法创新流动人口服务管理模式

以地区人口调控工作为切入点，在调研地区流动人口基本情况的基础上，街道采取项目制管理手段，创建了十项流动人口服务管理项目，包括新居民服务中心综合服务项目、新居民信息服务网络项目、新居民就业救助中心项目、新居民法律维权中心项目、新居民教育学校项目、新居民计生服务中心项目、新居民青少年活动中心项目、新居民青少年“成长加油站”项目、新居民青少年法制教育基地项目、新居民“第二故乡我的梦”主题活动项目。经过实践，大栅栏街道流动人口服务管理工作效果明显，将管理寓于服务之中的方式得到新居民的认可，参与社会服务管理的热情不断提高。

6. 联合执法小分队联勤联动管控模式固化重点地区排查整治工作

街道成立了联合执法小分队。目前小分队共有17人，其中派出所、工商、城管各2人，交通1人，交通协管3人，街道3人，保安4人。在各部门严格执法、加强服务的基础上，小分队充分发挥“联合执法，捆绑执法，联勤联动”工作机制优势，每日分两组进行联合执法：一组配备警车，负责煤市街、前门西大街、南新华街、珠市口西大街及月亮弯等主要大街的日常巡控；二组配备电瓶执法车，负责地区胡同内部街巷的日常巡控。每周二、四、六、日重点时段，两组人员合并力量，集中增加街面巡控密度，提升执法工作效率。街道投资100万元在小分队办公用房内建立地区人群预警监控系统，安装高清探头9个，对辖区重点区域实时监控，随时处理各类突发事件。此外街道还聘用17名环境秩序监督员，在商业街区等重点区域进行日常秩序维护，巡视劝导不文明行为，发现问题及时与小分队联系解决。这两项措施与小分队执法动态值守形成有效互补。仅在2015年，联合执法小分队共计执法1397次，处理违法经营三轮车39辆，没收人力三轮车14辆，疏导机动车3492辆次，确保了前门月亮湾、煤市街沿线、大栅栏商业街区、东琉璃厂等重点区域的秩序平稳。

7. 引进社会组织完善社会管理格局

街道适时引入社会组织作为第三方力量推进完善地区综治维稳工作。针对新时期矛盾多发、居民诉求多元化现状，培育晨夕法律服务中心，引入专业法律服务资源将矛盾化解在一线。针对流动人口子女课余时间无人看管、安全隐患突出的现状，与北京师范大学京师社会工作服务中心联手策划“成长加油站”青少年拓展项目，定期组织开展“三井之家”社区夏令营等活动，延伸流动人口服务管理渠道。与北京市劳保研究所联合研究制定《城市平房区消防工作规范》，对平房院落进行分级管理，配备相应灭火器材，提升地区火灾防控能力。社会组织的参与弥补了街道管理的不足，提升了地区平安建设水平。

三 综治维稳“1+6+X”模式下的“大综治、大维稳、大安全”

“1+6+X”工作模式形成以来，大栅栏街道综治维稳工作的系统化、科学化、精细化水平进一步提升，工作运行模式进一步固化，“大综治、大维稳、大安全”的工作体系逐步建立健全，综治维稳工作成效显著，在全区综治维稳工作的近三年考核中，大栅栏街道始终名列前茅。

（一）统筹协调，整体推进，调度指挥作用得到强化

在街道综治维稳工作中心的不断运行中，辖区各职能部门对中心在地区安全稳定工作中的认同感不断提升，中心的统筹协调和调度指挥作用进一步体现。在辖区重大安全稳定任务中，中心统一指挥，统一协调，明确各部门职责和任务。日常工作中，中心对辖区内突出问题及突出矛盾进行统一受理，统一解决，组织协调有关部门予以妥善处置。同时强化对重点工作及重点矛盾纠纷调处等事项的督察督办，明确责任，限时完成，按时反馈，各项工作得到有效落实。目前，街道综治维稳工作的载体日渐明确，中心成为地区综治维稳工作的有效抓手，各职能部门成为有效支撑，中心从传统的救火队员逐步转变成为地区综治维稳工作的指挥战斗员，综治维稳工作中心的统筹指挥作用进一步深化提升。

（二）部门联动，应急响应，协作配合能力得到提升

六项机制的建立使得各职能部门的责任意识、相互配合意识进一步增强，协作能力进一步提高，地区安全稳定工作初步实现了非常态化管控向常态化管控的转变。在“两节”“两会”等安全保障任务中，各部门各司其职、各负其责，严格落实工作措施，形成安保合力。在突发火情、房屋倒塌等事件的应急处置中，各部门及时启动预案，迅速采取应急响应措施，全体拧成一股绳，形成一股劲，通力合作，快速处置，有效保障了地

区居民的生命财产安全。正是“1+6+X”模式的形成整合了辖区职能部门的力量，形成了“中心指挥、职能部门联合响应”的工作体系，提升了工作的效率。

（三）破解难题，网格管理，专群结合格局得以稳固

“1+6+X”工作模式的运行，进一步深化了中心为指挥中枢，派出所、工商、城管等驻街职能部门为支撑，社区为网格，驻街企业单位为延伸，地区维稳信息员、志愿者、管理员为节点的专群结合的工作格局，地区综治维稳队伍进一步加强，各项基础工作全面推进。街道夯实网格基础，将地区划分为60个网格，推行“一格一长、全责管理”的统筹模式，健全完善“一户一表、一院一图”基础台账，切实做到底数清、情况明。针对地区黑三轮非法运营、消防安全等突出问题，各部门通过集中会商、联合处置、捆绑执法，及时遏制蔓延趋势，消除安全隐患。针对拆除违章建筑胡同管理等极易引发不稳定因素的任务，坚持关口前移，动员地区志愿者在一线化解矛盾，有效解决了影响地区安全稳定的难题，辖区社会稳定的大局得到巩固和发展。

（四）综治维稳“1+6+X”模式存在的拓展空间

大栅栏地区综治维稳“1+6+X”模式固化了工作格局，理顺了工作流程，密切了各部门的联系，强化了各部门的职责和任务，有效提升了工作成效，为确保地区一方平安奠定了坚实的制度基础。虽然大栅栏地区的综治维稳“1+6+X”模式取得了诸多成效，但是在调研过程中调研组发现，该模式在推进城市管理精细化水平中仍存在一定的拓展空间。

一是缺乏科学规划，顶层设计尚未形成。在城市快速发展之下，综治维稳“1+6+X”模式是大栅栏地区城市管理精细化发展任重而道远的重要内容。综治维稳“1+6+X”模式内容丰富，覆盖面广，但缺乏一个统一科学规划和宏观调控。X项工作措施作为“1+6”工作模式的支撑体系，在今后的长期发展中，可以增添很多内容，但任何一个新增的内容都

应与综治维稳的顶层设计相匹配。因此，建立一个长期、系统的科学规划迫在眉睫。

二是人才资源不充足。城市精细化管理，人才是关键。但是从人才资源要素分配上来看，大栅栏地区仍存在联合执法小分队人员短缺、缺乏高职业素养的工作人员等问题。

三是城市基础设施有待改善。大栅栏是由114条胡同组成的典型的老旧城区，街巷狭窄、市政设施不全、房屋破旧、电线老化等一系列改造滞后的问题十分突出，城市环境有待改善。

四　以综治维稳“1+6+X”模式提升大栅栏地区城市精细化水平的发展建议

提升城市管理精细化水平是平安城市建设的治本之策，必须持续深入调研、实践，总结经验，以机制体制建设为龙头，充分发挥综治维稳中心统筹作用，完善“1+6+X”管理模式，推进基层平安建设向纵深发展。为进一步提升大栅栏地区城市管理精细化水平，完善“1+6+X”模式，改善地区管理秩序，科学构建“党委领导、政府主导、社会协同、公众参与、法治保障”① 的社会治理体制，提出如下发展建议。

（一）科学规划，宏观调控，加强顶层设计

提升城市管理精细化水平是一项长期的、复杂的系统工程，必须立足于地区经济和社会发展的大局中思考问题，科学制定规划，深化人口调控。要搞好顶层设计，既要有长远的发展思路，又要有近期的工作目标；既要有机制上的充分保障，还要有体制上的适当调整。要把原则规定变为具有可操作性的具体措施，分解实施目标，分步稳固推进，对地区基础设施建设、社会

① 中共十八届五中全会通过的《中共中央关于制定国民经济和社会发展第十三个五年规划的建议》，2015年10月29日。

事业发展资金有序投入，逐渐改善硬件设施。相关部门研究制定政策，有效限制公房、单位产权房出租，压缩从事低端产业的流动人口的居住空间。推动扶植大栅栏地区老字号企业、特色企业，引进外地、国外老字号企业的优惠政策，给企业更大的发展空间。吸引高学历、高素质及有关专业人才向本地区流动，推进地区业态提升、人口结构调控。

（二）优化结构，合理配置，提供组织保障

政策制定之后，关键在干部。因此，要选派政治合格、作风过硬、业务能力强的干部到大栅栏地区。充实职能部门队伍，不断优化干部结构，科学配置人才资源，把那些“想干事、能干事、干成事”的优秀干部配备到基层综治一线，配齐配强干部力量，不断加强队伍建设。实现“非常态化管控向常态化管控”的转变，突出增强地区常态管控队伍建设，提高职业素养，着力解决联合执法小分队人员短缺问题，最大限度地发挥该支队伍捆绑执法和日常监控效能。建立并固化区级机关抽调制度，重大活动、重点时期抽调区级干部到该地区参与安保工作，举全区之力确保大栅栏地区的安全和稳定。

（三）强化基础，搭建平台，改善城市环境

城市基础设施是城市正常运行和健康发展的基础，要提升城市管理水平、改善居住环境，就要完善该地区城市基础设施建设改善城市功能。通过市区项目倾斜，加大薄弱环节的资金投入，着力解决该地区市政设施不全、房屋破旧、电线老化等一系列问题。通过对街区内历史建筑的修缮和改造、基础设施的增加，改善居住环境，带动地区业态逐步调整。同时，推进城市管理信息化平台体系建设，破解城市基础设施建设和管理中存在的深层次矛盾。重点依托街道“全响应”平台，加强与社区服务、网格化管理的对接，实现区、街、居三级联动。将辖区派出所、城管、工商、消防等基础信息纳入平台数据，建立统一的管理信息平台，达到城市管理

对象数字化、评价数字化、过程数字化，逐步形成城市管理信息互通共享、行政执法协调联动的工作局面，在城市建设与管理上实现无缝对接。

（四）响应民需，深化服务，提升管理效能

党的十八届五中全会指出，“必须坚持以人民为中心的发展思想，把增进人民福祉、促进人的全面发展作为发展的出发点和落脚点”①。事实证明，如果民生建设滞后，矛盾必然增多，城市管理的不稳定因素也就会增加。因此，要加强老旧城区的民生建设，完善公共服务体系。以“一刻钟社区服务圈”智慧社区建设为载体，以地区“民生服务保障带”为契机，提升教育、医疗卫生、养老、住房等公共服务资源的配置水平，使民生建设和城市建设相协调，提升居民居住环境。加大社会组织培育力度，继续推进品牌公共服务活动、社会组织创新项目，以专项资金带动社会组织服务发展，填补公共服务的薄弱环节，使本地居民及流动人口的多样化需求得到进一步满足。通过提升居民生活质量和满意度，压缩违法犯罪空间，不断提升城市管理的实效。

参考文献

田静：《统筹协调条块结合提升综治维稳工作新水平》，2014。

大栅栏街道工委：《创新思路、深入探索，构建地区综治安全稳定新格局》，2014。

大栅栏街道工委：《创新思路深入探索构建地区综治安全稳定新格局——大栅栏街道综治安全维稳“1+6+X”工作模式的实践与思考》，2014。

大栅栏街道综治办：《突出综合治理注重资源整合提升城市管理精细化水平——大栅栏地区城市秩序管理的实践与思考》，2014。

冯再翔：《实施“双转移”战略，搞好街道综治维稳工作》，《探求》2011年第1期。

---

① 中共十八届五中全会通过的《中共中央关于制定国民经济和社会发展第十三个五年规划的建议》，2015年10月29日。

中共大东区委党校课题组：《关于城市精细化管理的思考》，《探求》2013 年第 15 期。

熊竞：《大数据时代的理念创新与城市精细化管理》，《上海城市管理》2014 年第 4 期。

吴存林：《基层政府社会矛盾调处方式的创新：温州市永中街道综治工作中心的建立与工作机制研究》，浙江大学硕士学位论文，2011。

B.8
关于大栅栏文保区创新养老服务模式的调研报告

摘　要：　人口老龄化问题在我国城市发展进程中已日趋凸显，近年来，大栅栏街道人口老龄化现象加剧，已逐渐成为北京市老龄化程度较高的地区之一，而由人口老龄化引发的养老问题已经成为大栅栏地区面临的一大难题。面对日益严峻的老龄化形势，大栅栏街道通过建立精细化服务工作体系、优质化设施支撑体系、特色化项目服务体系、区域化服务协作体系、多样化服务宣传体系，构建特色的文保区养老服务模式，不但满足了老年人的养老需求，还提升和满足了老年人的生活品质和精神追求，为中国文保区养老模式的建立进行了有益的探索。

关键词：　文保区　人口老龄化　养老服务模式　大栅栏街道

据2010年第六次全国人口普查统计数据，参与普查登记的包括大陆31个省、自治区、直辖市和现役军人共13亿人，其中60岁及以上的共1.8亿人，占总人口数的13.26%，其中65岁及以上的共1.2亿人，占到总人口的8.87%。60岁以上的人口比第五次人口普查多了2.96个百分点，65岁及以上的增长了1.91个百分点。因此，通过两次人口普查的统计数据比较不难发现，我国人口老龄化现象日益严重。

随着老龄化程度的不断加深，新型“4-2-1”家庭模式使得现行的家庭养老模式面临巨大挑战。近年来，党和政府高度重视，相继出台了一系列关于养老服务的相关政策和条例，构建养老服务模式，加大资金投入力度，使我国在应对人口老龄化问题方面取得突出成效。但是，我国的养老服务仍然处于探索阶段，还存在政府投入不足、服务队伍专业化程度不高等诸多问题。

一　大栅栏地区人口老龄化加剧

（一）大栅栏地区人口老龄化

目前，大栅栏地区户籍人口 21675 户，有 56386 人，60 岁以上老年人 14878 人，占地区总人口的 26.4%，其中 80 岁以上老人 3847 人，百岁老人 4 人，空巢老人 868 名，各项数据指标已超过了国家人口老龄化的标准，地区人口老龄化问题明显。

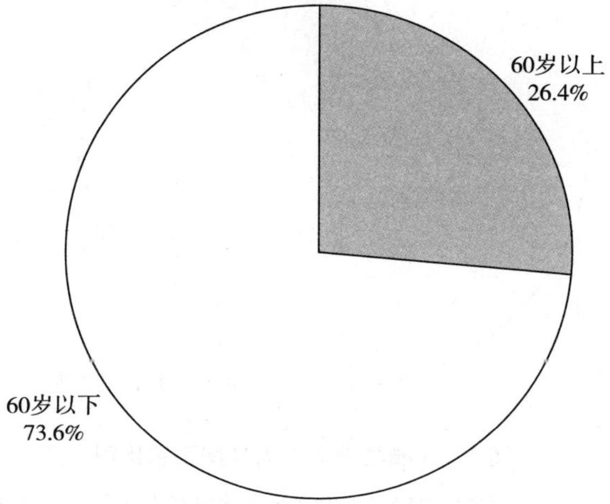

图 1　大栅栏地区 60 岁以上人口占比

资料来源：根据大栅栏街道提供资料整理。

（二）大栅栏街道人口老年化主要特征

2014 年 6 月，大栅栏在全街道范围内开展了一次针对居家养老服务的问卷调查工作，此次问卷调查范围为大栅栏街道辖区内 60 岁及以上的老年人，实现了全覆盖，采取调查人员入户与老人逐个面对面完成答题的方式。问卷调查共包含老年人基本信息、老年人健康及生活状况、老年人的养老现状、老年人对养老服务需求等四大方面的内容，共涉及问题 52 个。经过近 2 个月的调查工作，共回收有效问卷 695 份。归纳总结出地区老年人的主要特征：

第一，老人收入偏低，文化程度偏低。调查结果显示，初中及以下文化程度老年人占比高达 93.5%；大栅栏地区近 70% 老人月收入不到 3000 元，月收入 5000 元以上的仅占 1.9%。另外，人均住房面积不足 10 平方米的占 60%，而人均住房面积达到或超过 20 平方米的只占 13.9%。

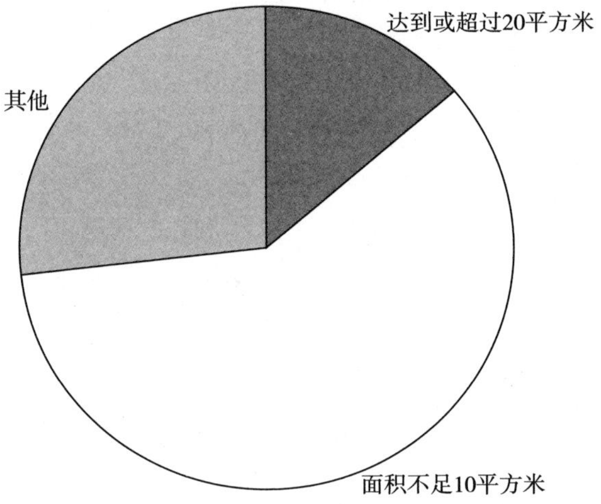

图 2　大栅栏地区老人住房面积比例

资料来源：根据大栅栏街道调查问卷整理。

第二，空巢老人、独居老人数量偏多。根据调查问卷统计，大栅栏地区空巢老人占 64%，46.2% 的老人缺乏配偶的生活支持。低保、失独和孤寡老人共占 10%；60% 的老人患有不同程度的慢性病甚至严重疾病，另外还有 27.4% 的老人（191 人）身患残疾。

第三，老年人口高龄化。国际上设定的高龄老人范围通常是指 80 岁以

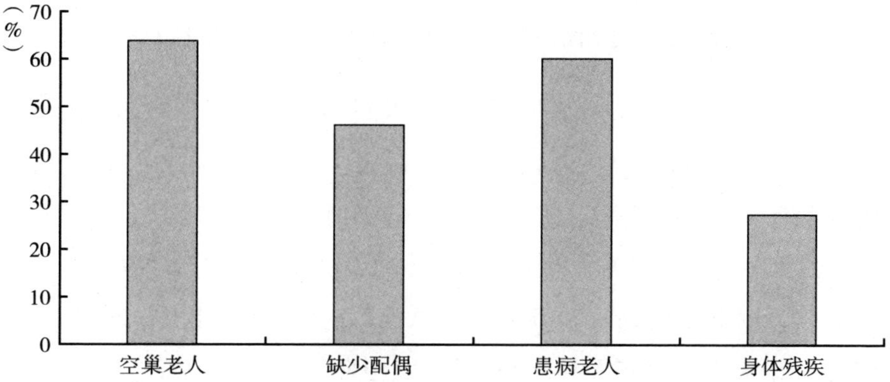

图3　空巢老人、独居老人人员情况

资料来源：根据大栅栏街道调查问卷整理。

上的老人。大栅栏地区，80 岁以上老人数量为 3847 人，其中包括百岁老人 4 人。在地区人口中，80 岁及以上的老人高达 6.8%，80 岁以下人数占 93.2%。

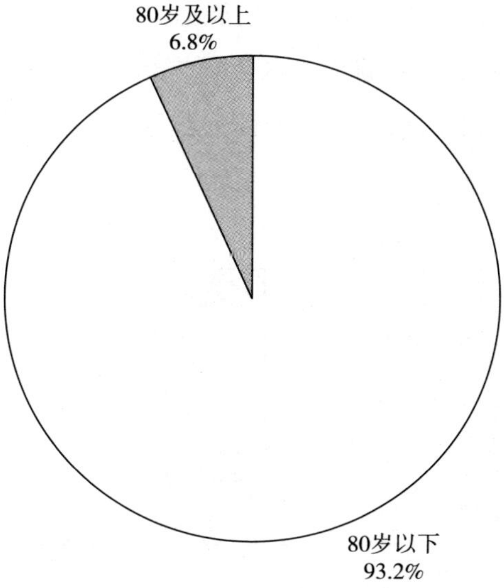

图4　大栅栏街道 80 岁以上人口所占比例

资料来源：根据大栅栏街道提供资料整理。

（三）大栅栏街道老龄化程度高于市、区平均水平

根据2014年北京市发布的《北京市2013年老年人口信息和老龄事业发展状况报告》，北京市户籍总人口1316.3万人，其中，60岁及以上户籍老年人口279.3万人，占总人口的21.2%；男性老年人口134.3万人，占48.1%，女性老年人口145万人，占51.9%。80岁及以上户籍老年人口有47.4万人，比上年增加4.8万人，占总人口的3.6%。其中，女性占比在2/3左右。北京百岁老年人共计589人，比上年增加了45人。

另外，2010年第六次西城区人口普查主要数据公报，西城区常住人口中，65岁及以上的人口数量为15.76万人，比第五次全国人口普查上升了0.34个百分点。截至2014年，西城区老年人口总数为32.2万人，是户籍总人口数的23.4%，西城区老龄化现象突出，其程度在北京市位居前列。其中，80岁以上老年人6.95万，占老年人口的21.6%，100岁以上老年人119人。全区呈现出人口老龄化、高龄化、空巢化、家庭小型化的特点，以及老年人需求多样化、个性化等基本发展态势。

通过数据比较发现，大栅栏地区人口老龄化为26.4%，明显高于北京市、西城区的老龄化平均水平的5个百分点与3个百分点。

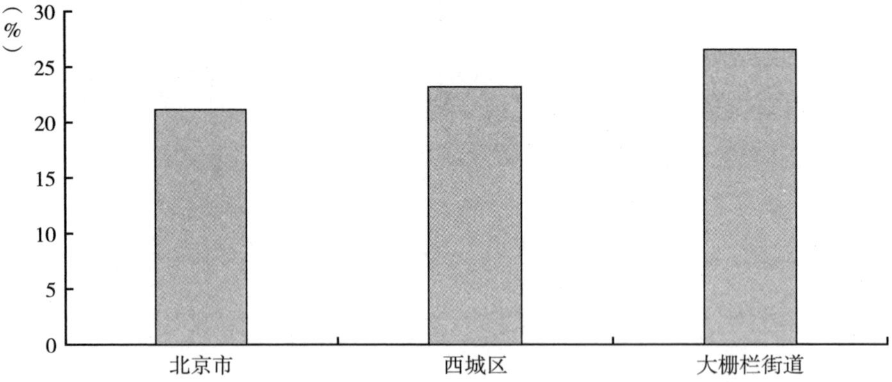

图5　大栅栏街道、西城区、北京人口老龄化情况比较

资料来源：根据大栅栏街道提供资料整理。

二　大栅栏地区养老服务工作的重要性与艰巨性

（一）从新形势、新要求看新时期养老服务工作的重要性和艰巨性

第一，养老服务政策法规体系形成。由于我国养老服务尚处于起步阶段，在发展的过程中面临着许多问题。因此，《老年人权益保障法》、《关于加强基层老龄工作的意见》、《关于加快发展养老服务业的意见》、《社会养老服务体系建设（2011～2015年）》和《中国老龄事业发展"十二五"规划》等一系列政策法规的相继出台，使我国社会养老服务模式的构建有了系统而全面的政策支持，主要表现在养老服务、生活照料、医疗保健、精神慰藉以及权益保障等方面。

第二，人口老龄加重了地区的养老压力。当一个地区60岁及以上的人口所占比重达到或超过总人口所占比重的10%，这个地区就已步入老龄化。然而，面积只有1.26平方千米的大栅栏，60岁以上老年人有14878人，占地区总人口的26.4%，远远超出10%的老年人口比重。这一现象也为大栅栏的发展带来巨大压力。

首先，地区经济压力增大。地区人口老龄化意味着给当地财政带来的压力将随着老年人口的增多而增加。随着地区老龄化程度的加深，养老金以及各种福利待遇将使地区经济负担加重；老年人口越多，老年扶养系数越大，给有老年人口的家庭也带来一定经济压力。

其次，劳动力比例下降。人口老龄化不仅导致了劳动年龄人口比例下降，还导致了劳动力内部年龄结构的高龄化和劳动力资源的相对减少。随着新增劳动力数量的逐年递减和劳动年龄人口的逐步高龄化，在城市化进程中，将带来一系列如岗位空缺和资源闲置等问题。另外，劳动力人口的高龄化所带来的反应力迟钝，创新能力下降，严重影响了地区劳动生产率的提高。

最后，调整产业结构。为了满足老年人口日益增长的物质文化和精神

文化的需求，人口老龄化客观上要求大栅栏地区必须调整现有的产业结构，大力发展老龄产业，增加针对老年人需求的社会服务业，改造老年人的住宅和社区环境，不断满足老年人在衣、食、住、行、用、文等方面的追求。

（二）从街道养老服务问卷调查情况看养老服务工作的重要性和艰巨性

第一，地区老年人科学养老的意识不足。调查问卷内容涉及养老模式时，超过40%的老年人只了解“子女养老”或“自我养老”，仅16.4%的老人认为自己对社区养老有所了解。老人们的日常活动较为单调、匮乏，53.1%的老人从不参加任何社会活动，仅不足20%的老人有兴趣爱好。由于经济收入偏低，大部分老年人的收入主要用于支付日常生活开销和看病吃药，几乎没有足够的结余用于自己的兴趣爱好或参与社会活动。另外，空巢老人、独居老人比例较高，使得老年人缺乏年轻家庭成员在生活和精神上的支持，这也有碍老年人培养科学的养老观。

第二，地区老年人对于养老服务需求十分强烈。从问卷调查中看出，老年人对于医护服务的需求最为强烈，86.1%的老人希望在就医、护理和康复方面获得有效帮助，对于紧急救助、定期上门体检和社区病床的需求也各占42.4%、37.7%和35.5%。在生活照护服务方面，超过60%的老年人对于买菜、陪同/帮助购物、陪同洗浴/理发以及上门看望等都存在普遍的需求。另外由于居住条件差，32%的老年人在维修水电设备、管道疏通和家具家电维修也有一定的需求。31.2%的老年人希望能够享受科学营养、干净卫生的送餐到家服务，还有近10%的老年人希望街道能够提供多点订餐服务。在文娱活动方面，21.6%的老年人希望参加各种文体活动，35.7%的老年人希望社区能提供老年活动室，还有10.6%的老年人希望社区能组织老年兴趣活动。

第三，地区老年人需求与支付能力不足，意识淡薄的矛盾日益突出。调查显示，71%的老年人愿意购买养老服务，愿意支付1000元/月及以上仅占

35.5%，而能承受支付1000元/月及以上老年人则只有22.2%。这样的金额是根本无法购买到老年人所需的服务。造成这样的结果，其原因主要有两方面：一是老年人确实没有足够的经济承受能力；二是部分老年人缺乏为养老而购买服务的意识。

三　大栅栏文保区五大举措推进特色养老服务

为应对地区人口老龄化日益严峻的形势，大栅栏街道通过建立精细化服务工作体系、优质化设施支撑体系、特色化项目服务体系、区域化服务协作体系、多样化服务宣传体系，构建特色的文保区养老服务模式，在地区解决人口老龄化方面取得突出成效。

（一）夯实基础、明确职责，建立精细化服务工作体系

大栅栏街道工委、办事处高度重视养老服务工作，把其纳入街道“办实事项目”，并成立养老服务工作领导小组，制定《街道养老服务工作指导意见》，统筹规划地区的养老服务工作。结合实际，完善了服务商加盟协议、财务管理制度、安全防火制度、日间托老服务准则、配餐消毒制度、心理关爱制度等，明确提出了科学、合理、严谨的服务管理措施。完善服务有计划、有流程、有反馈、有监督的运营管理模式、服务商激励奖励机制等，通过年度评选活动，达到以评促建、以评促改、以评促发展的成效。

（二）完善设施、搭建平台，建立优质化设施支撑体系

一是建立完善银鹤居家养老服务站，内设老年心理关爱站、日间托老所、老年餐桌，全面为居家老人提供入户探访、生活照料、送餐服务等服务。

二是建立银鹤配餐中心，为居家老年人提供营养讲科学、卫生有保障、菜品有特色、餐盒达国标的老年套餐。套餐分10元（一荤两素）和12元（两荤一素）两种，价格优惠，并提供免费送餐上门服务，老年人可在老年

餐桌就餐。

三是建立爱心互助浴池，为符合特定条件的老年人和残疾人提供免费洗浴服务，截至目前已为符合条件的人员办理洗浴卡507张，免费服务地区老人、残疾人1399人次。根据实际服务能力的观察和测试，现已将服务范围拓宽至70岁以上老年人和符合特定条件的残疾人。建立完善人口和家庭服务中心，内设恳谈室、健身房、书画室和银铃婚姻俱乐部等功能，面向地区失独老人提供节日慰问、精神慰藉、单身老人联谊等多元化、人文化服务。建立完善老年活动中心，内设舞蹈房、培训室、乒乓球室以及多功能厅等功能房，面向老年人开展体育健身、文娱活动、才艺展示等系列活动。

四是建立完善社会化退休人员管理服务中心，拓展以社保所为核心，以管理服务中心规划协调为内环、社区牵头推进为中环、自管组织互助为外环的“三环式”联动服务网络。

五是建立完善社区养老服务站，在九个社区建立分餐就餐点，实现老年餐桌标识统一、服务流程统一、就餐须知统一、餐桌和餐椅统一、无障碍坡道的建设统一的“五统一”标准，全力助推“九网式”服务。

（三）创新格局、品牌引路，建立特色化项目服务体系

第一，全力打造“幸福夕阳”助老服务圈。构建以“9064”养老服务模式为导向，以街道养老服务综合管理中心为枢纽，以居家养老为基础、社区养老为依托、机构养老为支撑，地区专业企业、社会组织、志愿组织广泛参与的多维度、立体化的助老服务体系。发布了“十佳”助老服务项目，包括：老字号助老服务、社区助老服务队建设、老年浴池助浴服务、家庭医生入户助老服务、石头社区孝文化胡同、亲情服务卡空巢老人帮扶、银鹤入户配送餐服务、社区老年文化学堂、青松老年人居家护理服务和夕阳红财产管理法律服务。目前，地区“一二三五”养老服务体系已经创建完成，即建设一家街道级的养老服务综合管理中心，着力打造居家养老服务队和社区助老服务队两支精品队伍，完善A、B、C三类空巢老人帮扶措施，重点开展好信息咨询、社会交往、膳食配送、文体教育、互助关怀五项居家养老服务。

第二，深化“亲情卡”服务功能的有效发挥。为地区 35 名 A、B 类特殊空巢老人，每年提供价值 2400 元的免费服务。根据服务人群需求，划分室内活动型、生活困难型、户外活动型三种类型。服务内容涵盖日常走访、康复护理、亲情陪伴、心理疏解、代买代办、游览参观、体检及建立健康档案等 20 余项服务。此外，依托亲情卡这一服务载体，每逢重大节日和老人生日，为孤寡和空巢老人送慰问、送祝福、送服务，以“共度除夕、同庆端午、春游踏青、畅游园博、快乐老人”等形式，对地区的空巢老人举办别具特色的联欢活动，并免费为他们举办日间托老体验活动。

第三，挖掘培育地区特色养老品牌项目。探索银鹤居家养老服务项目，面向地区孤寡老人和特困空巢老人开展“子女”式的日常探望、送餐服务和生活关注服务。探索综合包户老字号助老服务项目，“老字号”企业和职工志愿者，驻区部队和社区义工，在助老、助困以及 A、B 类老人“双助一”等互助式结对关爱活动中发挥着引领作用。探索打造“石头社区助老服务队”，52 名助老服务队员分别与 83 名社区空巢老人结帮扶对子，发挥互助作用。

（四）创新格局、品牌引路，建立特色化项目服务体系

大栅栏街道开展居家养老服务队骨干人员的专业培训班，借助地域文化资源的优势，引入区级服务资源，促成合作意向，助推养老服务与社会服务机构的有效对接。有效提升区域志愿服务水平。同时，与社会服务机构有效对接，引入“福寿百年”公益组织进行合作，就社区助老服务队均衡化发展达成意向，以阶梯渐进模式，通过健身活动发现爱心人士，为志愿者进行各项专业技能培训，提升志愿者服务能力，并组织志愿者开展扶老、助老活动，旨在将地区的志愿助老服务实力进行有效提升。目前，通过“福寿百年”公益组织，在每个社区建立起一支助老服务队，服务队成员主要为社区内的年轻老年人，其主要工作是对本社区的空巢老人开展日常关注和生活照料服务。

此外，大栅栏街道签约为老服务商 37 家，基本形成了地区的全覆盖。

完善服务商的监督和培训机制，对服务商开展专业技能培训及实践操作培训等相关课程，定期组织社工对老人进行探访，收集老人的意见和建议并及时反馈，提高服务商的服务水平。

（五）创新格局、品牌引路，建立特色化项目服务体系

大栅栏街道在年节期间，对地区老人开展入户慰问、发放爱心卡等送温暖活动，送去党和政府的关怀。开展孝星评选、敬老宣传月、欢度老人节和敬老文明院创建等活动，树立良好的社会风尚。利用覆盖地区的 20 块“公共服务信息屏”和社区服务网站发布为老服务信息，印制服务手册积极拓展和推广助老服务项目，让地区老年人全面了解各类服务内容和流程，提升服务质量。

四　地区养老服务存在供给不足、专业人员缺乏等问题

近年来，大栅栏街道针对地区人口老龄化日益严峻的形势，制定了一系列的政策措施，在满足老年人养老需求、提升老年人生活质量方面起到重要的作用。但是大栅栏文保区社会养老服务仍处于起步阶段，还存在与地区人口老龄化加快不相适应的问题，主要表现在资金保障不足、专业人员匮乏、服务商专业性不强等方面。

（一）资金保障不足

资金保障不足。开展社区养老服务必须有一定的经费作保障，一方面目前政府财政资金投入力度不够；另一方面大栅栏区域的老年人收入普遍较低，基本无力支付其所需的养老服务。

（二）老年人的需求复杂化、多样化

老年人的需求复杂化、多样化。老年人在医护、生活照料、家政服务、

文娱活动、心理慰藉等诸多方面都存在着多种多样的需求。此外，老年人的自身条件、家庭背景、文化程度等很多方面存在较大差异，这些因素又决定了老年人对于养老服务的需求不尽相同，种种迹象都对现阶段的养老服务工作提出了更高的要求，也无形加大了养老工作的难度。

（三）专业人员匮乏

为老服务既要能吃苦、不怕脏、有耐心、有爱心，又要能敬重老人，还要有专门的工作技能，但现实情况是具备这些条件的工作人员工资报酬较低，因此较少人员愿意从事养老服务行业，而专业服务人员的匮乏又进一步制约了养老服务的质量和功能的提升。此外，专业管理人员的缺乏也限制了养老服务事业的发展。

（四）服务商专业性不强，积极性不高

目前从事养老服务业的服务商，包括街道签约服务商普遍存在着专业性不强，为老服务针对性不足的问题，大多还停留在基本的生活照料、家庭保姆初级水平。由于服务规模偏小，收费不高，多数服务商对待为老服务工作积极性也不高。

五　大栅栏文保区养老服务工作的对策和建议

（一）科学谋划，努力搭建社区养老服务统筹调度平台

在科学规划社区养老服务体系的基础上，搭建集政府提供的基本公共服务、社会组织提供的公益和互助合作服务及企业提供的市场化服务于一体的社区养老服务统筹调度平台。该平台将全面涵盖社区养老服务功能，实施模块化建设和运营管理。

统筹调度平台的功能及服务模块构想如图 6 所示。

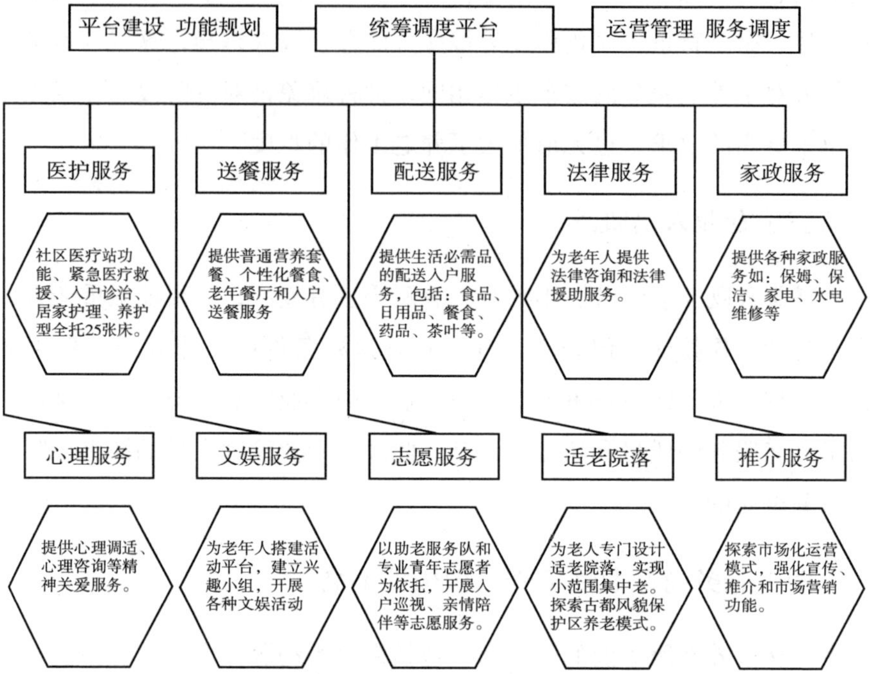

图6　统筹调度平台的功能及服务模块构想

资料来源：根据大栅栏街道资料提供整理。

（二）有计划、分步骤逐步提供、优化社区养老服务项目

第一，搭建基础服务平台，新建标志性硬件设施。首先成立大栅栏街道养老服务统筹调度平台建设工作组，具体负责平台搭建和日常运营工作。重点工作主要体现为以下三个方面。

首先，引入社会专业机构，建立一所养护型养老照料中心。强化医养结合服务系统建设，设置25张养护型全托床位，主要针对病后恢复的老年人提供康复护理服务，引入卫生服务中心，联合社会专业医护机构共同设立助老服务专属医护站。其次，努力推进养老服务专属医疗站建设工作，引入专业医疗机构，强化入户医护服务和紧急医疗救援功能，提供家庭医生入户诊治、健康管理、用药指导、康复护理等服务。最后，建立综合性养老服务中心，引进各类服务商及专业的服务团队，提供综合性、一站式养老服务及相关推介服务，使之成为养老服务的承载基地。此外，增强呼叫中心服务调度功能，对服务商实现统一管理，包括资金结算等。

第二，拓展服务功能，完善服务项目。首先，建立初级社区养老服务呼叫中心，具备针对老年人的物品配送和其他养老服务的推介功能。以网页和手机 APP 客户端等新媒介结合传统的电话通信方式，打造为老配送服务平台，逐步满足老年人及残疾人对日常生活用品、餐饮、上门家政及医护服务的购买需求。其次，对街道内腾退出的宅院进行改造，配置适合老年人生活居住的相关设施，开发适老院落，实现小范围集中养老。既满足了老年人居家养老的愿望，同时填补了地区硬件设施资源互通互补的空缺。此外，街道还要根据实际情况，适时建设中型养老机构，不断为更多老年人实现机构养老的服务需求而努力。

（三）加大资金投入，为推进养老服务工作提供经费保障

大栅栏街道需要建立针对养老服务的资金投入机制，列入公共财政的支出范畴，同时向区财政申请资金补助，用于建设为老服务综合管理设施，在财力上支撑居家养老社会化服务工作的有效推进。另外，还要建立相应的评估机制，对养老服务专项资金的使用有统一科学可操作的工作流程和评估标准，使政府补贴资金能够发挥最大效益，真正服务地区最需要帮助的老年人。此外，对经济条件尚好的老年人，则引导他们树立“花钱买服务”的消费理念，鼓励他们向社会购买服务来解决自身的生活照料问题，提高生活质量。

（四）完善扶持政策，促进养老服务平台的健康发展

对参与社区养老服务工作的服务商出台优惠政策。如适当减免租金、水电煤气优惠、贷款优待等，使社会服务机构在为老服务中，确保有一定的经济回报，激发他们参与的积极性、经营的持久性和发展的可持续性。规范对服务商的管理和激励机制，加强对服务商的服务流程和服务质量的管控，建

立分级管理、工作评估制度及奖励制度。

另外，在政策扶持的基础上，针对目前老年人科学养老意识淡漠的问题，采用讲座、宣传栏、树典型等方式加强现代养老理念的普及推广工作。同时，在承担赡养老年人义务和关心老年人精神活动等方面对子女进行教育，使其意识到自身必须担负的责任。只有将子女、老年人、政府、社区和社会相结合，才能真正意义上保证大多数的老年人享受到健康和幸福的晚年生活。

（五）整合辖区资源打造特色服务项目

充分利用各类资源，积极在医护康复服务和配送服务两方面探索高效的运营模式，努力将其打造成为富有特色，兼具高度专业化的养老服务。要提高街道上下对于社区居家养老服务工作重要意义的认识，把“居家养老”作为一项重要的服务工作来做，不断强化舆论媒体的宣传，加强各部门之间的密切联系，利用网站等互联网工具、社区电子宣传栏、海报、宣传册等方式对各类养老服务项目以及服务商进行广泛的宣传。采用免费试用优惠套餐、促销折扣等方式来吸引老年人体验并逐步适应各种服务，促使其养成良好的养老习惯。

参考文献

大栅栏街道：《关于历史文化保护区构建养老服务模式的实践与思考》，2014。

大栅栏街道：《大栅栏街道居家养老服务问卷调查报告》，2014。

国家统计局网站：《2010 年第六次全国人口普查主要数据公报》，2011。

西城区统计局网站：《西城区 2010 年第六次全国人口普查主要数据公报》，2011。

B.9

关于大栅栏街道“文商旅”科技创新平台建设的调研报告

摘　要：　在现代城市的高速发展中，文化是社会发展的灵魂、商业是社会发展的基础、旅游作为社会发展的重要载体，对一个地区的经济发展和现代服务业水平具有直接的决定作用。因此，促进行业间的信息集聚、融合，加强以文兴旅、寓商于游的行业融合营销模式，促进文商旅企业规模化、联动化发展，对拓展区域发展空间、调整产业结构、提升整体竞争力具有重要的作用。近年来，大栅栏地区以现代高新技术为手段，深度挖掘大栅栏历史文化、商业文化、旅游文化等资源，并将这些资源信息有效整合，打造出特色的“文商旅”科技创新平台，不仅构建起了以服务游客为核心的智慧旅游体系，也显著提升了地区文化影响力和文化品牌辐射力。

关键词：　大栅栏　科技创新平台　文商旅融合发展　大栅栏街道

近年来，随着文化旅游业的发展，传统的文化发展模式已经难以适应新的形势。因此，在一些地区逐渐出现了一种新的产业集聚的形式，即集吃、住、游、娱、购为一体新的“文商旅”经济模式，以文化为魂、商业为力、旅游为体，在完善旅游项目，丰富景区内涵的同时，不断推动文化旅游化、文旅商业化、旅游文化化，逐渐成为新的文化发展形势。在旅游产业发展规律的引领下，不断挖掘文化和商业中的旅游价值，增强旅游和商业的文化附加值，既要充分发挥旅游产业的带动力和资源整合力又要扩大文化产业的影响力和传播力，进而推动文商旅产业转型，从而实现扩大消费和提升区域整体服务能力的目的。大栅栏与全国大多数文化区发展一样，文化、商业、旅游一体化已经成为地区发展面临的主要趋势。

一 搭建“文商旅”科技创新平台是实现大栅栏地区可持续发展的必然选择

（一）落实北京市及西城区促进“文商旅”融合发展的精神

2012 年，北京市印发《关于加快北京市旅游产业发展的若干意见》（下称北京市《意见》），明确指出“促进旅游与文化、体育、教育、卫生等产业融合，培育旅游消费资源”。2013 年，西城区依据北京市《意见》制定了西城区《关于促进旅游与文化、商业融合发展的意见》（下称西城区《意见》），明确了西城区“文商旅”融合发展的方向，并于 2014 年制订了《旅游与文化、商业融合发展三年行动计划（2014～2016 年）》。该行动计划以“文化引领、商业支撑、旅游带动、产业融合”为原则，通过重点建设文化旅游功能区的 50 个项目，不断提高区域旅游的文化附加价值，加快推进旅游与文化、商业的融合持续发展，扩大区域文化产业的传播力和影响力，进而实现文商旅产业的有效转型，争取在全市率先形成文商旅融合发展的新格局，为北京“四个中心”建设增添新的动力。

（二）挖掘大栅栏街道丰富的“文商旅”资源价值

大栅栏的历史最早可以追溯到辽金时代，是北京首批公布的 25 片历史文化保护区之一，有着极为丰厚的历史文化底蕴。大栅栏在历史上是北京繁华的商业娱乐中心，是宣南文化和国粹京剧的主要发祥地之一，是传统商业文化、民俗文化、会馆文化、宅邸文化的重要聚集地，曾享有“繁华市井何处有，大栅栏内去转悠”的盛誉。各种文化的有机交融，使得大栅栏地区具有了深厚的文化底蕴和凝重的历史氛围。

首先，大栅栏地区的斜街在北京棋盘式路网结构中别具特色。大栅栏的形成并非授命于皇权圣旨，而是伴随着人货车马在老城区（位于西南方向）和新城区（围绕紫禁城）之间年深日久地移动，自发形成了大栅栏若干条由西南斜向东北的商业街市，如樱桃、棕树、铁树、杨梅竹等斜街和不规则街巷，在“横平竖直”的北京内城是相当独特的。

其次，大栅栏地区散落着较多的四合院民居、名人故居、寺庙、戏楼、银号、商铺、会馆等历史遗存。具备居住、作坊、商业、金融、戏曲、茶室、餐饮、服务等诸多街区功能，旧时的生活遗迹及其相关的逸闻趣事等历史信息至今都可以识别。

最后，大栅栏是北京城历史最长、遗存最多、最重要的传统市井商业中心。这一地区集中了一大批文化积淀深厚、在同行业中居于翘楚的百年老店，占北京老字号的三分之一，如瑞蚨祥、同仁堂、内联升、六必居、戴月轩、张一元、正明斋等，还有以爆肚冯、小肠陈、奶酪魏等为代表的老北京特色小吃，都是国内外游客耳熟能详的品牌。2011 年，大栅栏被授予全国首个“中华老字号集聚区”的称号，成为全世界公认的老北京传统商业文化的典型代表和儒商文化的象征。

（三）大栅栏传统服务业发展模式亟须向现代服务业转型

总体上看大栅栏地区业态低端，寸土寸金的中心区域集聚了不少的旅游小商品卖家，商贸文化没有很好地体现，商品文化附加值低。这些高度同质化的卖家恶性竞争，实行价格战，造成大栅栏消费市场的负荷日益加大。可以说，与现代服务业相比，大栅栏地区的传统服务业存在着结构不合理，竞争能力不足，品牌影响力下降，拓展新业务能力不强，创新能力弱和服务供给与需求之间存在较大缺口，缺乏品牌的整体宣传和推广等问题，与经济社会加快发展、产业结构调整升级不相适应。

同时，这些低质的业态也对区域客流群体的结构产生了影响。一方面，缺乏中高收入、具有较长滞留时间的客流群体，大多为过路式普通观光和低消费。另一方面，区域商业文化、历史文化等内涵的文化体验、文化展现形式、信息服务手段匮乏，影响客流的商贸购物、体验休闲感受和消费行为。

二　大栅栏街道明确提出“文商旅”融合发展战略

（一）大栅栏街道“一、二、三、四、五”工程

大栅栏作为老北京的核心地区，拥有着商业、文化、旅游诸多资源，既有驰名中外的“老字号”，也有新中国成立后新兴的享誉中外的一批大型商业企业，商业资源极为发达。依托这一优势，大栅栏街道提出了“文商旅”整合发展战略，并提出了以“一、二、三、四、五”工程为核心理念的大栅栏“文商旅”整合战略架构，力争把大栅栏建设成为具有丰富古都历史、传统商业文化、胡同文化、老字号文化的京味文化旅游体验、商业购物、旅游体验区域。

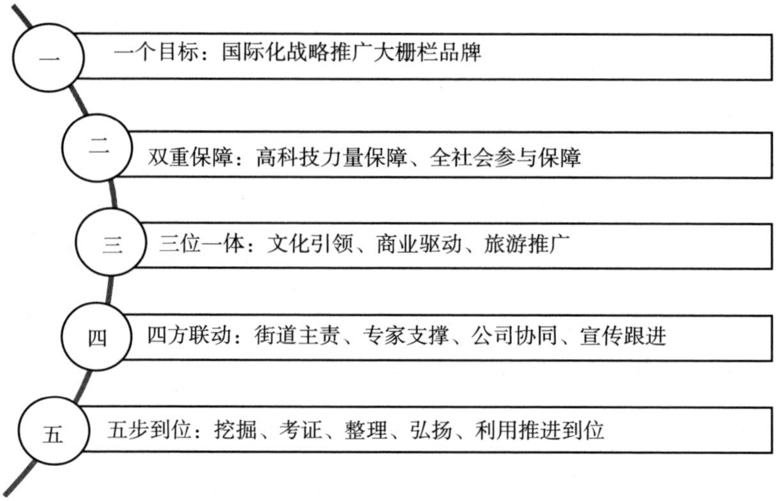

图1　“一、二、三、四、五”战略构架

此外，大栅栏街道还确定了地区“文商旅”融合发展的原则和预期效果。发展原则是“稳中求进、进中求变、变中求快、快中求好”，项目预期效果是“让世界人民了解大栅栏，向往大栅栏，来到大栅栏，爱上大栅栏”。

（二）以科技手段推动“文商旅”融合发展

基于上述发展战略，大栅栏街道着手建设大栅栏商贸文化旅游区科技创新平台，以现代高新技术为手段，深度挖掘大栅栏历史文化、商业文化、旅游文化等资源，将大栅栏文化、商业、旅游等资源信息的有效整合，以科技手段扩大整体宣传、推动商贸发展、弘扬大栅栏文化。

一是建设大栅栏文化数字化工程。梳理和挖掘“大栅栏”商业和文化价值，利用大栅栏传统商贸及现代商业的资源，通过平台推广，建立商家宣传渠道、塑造街区企业诚信品牌，建立各企业纽带，通过平台功能引导客流，拓展大栅栏商贸营销方式。

二是研建大栅栏商贸文化旅游区科技创新平台。包括“魅力大栅栏”门户网站和手机客户端。通过项目建设，利用平台功能和活动开展，打造现代、精品、高端的大栅栏文化传播平台，利用平台流媒体功能将非物质文化遗产、老字号文化呈现在平台中，利用二维码技术，将名人故居、历史会馆等古迹的原貌、信息呈现在移动终端，打破历史古迹访问不便利的限制，利用原景原音重现等技术呈现大栅栏重要的梨园文化等精华内容。

三是开展“魅力大栅栏”应用服务。支撑街区品牌提升、文化宣传、游客服务，推广特色旅游线路及大栅栏相关文化活动。同时，通过推广 3 条特色的旅游线路（商贾传奇之旅、文化传承之旅、民国传奇之旅），利用平台功能支撑旅游线路中的各个服务环节，有助于游客在特色旅游中，更好地体验大栅栏独特魅力。

三　大栅栏街道建设文商旅科技创新平台

（一）搭建“魅力大栅栏”门户网站

一是门户网站的栏目功能框架。“魅力大栅栏”门户网站主要承载着为大栅栏文化传播、商贸、旅游的服务。基于 Web 门户网站方式向游客提供

“多语言支持”“景区虚拟游览”“导航导览”“行程路书设计”“商品展示”等服务。

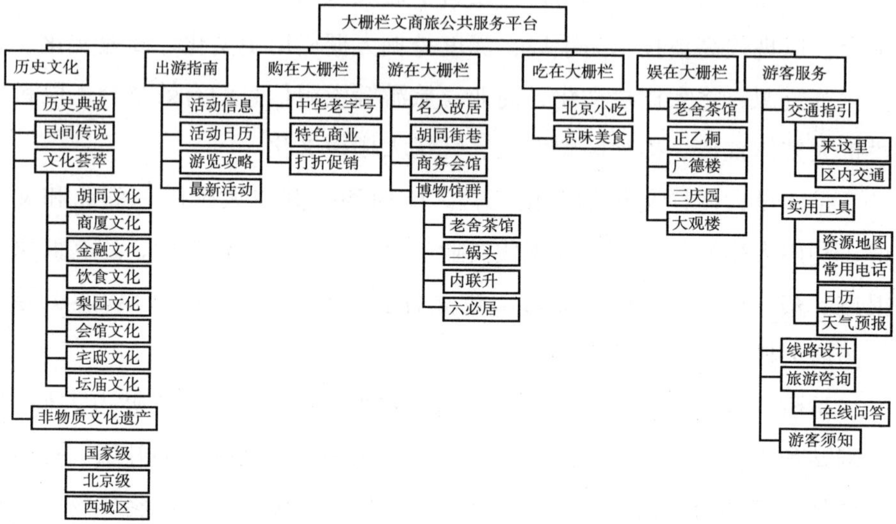

图 2 “魅力大栅栏”门户网站栏目功能框架

资料来源：大栅栏街道提供。

二是门户网站的主要功能作用。“魅力大栅栏”门户网站主要功能涉及文化信息展示、个性旅游服务、导航导览以及提供虚拟旅游等方面，从“吃、住、行、游、购、娱”全方位展示大栅栏深厚的文化底蕴与丰富的文化资源，为游客提供从行程设计——路书制作——资料输出的全程旅游信息支撑服务，同时运用网络三维场景技术，能将现实中的大栅栏建筑等整体制作成可以在网上观看的360°场景，通过互联网即可获得身临其境的感受。

表 1 “魅力大栅栏”门户网功能

序号	功能	具体内容
1	文化信息展示	从“吃、住、行、游、购、娱”全方位展示地区深厚的文化底蕴与丰富的文化资源
2	个性旅游服务	为游客提供从行程设计——路书制作——资料输出的全程旅游信息支撑服务，服务内容包括：行程路书设计、个性路书定制、在线模拟导览、景区导览图定制、路书地图打印、精品路书参考等

续表

序号	功能	具体内容
3	导航导览	通过导航导览功能,平台用户可查询获取大栅栏的地理信息,从而方便游览大栅栏
4	虚拟旅游	运用网络三维场景技术,将现实中建筑等整体制作成可以在网上观看的360°场景,通过互联网即可获得身临其境的感受
5	原音原景重现	通过影像、声音的处理合成技术,游客可体验各个历史阶段的大栅栏文化魅力,如观看梅兰芳大师表演,老街商业的繁荣影像等
6	资讯中心	提供根据个人兴趣与喜欢提供其感兴趣的各类信息简报与热点线路、名优企业、优惠打折、商品推荐等信息,信息均为标题简述,了解详情会链接到详细信息页面
7	其他服务中心	为游客提供各类实用帮助服务,如:站内检索、咨询导航、实施路况等信息服务等

资料来源：根据大栅栏街道提供资料整理。

门户网站的建设解决了游客“决策前”、“启程前”和“行程后”的数字旅游信息支撑服务，实现了线上推广、线下活动。同时通过对网站浏览用户的行为与关注点分析，将获得的数据提供给旅游企业，帮助旅游企业制订更加有效的营销推广计划，将获得的数据提供给职能部门，为科学有效的决策提供量化的数据支持。

（二）开发“魅力大栅栏”手机客户端

“魅力大栅栏”手机客户端是利用手机终端这一便捷载体，在大栅栏地区，主要面向自助游客的“启程前”、“行程中”阶段为游客提供包括“导游”、“导览”、“导购”、“导航”的全方位一站式的高质量的全新数字旅游服务。“魅力大栅栏”APP与“魅力大栅栏”门户网站实现用户与数据完全共享，移动信息服务系统提供给游客更便捷、更有效的旅游途中服务。该APP主要具有以下功能。

一是二维码技术。平台的移动终端应用，集成了二维码技术，游客可根据手机摄像头拍摄安置在建筑明显位置的二维码标志，此技术可将名人故居、历史会馆等古迹的原貌、信息呈现在移动终端，结合流媒体技术将大栅栏原音原景的历史重现于游客，打破历史古迹访问不便利的限制。

二是导航导览。平台中网站和移动终端应用，都集成了电子地图、线路推荐、路书编辑等功能，同时移动终端应用中还启用了 GPS 移动定位技术，游客可通过访问平台获知自己的位置及周边商业、文化、公共设施等信息。

三是老相片合成。使用大栅栏随身游的游客，可根据客户端内的老照片合成功能，在指定街巷的位置拍照后与不同时期的大栅栏老照片合成，形成旧貌新颜的照片效果，增强游览的趣味性。

（三）“魅力大栅栏”推广的三条特色旅游线路

1. 商贾之旅——盛世繁华：两街两巷一戏院

游览时间：6～8 小时

线路说明：钱市胡同——大栅栏街——施家胡同——粮食店街

线路特色：该线路突出大栅栏商贾文化和传统金融文化，包含大栅栏地区最著名的商业街、传统金融业建筑群、手工业知名企业博物馆等。途经著名老字号企业：内联升、同仁堂、张一元、瑞蚨祥等；饮食名店：狗不理、东来顺等；戏楼影院：广德楼、大观楼、中和戏院等；传统手工业企业博物馆：六必居、红星二锅头等；传统金融业：钱市胡同、施家胡同等多处银号遗存。

线路简介：品味古都 · 触摸皇家神韵。从前门大街进入大栅栏，清雅的青砖路面，古香古色的建筑店铺迎面而来，在这条 274 米长的大街上，矗立着 60 余家商铺，漫步于此，犹如穿梭在历史走廊，沿路线设计可依次游览瑞蚨祥、张一元、同仁堂、内联升等诸多百年老号，感受皇城古都的历史传承。一路西行，当漫步到广德楼前，可以停下脚步，听段相声，在笑声中品味不一样的京城文化，抑或前往东来顺，用舌尖去体会京城美食。

2. 文化之旅——百年传承：三街三庙一会馆

游览时间：4～6 小时

线路说明：南新华街——琉璃厂东街——樱桃斜街

线路特色：该线路突出大栅栏地区历史文化，包含大栅栏地区西段一批著名文化界老字号及会馆古迹；途经五道庙、中国书店、戴月轩、一得阁、翠文阁、火神庙、贵州会馆、观音寺等名址。

线路简介：探索古都·追寻百年传承。从南新华街参观五道庙，从琉璃厂东街的西口进入，沿途无论是中国书店、古艺斋、文房四宝堂、戴月轩、一得阁这些百年老店，无处不体现着历史所传承下来的文化；驻足汲古阁，让茶香的弥漫，烘托出百年老街的味道。向东途经的火神庙、贵州会馆、观音寺等保存完好的历史遗迹，都是一张张古都文化“名片”，在元、明、清三朝的古都，将依然诉说着历史。

3. 传情之旅——绝代芳华：两街两巷一公会

游览时间：4～6 小时

线路说明：百顺胡同 36 号—陕西巷 22 号、52 号—大外廊营胡同1 号—铁树斜街 101 号—樱桃斜街 65 号

线路特色：这一区域是旧时北京城最繁华热闹之所，沿途路经“徽班领袖、京剧鼻祖”程长庚故居、“谭派创始人”谭鑫培故居、“京剧大师”梅兰芳祖居，清末民初传奇女子“赛金花”和“小凤仙”居住地，梨园公会所在地等。

线路简介：感悟古都·体味京华烟云。在清末民初，尽管山河破碎、国难临头，也掩盖不住旧时繁华偏安娱乐的几条著名胡同，这里既是国粹京剧诞生之地，又是休闲娱乐顶级之所，既有梨园大师名震天下，又有绝世女子爱国传说，让后人流连忘返其中、百世评说不尽。

四 大栅栏区域整体服务能力得到显著提升

（一）构建了以服务游客为核心的智慧旅游体系

智慧旅游也叫智能旅游，是利用物联网、大数据、云计算等信息技术，通过便携的终端上网设备，主动了解和感知旅游的相关信息，主要包括旅游资源、旅游活动、旅游经济、游客人数等，并及时安排或调整旅游计划，实

现旅游的高效信息化。其中，旅游服务、旅游管理和旅游营销是智慧旅游建设与发展的最终体现。

大栅栏街道“文商旅”科技创新平台针对目前大栅栏商贸、文化及旅游的现状，从商业科技水平、文化科技手段、旅游科技服务等角度依托移动互联网，利用位置定位、电子商务等技术，搭建了大栅栏商业文化、胡同文化、会馆文化、戏曲文化等各类文化的传播、体验平台，推进了区域传统商贸服务业向现代服务企业的转型。游客通过信息化、数字化的旅游管理与服务，实现了“一机在手，轻松游遍大栅栏”，加强了购物、旅游过程的良好体验。

（二）推广了大栅栏的整体品牌

以“魅力大栅栏”推荐的特色旅游路线“商贾传奇之旅”为例，平台不仅介绍了途经的胡同，更是把途经的老字号企业、饮食名店、戏楼影院、传统手工业企业博物馆、传统金融业等文化、商业资源信息囊括在内，并且在“概览”项目下还有对这些资源的详细介绍。

可以说，大栅栏街道“文商旅”科技创新平台通过整合大栅栏地区的旅游、商业、文化等资源信息，以现代科技手段扩大对该地区的整体宣传，不仅方便了游客在大栅栏享受到“吃、住、行、游、娱、购”一条龙的旅游服务，更是通过平台的详细介绍提高了各类资源的知名度，进而通过这种品牌聚集作用促进了大栅栏整体品牌的推广。

（三）带动了区域经济社会的发展

在现代城市的发展中，文化是灵魂，商业是基础，旅游是载体，对现代服务业的发展水平和相关区域的发展环境起直接性的决定作用是文化、旅游和商业的整体优势。大栅栏街道“文商旅”科技创新平台以历史文化为主线，以科技手段为支撑，以旅游产业为载体、以商业运营为根本，使大栅栏文商旅形成稳固、互利的健康运营环境，增强了文化、商业、旅游产业彼此在发展空间上的依赖性，进而通过有效融合，使之成为促进产业结构调整、拓展区域发展空间、提升整体竞争力的发展路径。据统计，平台投入使用一年后，大栅栏地区游客流量增长 8% 左右，带动区域经济收入 2000 万元以上。

五　进一步推进大栅栏街道“文商旅”融合发展

（一）大栅栏街道“文商旅”融合发展目前还存在的问题

一是文商旅融合发展的意识还需要进一步提高。大栅栏街道地区面积 1.26 平方千米，由于区域空间狭窄，因此，辖区存在发展后劲不足、竞争优势不明显等诸多限制性因素。文化、旅游、商业必须融合发展，才能有效实现辖区的结构调整和空间拓展，提升地区竞争力。不仅如此，按照市场规律目前地区还需要进一步提升开展工作的能力，文化、商业、旅游方面的资源利用与市场渠道的精准对接仍需要进一步加强。

二是缺乏“文商旅”一体化发展的联合工作机制。大栅栏地区虽然文化积淀丰厚，旅游资源丰富，但是地区文化资源、商业资源、旅游资源条块分割，缺乏一体化发展的联合工作机制，需要进一步增强融合的力度。虽然旅游融合贯穿于文化、商业之中，但其整合地区文化和商业资源的作用并未凸显，地区还需要进一步明确产业融合的思路和路径。

三是“文商旅”科技创新平台要及时维护和更新。平台的正常运行和作用凸显需要长期的、不间断的更新和维护。而“魅力大栅栏”运行以来，网站和手机客户端的运营没有引起足够的重视，信息加载和更新不全面、不及时，有些栏目还显示“查无数据”，这样不仅不能发挥平台的宣传、推广作用，还会严重影响大栅栏的形象，甚至是政府机关的形象。

（二）进一步推进大栅栏街道“文商旅”融合发展的思考

一是挖掘历史文化，推动资源开放。大栅栏地区是北京首批 25 片历史文化保护区之一，拥有“中华老字号”称号企业共 25 家，其他还有各种老字号资源19家。国家、市、区不同等级的“非物质文化遗产项目”达19项。因此，大栅栏要积极开发历史文化保护区的旅游价值，加强对文物古迹的研究探索和对历史文化资源的旅游开放。全面落实辖区内的人口疏解和环境整治任务，对一些历史文物进行保护和修缮，保存其文化价值，以便进行开发利用。与此同时，要形成具有大栅栏地区文化特色的旅游主题产品和具有老字号特色的文化品牌商品，提高非物质文化遗产展示功能，不断开发文化衍生产品。

二是构建主体项目，实现产业聚集。为推动地区文化、商业、旅游融合发展，大栅栏需要加强文商旅融合发展的实体项目，实现功能区的产业集聚。推动大栅栏地区重点项目建设，着力打造北京坊等品牌塑造，在此基础上，兼具大栅栏地区传统与现代的文化特色，形成集餐饮、娱乐于一体的旅游消费中心，并以此实现产业聚集和以持续、强劲竞争为优势的经济文化群落。大栅栏地区文化、商业资源丰富，但是文化商业融合发展不够，条块现象明显。因此，地区需要加强重点项目建设，促进产业聚集，实现资源集约利用，提高区域整体效益，进一步提升地区竞争力。

三是打造品牌活动，加大营销力度。目前，大栅栏地区整体品牌的推广、传播模式仍然比较单一，缺乏品牌的整体宣传和推广。为进一步提升地区品牌，地区搭建宣传营销平台，全方位构建区域形象推广体系。依托大栅栏国际设计周、“魅力大栅栏”摄影展以及“老字号”等系列活动，形成具有该区域鲜明特色和广泛影响力的文化旅游活动，从而提升区域形象，形成地区品牌，吸引观光游客，促进文化、商业、旅游的一体化发展。

参考文献

大栅栏街道：《大栅栏商贸文化旅游区科技创新平台可行性研究报告》，2012。

北京市政府：《北京市人民政府关于加快北京市旅游产业发展的若干意见》（京政发〔2012〕38号），2012。

西城区政府：《北京市西城区人民政府关于促进旅游与文化、商业融合发展的意见》

（西政发〔2013〕17号），2013。

西城区政府：《北京市西城区人民政府办公室关于印发〈北京市西城区旅游与文化、商业融合发展三年行动计划（2014～2016）〉的通知》（西政办发〔2014〕16号），2014。

王志标：《文商旅综合体的特征与发展趋势》，《经济纵横》2014年第10期。

北京市西城区旅游发展委员会：《关于西城区旅游与文化、商业融合发展的实践与探索》，《中国旅游报》2014年5月7日。

吴家灿、李蔚：《论基于产业集群的区域品牌培育路径》，《求索》2013年第2期。

高艳华：《大力发展文化旅游业》，《经济视角（上）》2012年第4期。

B.10

关于大栅栏街道“1533”安全生产模式的调研报告

摘　要：　安全生产关系人民群众的生命财产安全，是人民群众安居乐业的前提，是维持社会稳定和经济发展的保障。大栅栏街道地处首都政治核心区，又是北京43片历史文化保护区之一，安全生产尤为重要，如何破解安全生产监管难题一直是大栅栏地区发展所面临的一项重要任务。近年来，大栅栏街道积极探索符合文保区特点安全生产机制，全力推行“1533”安全生产模式，解决大栅栏地区基础设施薄弱、人口结构复杂等安全生产难题，营造出和谐的发展环境。

关键词：　文保区　安全生产“1533”模式　大栅栏街道

由于安全生产既要解决长期积累的深层次、结构性和区域性问题，又要应对不断出现的新情况、新问题。2005 年，党的十六届五中全会在总结我国安全生产工作经验的基础上，正式提出了“安全第一、预防为主、综合治理”的工作方针，明确要求坚持“安全发展”。2011 年国务院提出安全生产的根本出路在于坚持科学发展安全观，实现速度、质量、效益与安全的有机统一。2012 年，党的十八大报告再次明确要求，强化公共安全体系和企业安全生产基础建设，遏制重特大安全事故。

对于大栅栏街道来说，特殊的地理环境导致安全生产更为重要。通过对大栅栏街道安全生产难点的调研，本文分析安全生产难点形成原因，梳理大栅栏街道解决安全生产的思路，并提出相应的对策与建议，为建设“和谐、魅力”的大栅栏提供思路。

一 大栅栏地区安全生产难点与重点

（一）安全生产三大难点

与大多数文化保护区一样，作为北京最主要历史文化保护区域的大栅栏，也承担着发展、传承、保护古都遗迹的历史重任。近年来，随着社会经济飞速发展，大栅栏街道基础设施薄弱、区域业态低端、人口结构复杂等诸多因素制约着该区域经济发展与居民生活水平的提高。此外，由于地处首都政治核心，基础设施薄弱、人口结构复杂等因素也影响到大栅栏生产的安全。如何兼顾传承历史文化与破解安全监管难题，成为大栅栏地区发展面临的一项重要任务。

1. 基础设施薄弱

首先，老旧平房多。由于历史原因和北京对文化保护区重视的实际，大栅栏街道仍然保留与300年前相似的结构，其中老旧平房多数为历史遗留。大栅栏文保区面积1.26平方千米，有将近3万间老旧平房，平房占到整个地区房屋的90%以上，其中2万多是公房，将近1万为私房。由于公房的改造政府有较多政策和投入，私房改造就成了该地区一大难题，主要的原因是居民受经济条件限制，没有经济能力对私房进行改造。另外，由于近年来对文保区重视程度的提高，老旧平房的改造还需要考虑到政策方面的因素。因此，大栅栏地区老旧平房多是发展比较明显的一个劣势。

其次，市政基础设施差。大栅栏地区由于历史原因，水、电、气、热、交通及通信管线多数不能通过地下管道，而是采取架空的方式进行输送，从而导致该区域内线网密布，一旦有事故发生，所造成的次生和衍生灾害将严重威胁区域居民的生产和生活安全。直到2008年，大栅栏地区才完成煤改电，居民不再烧煤取暖，而是使用电暖气，到目前大多数居民做饭都还得使用煤气。不仅如此，大栅栏地区地下排水管道为300多年前修建，至今该地区仍然在使用，因此，排水就成了该地区安全生产存在的隐患。由于市政设施比较薄弱，影响到该地区居民生活水平与生活质量，从而给大栅栏街道的城市管理，包括安全稳定都带来巨大的压力。

2. 人口结构复杂

大栅栏地区人口结构复杂主要表现在流动人口数量多、弱势群体所占比例大。

第一，流动人口数量大。首先，大栅栏地区位于北京前门西南侧，与天安门紧邻，使得该区域流动人口数量大。其次，大栅栏商业街有600多年历史，是北京最著名的商业街，会馆文化、梨园文化、传统商业文化，大栅栏都是荟萃之地。同时，该区域老字号资源丰富，大栅栏有40多家老字号，其中百年以上的老字号就有28家，如同仁堂、马聚源、瑞蚨祥等老字号，这些因素导致大栅栏地区流动人口数量大。最后，该地区多数是老旧平房，小旅店、小餐馆较多，租房与住宿比较便宜，这也是该地区流动人口较多的原因之一。目前，大栅栏流动人口有14737人，占到该地区常住人口的40%，且多数是低学历、低技能人员。其中90%以上的为高中以下学历，主要从事服务员、环卫工等工作。

第二，弱势群体较多。大栅栏地区现有户籍人口21675户，共有56386人，但是残疾人就有2000多人，残疾人约占总体人口的3.6%，比例是西城区最大的。与此同时，大栅栏地区老龄化现象也比较严重，老年化程度达到26%，超过了全市平均水平5个百分点。

3. 区域业态低端

大栅栏地区业态低端主要表现在区域小餐馆、小旅店低端产业比较多，但到目前该区域没有一家星级酒店。

大栅栏街道现有单位1213家，其中宾馆120家、餐饮205家、娱乐10家、理发馆58家、其他商业形式796家，地区除49家安全重点单位以外，多为“五小单位”。由于其普遍存在经营规模小、隐蔽性大、流动性强、投资成本低等特点，街道很难将其在短时间内彻底取缔。同时，一些企业在出租房屋管理、土地规划和房屋建设、行业许可审批等方面存在违法行为，导

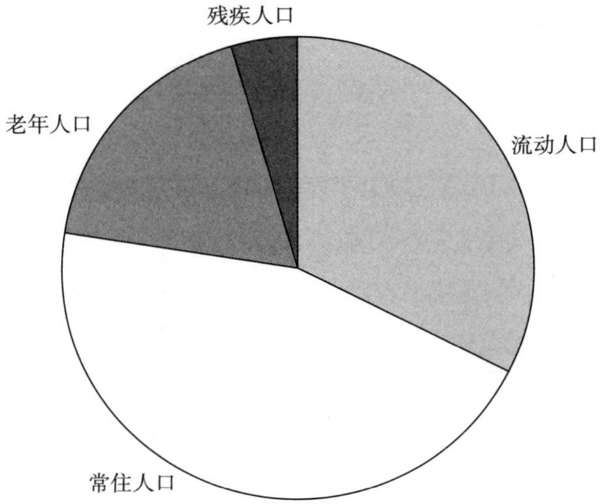

图1　大栅栏地区人口情况

资料来源：根据大栅栏街道人口资料整理。

致大栅栏地区安全管理工作难度大，容易形成管理死角和监管盲区，不利于安全生产工作的有序推进。

此外，大栅栏地区小餐馆、小旅店、小商铺“五小”门店场所占该地区经济体的74.9%，该地区现有餐饮场所200多家，但使用天然气的场所9家，仅占总数的4%，50平方米以下的小餐馆占总数的80%。部分单位的安全责任意识淡薄，重经营轻管理现象严重。在大栅栏地区的120多家小旅店中，个体经营户110家，占总数的88%。大部分旅店经营者都来自东北、山西、安徽、河南等地，以聘用外来工作人员为主，采用家庭式管理模式，工资低廉且层层承包、转包，占总数的91.4%，消防安全意识极为淡薄，自防自救能力较差。

（二）首都功能区、文保区的定位使安全生产更加重要

大栅栏地区紧邻天安门广场和国家党政军机关所在地，特殊地理位置决定了其安全生产不仅仅影响区域正常运行，更关系国内外的政治影响。另外，随着社会经济的发展，大栅栏作为文化保护区越加受到重视，但同时由

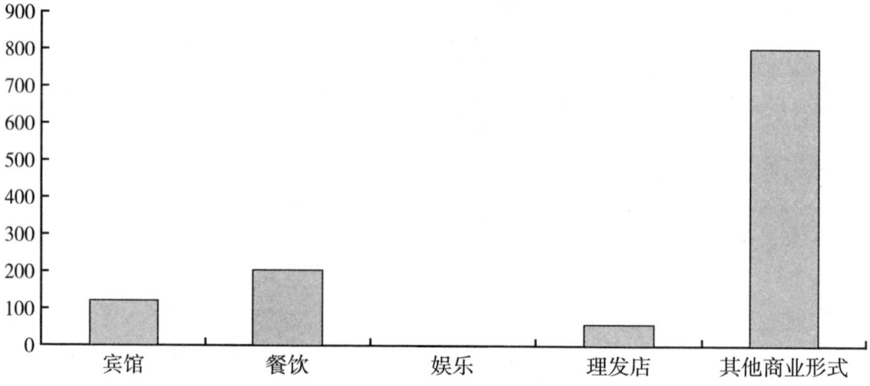

图 2　大栅栏街道五小门店构成

资料来源：根据大栅栏街道提供资料整理。

于其特殊的文化氛围也受到人们的青睐。所以，大栅栏首都核心政治功能区与文保区的定位使得该区域安全生产尤为重要。

1. 地处首都核心功能区，安全生产是首要保证

对于大栅栏地区来说，安全生产是工作的第一要务。首先是加强对流动人口管理。大栅栏地区紧邻天安门广场，作为通向广场的最后一道关卡，对流动人口的管理就显得尤为重要；另外，由于产业结构优化升级，生活性服务业发展加快。住宿服务、餐饮服务、修理和维护，使流动人口大量涌入，且固定集中在餐饮、娱乐、商业等人员密集区域，随着近年来城市服务功能的进一步强化，人员密集场所数量、人员流动规模和特定区域人口密度都日趋增大，发生事故的风险及后果的严重程度也逐渐增加。由于大栅栏地区特殊的地理位置，加强对流动人口的管理是确保安全生产的重要保障。

其次，对胡同的精细化管理。大栅栏地区最怕水患、火灾。由于该区域95%为平房区，2768个平房院落，木制、砖木制楼房2658间，建筑毗连成片，一旦发生火灾将导致巨大灾难。另外，大栅栏地区下水管道仍采用之前的设计，由于该地区地势低洼，遇到大暴雨易产生水患。加之特殊的地理位，导致大栅栏地区“安全生产无小事”。

2. 作为文保区，要兼顾空间保护与生产安全

2012 年，西城区出台《“十二五”时期历史文化保护区保护与发展规划》，以“一带六区多点”历史文化保护区为中心，着力打造空间保护新格局。其中，六区多点就包括大栅栏。大栅栏作为北京文化保护区之一，深厚的文化底蕴成为地区发展的亮点，但历史遗留下的商居混合、街巷胡同狭窄、市政设施薄弱等现状在一定程度上制约了地区的发展，也为地区安全生产工作带来了极大的压力。

由于大栅栏文保区基础设施薄弱、老旧平房多、木质结构房屋多、流动人口多等因素，影响区域安全生产，使得辖区居民生活水平与生活质量也无法得到提高。随着社会经济的发展，区域内不稳定因素也会增加，从而影响到该区域的稳定。大栅栏地区的特殊地理位置，不允许其出现安全问题。因此，如何兼顾文保区保护与破解安全监管成为大栅栏地区发展面临的一项重要任务。面对复杂的区域环境，大栅栏街道积极探索符合文保区特点的安全生产机制，营造和谐发展环境。

二　大栅栏街道全力推行“1533”安全生产模式

为进一步提高安全生产责任意识，落实安全生产责任，大栅栏街道通过实施“1533”安全生产模式（一个平台，五类安全、三项机制、三个层面），构建统筹协调的安全生产工作体系。

（一）一个平台开启创新动力

街道通过对掌扇 27 号院新办公地点的装修，建立了安全生产工作平台，先后投入 150 余万元，集中了安全生产办、交通办、食品办、消防工作站合署办公，统筹安排地区消防、生产、交通及食品药品安全的宣传、检查、协调等工作。通过机制创新实体化地区安全生产委员会工作平台，充分发挥安全生产统筹全局的作用。进一步明晰消防、交通紧密层的工作职责，明晰公安、工商、交管支持层的工作职责，明晰工委办事处各内设科室联络层的工

作职责。对基层安全生产力量进行进一步整合，通过统一安排、通力配合的安全生产工作模式，逐步形成两支具有维护地区生产安全和确保地区和谐稳定能力的安全保障队伍。

（二）五类安全稳固核心工作

一是稳固5大核心安全业务。为促进工作融合互通，街道初步拟定了《安全现场检查工作标准》，内容涉及生产、交通、消防、食品和药品等多项安全工作并设定了多项标准化检查内容，逐步构建了“一次入户、多项并检”的工作机制，提高了工作效率。二是拓展信息渠道，实现资源共享。街道将核心安全业务信息通过社区、部门等渠道收集汇总并在平台上进行协调解决，实现了自下而上反映问题，自上而下解决问题的工作机制，提高了先期处置能力，以便及时发现隐患。统一宣传教育培训资源，实现资源多用途、规范化。三是合理合力解决重点难点问题。对发现的问题，要引导企业单位认识问题并改正问题，做到一边安全引导，一边安全处罚，及时排除安全隐患。

（三）三个机制理顺工作流程

一是制订行之有效的检查执法计划，联合安全生产、消防和食品药品安全等多部门制订工作计划。结合区政府各项工作要求和街道核心工作，稳步推动，避免重复检查、互相交叉等问题，配合有关部门对违法、非法建设、生产经营进行检查和整改。二是对发现问题进行分类汇总，分析原因，评估现有安全状况，有效指导下一步工作开展，为工委办事处决策提供可靠依据。三是建立了每周安全生产例会、形势分析、隐患排查、安全检查、台账管理和宣传教育等六项制度，及时汇总各方面工作，有效查找存在的问题。

（四）三个层面覆盖社会网络

一是以社区为基础层面，通过地区安委会平台直接向社区提供安全综合服务保障，将安全生产工作延伸至社区。参照和对接网格、全响应、综治发动机制和访听解工作，在社区规划安全生产网络。在此基础上，建立安全生产宣传教育工作站，以每月确定一项安全内容为主题，以宣传教育工作站为载体，通过对辖区居民、单位企业和社区工作人员进行教育培训，实现将安全措施落户到人，将安全隐患降到最低。二是以重点单位企业、老字号和人员聚集的公共场所为推广层面，通过建立完善的安全标准，加强指导力度，降低检查频率，及时地将企业文化和老字号文化进行有效融合。三是以“五小单位”为重点层面，针对辖区“五小单位”经营面广、流动范围大、安全隐患多和历史遗留问题重等特点，不断增加巡查次数、扩大执法力度，对那些不符合安全标准的企业和个人要实时跟踪、适当处罚、严格整改，确保辖区的安全隐患控制在可控范围内。

三 大栅栏地区安全工作存在的问题

大栅栏街道开展“1533”安全生产工作取得了显著成绩，迈出了坚实的步伐，但是“安全社区”建设是一个不断探索、不断发展、不断完善的过程，街道还面临着老旧平房多、基础设施薄弱、“五小单位”多、流动人口多等条件的限制，地区安全治理仍然存在着一些困难和问题。主要表现在以下几个方面。

（一）政治影响大——地位特殊

北京作为全国的首都，是全国的政治中心、文化中心，西城区更是首都功能核心区，大栅栏地区紧邻天安门广场和国家党政军机关所在地，特殊地理位置决定了其安全事故不仅仅影响城市正常运行，更关系国内外的政治影响。

（二）领域变化大——产业结构升级

由于产业结构优化升级，生活性服务业发展加快。流动人口伴随着住宿服务、餐饮服务、修理和维护等行业的增多而大量涌入，他们大多聚集在商业、餐饮、娱乐等人员密集场所，且随着近年来城市服务功能的不断深入和强化，流动人口的密度和密集场所的规模都日趋增大，事故的后果及风险程度也将逐步提高。

大量流动人口普遍存在受教育程度低的特点，占总流动人口的72.1%，他们大多从事特殊岗位和高危行业，安全教育低、安全知识缺乏，更容易引发不同程度的安全事故。

（三）工作难度大——保障稳定运行

一是监管对象复杂，风险高，难度大。由于城市内部广泛分布着许多城市安全的“点”，而水、电、气、热、交通及通信管线和网络又构成了城市安全的“线”，种类多且数量大，这些庞大的城市生命“点”和“线”一旦出现问题便容易造成次生、衍生灾害，严重地破坏城市的稳定运行。而社区、学校、宾馆、饭店、医院和娱乐场所等生产经营单位更是由于其自身功能的完备和主体开放性，分布广，数量多，导致其危险因素多、突发事件破坏性大，放大效应明显，社会影响恶劣，给监管带来了不小的困难。

二是“城市角落”特点明显。“城市角落”由于其特定的地理位置和经济社会因素，客观上提供了造成安全隐患的土壤和条件。“城市角落”安全生产违法现象严重，无照经营问题多，市场经营秩序乱，这些违法行为大量涉及土地规划、行业许可审批、房屋建设和出租房屋管理等，极大地破坏了城市的稳定运行。一些小餐馆、小理发店等“五小”企业证件不齐全，其经营规模小、流动性强，且投资成本较低，很难彻底根除。“城市角落”区域安全管理工作难度较大，容易形成监管盲区和管理死角，已经成为城市稳定运行的威胁。

（四）业态低端——制约安全生产发展

辖区内的企业多以小微型规模为主，餐饮业、旅馆业是经济市场的主体，低端业态给安全生产带来一定的压力。其中：“五小”场所占地区经济体的74.9%，人员流动性大，消防教育培训难度大，从业人员消防安全意识差，自防自救能力偏低。占餐饮场所80%的小餐馆因经营面积不足导致无法设置独立的气瓶储存间，并且液化气安装使用不规范，烟道清洗不及时，埋下诸多安全隐患。此外，这些场所为明清时期的建筑，建筑结构大部分是耐火等级为三、四级，一些旅馆消防疏散通道狭窄，经营者私搭乱建、堆放杂物等诸多条件下，极易引发火灾等灾害事故。

（五）社区居民安全防范意识不强——增加安全隐患

大栅栏地区平房院落2768个，占房屋总数的95%，木质楼227栋，老旧平房多，建筑物耐火等级低，商户与流动人口数目众多，由于居民院都是住户自己管理与使用，并将大量住房提供给外来人口租用。在某些四合院内，堆放了很多杂物，其中易燃物品较多，摆放混乱，既影响了四合院的干净整洁、又影响了四合院的通行顺畅。住户为了使用方便，私拉乱接电线，导致房屋电气线路超负荷供电，电线短路、断路情况十分严重，造成电气火灾较多，占火灾总数的21%。并且部分居民在过道内就使用明火做饭、取暖。这些问题的存在导致区域内人为因素造成的火灾隐患严重。

四　筑牢安全屏障，监督、构建安全防范体系

（一）抓好责任落实，切实加强安全监督管理

强化企业安全监管，督促企业履行法律法规规定的安全生产主体责任，强化安全基础，创新监管方式，形成严密的安全管理网络。要完善企业安全生产规章制度，督促企业落实负责人安全生产责任，加大安全生产投入，规范生产经营行为，加强生产技术管理，深入开展隐患排查治理，使企业的安全生产管理实现标准化、制度化和规范化。安全监管要关口前移、重心下移，更加注重事故的防范工作，切实履行对企业安全生产责任的监管，尤其是要做好定点、定期的日常监管和重点监管、专业监管，对安全生产行业门槛要做到严格把控，确保责任落实、审查无误、监管到位。对分管安全生产

的政府及其相关部门、企业负责人，要严格落实其直接责任，使“齐抓共管、人人有责”的安全生产工作制度进一步完善。

（二）加强依法监管力度，严厉打击违法行为

深入开展食品、药品、消防等专项整治行动，对隐患排查治理进行全面推进，落实隐患治理责任、措施、预案、期限和资金，有效减少安全隐患的发生。对那些不具备生产经营条件而擅自生产、依法关闭后又擅自恢复的违法行为要依法严厉打击，对非法违法生产经营建设行为保持高压态势。加大对非法违法生产经营建设行为的处罚力度，经济处罚到位，坚决追究法律责任；同时，加强新闻宣传和媒体舆论监督，努力使非法违法生产经营建设行为的发生频率降到最低。

（三）推进长效机制建设，构建安全防范体系

发挥安委会对城市安全生产的保障性权威，加强安委会对安全生产工作的综合统筹与协调指导。一方面负责统筹安排地区安全生产各项工作规划。另一方面负责统筹安排地区安全生产人、财、物，做好地区安全信息统筹及部门间共享工作。建立健全信息报告及责任抄告制度。安委会各成员单位对在平时安全生产行业监管过程中发现的安全隐患，不属于本职范围内的实行责任抄告，将情况抄告安委会办公室，然后由安委办抄告给相应职能部门进行排查治理，并进行随时督察落实情况，从而形成一个齐抓共管的动态链条。

（四）扩大教育培训力度，强化全民安全意识

提高全民的安全意识、深入贯彻落实“安全第一、预防为主、综合治理”的重要方针，教育培训工作是重中之重。教育培训工作是安全生产的基础和纽带，要努力扩大教育培训工作力度，针对当前地区安全生产严峻的工作形势，提高教育培训工作的时效性和针对性。努力改进工作方法，创新工作形式，实现教育培训工作的多元化，使安全生产教育能够进社区、进企

业、进家庭、进学校，充分依托网站、电子信息屏、社区宣传橱窗等宣传媒介，努力营造“人人知安全、人人懂安全、人人守安全”的良好氛围。

参考文献

大栅栏街道办事处：《在文保区构建“大安监”工作格局的实践与思考》，2015。

大栅栏街道办事处：《创新驱动安全发展，全力推行“1－5－3－3”工作模式成效初显》，2015。

张迎运：《安全生产监管制度研究》，长春理工大学硕士学位论文，2013。

邱成：《论安全生产中的综合治理》，《安全》2007年第5期。

罗云：《我国安全生产现状分析》，《中国发展观察》2005年第5期。

B.11

探索社区社会组织的孵化与发展

——以大栅栏街道石头社区助老服务队为例

摘　要：　近年来，城市化进程脚步日益加快，社区建设发展日益深入，人们生活水平普遍提高，社区社会组织的队伍发展日益壮大，社区社会组织在社区建设中的作用越来越举足轻重，它为社区居民提供全方位服务，并以其特有的社会公益性，在社区资源的整合、社区服务的拓展、社区凝聚力的增强等方面都起到积极的推动作用，有效地提高了社区建设和社区自治能力，充分满足了社区居民各个层次、各个方面的不同需求。在此背景下，大栅栏街道石头社区成立了助老服务队，为社区老年人提供各种形式的为老服务，在满足社区居民养老需求的基础上，有效地促进了社区社会组织的有序发展，培养和丰富了居民参与意识和物质文化生活，推动了和谐社区的建设与发展。

关键词：　社区社会组织　孵化　助老服务队　大栅栏街道

随着社会的发展和人民生活水平的提高，社区社会组织扮演着越来越重要的角色，在社区养老、托幼、再就业、生活帮扶、体育健身和城乡环境发展等方面，社区社会组织起到积极的推动作用。但是社区社会组织的孵化和发展是一项系统而全面的工作，社区社会组织发展起步艰难，这就需要政府充分调研社区社会组织的发展现状，以居民实际需求为起点，以孵化发展社区社会组织为重点，结合社区特点，充分整合社区资源和调查需求、提供个性化标准服务、制度化管理资源，精心培育，妥善安排，才能确保社区社会组织的健康、有序发展。

一　社区社会组织概述

（一）社会组织、社区社会组织的概念

所谓社会组织，是指介于政府与企业之间的具有正式结构，由志愿人士组成的自我服务与管理的团体，其目的是服务于公共利益，而不是为自身成员谋求利益，即第三部门。社区社会组织是指以社区为主要活动范围，以为居民服务、不断满足居民需求为主要内容和主要目的，由居民自发成立并发展建设的各类自治组织。近年来，北京市社区社会组织随着城市进程的加快而发展壮大，已成为服务社区居民的重要力量、参与社区治理的重要载体。

（二）社区社会组织在社区建设中的重要作用

随着市场经济和城市化的深入发展，社区社会组织迅速成长，其活动领域也在逐步扩大，其功能作用在社会长效治理方面也突显出巨大的活力和生命力，在反映公众诉求、激发社区活力、化解社区矛盾、整合社会力量等方面越来越成为一支不可或缺的社会力量，更是民生工程改善的重要一环。社会组织的具体作用有以下三种表现。

1. 社区社会组织已逐渐成为政府职能转移的重要平台

随着社会管理体制改革和政府职能的转变，社会组织参与公共服务供给的情况越来越普遍，它成为政府和市场之间的一座桥梁，承接一些政府不该管、管不了的事项，社区社会组织已逐渐成为政府职能转移的重要平台和有力推手。

2. 社区社会组织已逐渐成为服务社会的有效组织形式

随着市场经济的发展，居民多元化需求的不断增长，政府职能已经不能完全满足这些需求，而社区社会组织以社区居民实际需求为导向，依靠其自

身组织灵活、功能多样的优势，在充分发挥其整合社区资源、了解民众诉求的基础上、为居民提供多样化服务需求。社区社会组织还能为居民提供更多沟通、交流、互动的机会，在促进邻里和睦，增强社区的凝聚力等方面起到推动作用，社区社会组织已逐渐成为社区公共服务建设和和谐社区建设的重要抓手。

3. 社区社会组织已逐渐成为精神文明建设的重要载体

近年来，随着居民生活水平的提高，社区社会组织在推动城市精神文明建设的进程中有着不可代替的地位，如社区老年协会、志愿者协会和居民文化团队等社区组织，以相同的兴趣爱好为纽带，在开展丰富多彩的文体活动的同时，极大地丰富了社区居民的精神文化生活。在活动开展过程中，不断激发社区居民积极有效地参与社区建设的热情，增进人与人之间的情感，促进社会和谐发展，让社区的自治功能真正发挥作用。

二　大栅栏街道石头社区助老服务队的建设与发展

（一）社区助老队成立背景及发展状况

石头社区位于西城区的东南部，地处大栅栏街道的中南部，辖区面积0.12平方千米，共有13条胡同，处于北京市核心地区，人口密度大，属未改造的老旧平房区。社区常住居民2000余户，4300余人，其中在社区居住的老年人有658人，70岁以上空巢老人83名，占老年人的12.7%。老人独居情况严重，存在老人孤独寂寞、无人照看、购物不便等困难，老年人缺少情感支持、家庭支持和安全的生活保障，影响老年人晚年生活质量。随着老年人口与服务需求的日益增长，社区两委一站对社区老年人口，尤其子女不在身边的老年人家庭给予极大关注。

2010年6月，在北京市“走百家门社区便民服务项目征集开发”活动中，社区结合北京市和西城区社会服务管理创新推进大会精神和《大栅栏街道关于贯彻落实西城区社会服务管理创新工作的实施方案》，召开社区志愿者座谈会，在座谈会上，由石头社区党员杨淑香大姐倡议，“关爱空巢老人，为老人送去精神慰藉，上门陪伴空巢老人”，社区志愿者们立刻响应，石头社区党委因势利导，于2010年9月组建了“石头社区助老服务队”，搭建了社区志愿者服务于社区老年人的新平台。

目前，“石头社区助老服务队”共有55名队员，下设五个分队。每个分队分别与社区空巢老人结成对子，队员在每周定期入户，了解老人的生活需求，帮助老人打扫房间，洗衣买菜，代办各种事务，帮助解决一些日常生活的困难，如邻里互助服务、法律援助服务和心理健康咨询服务等多种形式和内容的助老服务，不断满足空巢老人的精神需求。

（二）在社区服务中培育石头社区助老服务队

1. 石头社区助老服务队的培育创建

一是明确助老队服务目标。社区党委按照“以培育促发展，以规范促提高”的工作方针，以居民群众迫切需求为出发点，以解决和热切关注的问题为切入点，积极探索社会服务管理新模式、新途径和新方法，全力打造一支特色社区社会组织——社区助老服务队，促进社区社会组织健康发展。社区助老服务队在社区党委领导、社区居委会负责、社区服务站扶持下开展社区志愿服务。社区助老队是社区居民自发组建，服务目标明确，就是为社区空巢老人送去精神慰藉和志愿服务，帮助老人解决日常生活困难，让社区老人老有所养、老有所依、老有所乐、老有所为，使老人在社区幸福生活。

二是建立健全组织机构，完善规章制度。结合实际工作需要，社区党委指导助老服务队建立了“金字塔”式领导制度和动态管理制度、联席会制度和分队长负责制，以及定期回访制度。助老队志愿者每周对空巢老人进行一到两次走访，及时了解他们的困惑和身体状况，帮助老人解决心理疏导、应急救助、健康保健、法律援助等多方面问题。社区助老服务队参加社区“两委一站”联席会议及社会组织联席会，及时了解上级有关社会组织发展政策，梳理、总结、解决困难问题，总结助老志愿服务的工作情况，使社区及时有效地了解情况，指导助老服务工作的顺利开展。

三是整合队伍，加强指导，构建志愿服务网络。社区党委在大力培育发展社区社会组织的基础上，坚持“典型引路、分类指导、整体推进、持续发展”的工作思路，将社区志愿者联络站、助老服务队、治安巡逻队、心语驿站、欢乐时光艺术团、绿色风尚馆、巧巧编织坊7个社区社会组织，整合为“金石公益团队”，进一步规范了社区服务工作，提升了服务质量。目前，再就业服务队、特困帮扶服务队、青少年教育服务队、体育健身服务队和街巷环境治理服务队等7支服务队伍实现了对地区有服务需求的空巢老人和残疾人100%的结对帮扶，促进了社区公益事业健康有序发展。街道为加强社区党支部对社区社会组织指导的针对性，建立了“一对一”的联系指导模式，即7名党委成员根据实际情况，分别对社区7个社会组织的发展进行一对一指导。社区党委每月组织召开一次“金石公益团队”工作例会，及时宣传上级关于社会组织发展建设的指示精神，沟通各支队伍活动开展情况，引导这些社会组织有序地开展活动。综合以上措施，以社区各党支部为服务节点，充分发挥“金石公益团队”的作用，逐步形成以党组织为“点”，带动社会服务载体“面”的立体化为民服务网络体系。

四是建立特色党支部，推进党建工作创新，增强服务活力。历经四年的发展，石头社区助老服务队已逐步发展成熟，常年活跃在社区大街小巷、居民院、老人家，充分显示出根植于社区、服务于邻里的强大生命力。2014年，石头社区以“创建市级基层服务型党组织示范点”为契机，创新基层党组织设置，按照有利于党员参加活动、有利于行业发展原则，积极探索“组织 + 支部”的党组织建设形式，成立石头社区助老服务队党支部。

2. 石头社区助老服务队的发展建设——“幸福夕阳工程”项目

一是以空巢老人服务全覆盖为目标，实施“幸福夕阳工程”项目。2011年，助老服务队以满足社区老人实际需求为助老服务的出发点和落脚点，充分发挥社区党委核心领导作用，把社区党员、助老服务队、辖区共建单位等资源有效整合，制定“幸福夕阳工程”助老工作方案，确定“百善孝为先，助老我先行”为社区社会组织特色工作，全面提升社区为老服务事业。

“幸福夕阳工程”确定了“需求出发、服务入手、活动凝聚、共驻共赢”的16字方针，着重做好服务需求调研、队伍建设、完善服务措施、促进资源共享等方面工作。开展入户问卷调查，及时了解老人的各项需求，并为老人提供情感关怀、心理服务、法律援助和邻里互助等帮助。通过组织队员为老人包“爱心”粽子，开展“游百年老街，圆百岁梦想”等系列活动，让空巢老人得到精神慰藉和寄托。社区83名空巢老人全部纳入服务范围，全年实现100%全覆盖，促进社区和谐发展。

同时，社区党委引智借力，提出了“双向需求是基础，专业精神推动社会组织发展”的理念，特邀北京工业大学社会工作系的师生，从团队建设、老年社会工作、养生保健知识、社会保障政策、老年人法律维权五个方面对志愿者开展了五次专业培训服务，以提高助老服务队的工作能力和质量，满足每一位队员的学习需求。这是社会工作专业第一次介入社区服务、社区志愿者队伍建设领域。

“幸福夕阳工程”项目得到区、街道各级领导的重视，成功申请到西城区社会建设专项资金1.7万元，社区党委将资金全部用于开展培训，购买必要的服务用器材等方面，以便为更多的老人提供服务。

二是以专业化发展为导向，实施“为空巢老人送医疗、送保健、送卫生”三送幸福项目。2012年，在社区党委指导下，社区助老服务队策划了“三送幸福”服务项目，以满足社区空巢老人健康需求的出发点和落脚点，以社区社会组织管理服务工作体系为支撑，创新服务载体，努力提高服务队的专业化水平。

助老服务队专门针对老年人的健康需求开展了入户问卷调查。以83名空巢老人作为调查对象，从空巢老人生活、身体、精神状况、社会交往及服务需求等方面来收集资料，进行整理分析，并根据分析结果更新空巢老人档案，按照A、B分类进行分别造册建档，制定有针对性的志愿服务规范，完善服务内容，提高服务质量。同时社区助老服务队与大栅栏社区卫生服务中心、武警七支队等单位签订“为空巢老人送医疗、送保健、送卫生”双向协议书，通过为老人建立健康档案，提供心理咨询、健康体检、用药指导、家庭保健员等形式，开展“送医疗、送保健、送卫生”的服务活动，带给老人乐观积极的健康生活和精神需求的满足，让他们切实感受到来自社区大家庭的关爱。

为提高社区助老服务队队员的专业服务能力，社区党委邀请大栅栏社区卫生服务中心对50名助老服务队员进行养生保健、营养饮食、疾病预防和应急救助、医疗器材的使用等相关知识的培训十几场，助老队员都考取了“家庭保健员”资格证书，达到志愿者全员持证上岗，在走访中帮助老年人测量血压、血糖，进行体检，帮助老年人树立正确的健康养生新观念。在社区党委的帮助下，助老服务队在街道社区服务中心开展“你我同行齐助老党民齐心树新风”两场大型助老便民服务活动，为老人们量血压、测血糖、称体重和理发，共计120余名老人享受到这项服务。

社区党委邀请心理咨询专家，组织队员们开展6场心理咨询培训和指导，使助老队员为老人进行心理咨询和心理疏导的能力不断提高，帮助其了解老年人的精神需要，不断满足老年人精神文化需求，以愉悦的心情欢度晚年生活。社区党委通过组织助老队员们到天坛公园开展户外拓展训练，使助老队员认识团队的重要性、掌握团队建设的技巧，营造助老服务队员之间团结、互助的良好氛围，切实提高队伍的凝聚力，促进团队发展。

三是全面服务社区老人，实施“幸福家园”项目。2013年，随着社区建设进一步加强，在原有的基础上，社区党委引导助老服务队开展“幸福家园”项目，将助老服务覆盖面延伸至所有社区老年人，计划打造石头社区“助老服务圈”，突出“幸福陪伴”“幸福微笑”“幸福感恩”“幸福提升”四个亮点，打造一个中心，全面提升石头社区助老文化事业，以进一步满足社区老年人学在社区、玩在社区、乐在社区的需求，提高居民的幸福指数。

“幸福家园”项目申请到社会组织专项资金2万元以及社区公益金1.5万元，用于开展“幸福陪伴”暨陪老年人庆新春活动；“幸福微笑”为老年人免费拍照片活动，并制作微笑夕阳红影集；“幸福感恩”开展服务心理培训、服务技巧培训、户外拓展培训，家庭保健员培训四大培训，组织空巢老人和志愿者免费体检体现人文关怀；制作二十四孝文化墙等活动；“幸福提升”开展便民服务日，开展“孝在我身边”主题活动，发掘先进典型，推广孝文化等活动。

（三）石头社区助老服务队的升级改造

一是服务平台升级，实现社会组织办公有场所，服务有场地。2014 年 3 月，在街道工委支持下，社区建成了集党员活动、日间托老、教育培训、健身娱乐、团队活动等服务于一体的“老街坊乐园”，为社区内全体 60 岁以上老年人提供活动场所，定期举办书画班、健身操、英语班、巧巧编织制作、老年日间照料、心理健康咨询沙龙等活动，满足社区居民学在社区、玩在社区、乐在社区的需求。“老街坊乐园”以“公益性、便捷性、服务性”为原则，秉承“奉献，友爱，互助，进步”的志愿者服务精神，提倡邻里互助、自我互助的服务理念，开辟 50 平方米作为社区社会组织专用办公场地，及时有效地实现了社区社会组织“办公有场所，活动有场地”的建设目标，激发了助老服务队的参与热情。

二是开展特色日间托老活动，扩大志愿服务队伍。社区助老服务队充分利用老街坊乐园这一平台，以多种健康娱乐的形式开展日间托老活动 6 次，共 330 人次参加。日间托老活动每次推出不同的主题，有欢乐健身、有巧手制作、有美食品评、有文艺表演。参与活动的人员扩大到辖区单位、社会组织，有武警七支队的战士、有幼儿园的小朋友、有社会组织的专业社会工作者、有专业的公益人士。每次活动后进行总结归纳，使助老服务队能力不断得到提高。同时，日间托老服务与社区老年餐桌服务相结合，从陪伴、照料、娱乐、服务多角度开展活动，为社区居家养老做出了有益的尝试，受到老人们的欢迎。

三是整合社会资源，初步建立居家养老服务网络。为尝试“胡同居家养老模式”的建立，在老街坊乐园开业之际，助老服务队在社区党委的指导下，与社区便民服务供应商共同组织社区便民服务大型活动，社区卫生服务中心、社区便民理发店、社区健康养生服务组织、社会民间健身俱乐部等各类群体参加了活动。为完善社区居家养老服务内容，积极拓宽服务途径，社区党委加大引入社会资源和专业力量的力度，除继续与居家养生大学堂服务机构、北京手工艺术协会、爱角健身俱乐部、晨夕律师事务所等公益性组织合作开展服务外，又与北京见意博心理咨询中心合作，开办心理健康沙龙，开放社区心理咨询室，为地区居民提供专业化的心理健康服务，着力解决社区老人心理问题。以此，初步形成了社区居家养老服务形态，为建立社区居家养老模式打好基础。

四是点、线、面结合，形成胡同居家养老新模式。社区助老服务队每周对空巢老人入户探访，社区“老街坊乐园”日常定期举办书画班、养生课堂、法律课堂、健身操班、英语班、巧巧编织制作等活动；每双周开展日间托老主题服务活动；社区也不定期组织大型综合活动，如母亲节期间举办了“温馨母亲节、畅游大剧院”外出游览活动，重阳节前夕，助老队党支部承办的“百年人生　幸福晚年　喜迎重阳佳节”传统艺术摄影活动，呈现了社区居家养老服务的点、线、面的结合，初步形成社区居家养老的新模式。

五是以专业化的视角展望社区居家养老服务美好前景。目前社区正在与立德社工事务所合作“老街坊乐园文化站”托管项目，“老街坊乐园”将为社区居民提供更加专业、更具个性化的服务，逐步打造成为社区居家养老服务的依托平台，实现社区老人“在家有人看，寂寞有人陪，活动有去处，服务有人管”的幸福生活。

三　特色服务组织带动社区志愿服务蓬勃发展

石头社区助老服务队以实现空巢老人“老有所养、老有所乐、老有所医”为团队发展愿景，努力开辟社区居家养老新途径，自 2010 年 10 月成立以来，已累计服务社区老年人达 3.5 万余人次，通过亲情陪伴、日间托老、大型活动、专业服务等内容，密切了社区空巢老人与居民以及辖区单位的关系，拉近了人与人之间的关系，让社区更加具有凝聚力，队伍自身也逐渐成熟。经过四年的发展，石头社区助老服务队逐渐向着专业化、制度化、规范化的方向迈进。

（一）孝行温暖空巢老人家庭

助老服务队对空巢老人精心照顾，受到群众的称赞，也影响到空巢老人的家人。过去两周看望一次老人的变成每周都来陪老人，原来每周都来的子女，也增加了看望老人的次数和通电话的频率。有些老人生病后，助老队员们陪老人看病的同时会联系老人的子女，增加了老人与家庭成员的沟通，建立了良好的互动关系。每年举办的大型特色服务活动，如入户为空巢老人拍生活照，带老人逛前门老街，游国家大剧院，重阳节送福寿靠垫、集体生日会、空巢老人免费体检等活动，老人的精神生活得到充实和重视，很多老人子女都交口称赞，说助老队比儿女都想得周到，做得到位，要向志愿者们学习，孝敬自己的父母。

（二）培养社区居民的民主参与意识和参与能力

助老队员在服务老人时，在居民院里进进出出，也引起了街坊邻里的关注，居民们从开始的不解逐渐转变成了解、理解、支持，更多的居民加入了助老服务的行列，助老队已经有了55名志愿者，被群众亲切地称为“胡同里的活雷锋”。多年的助老服务活动也吸引了众多公益人士和专业团队，目前社区已先后与13家各类社会组织合作，共同服务于社区老人，使助老服务活动得到更好发展。

（三）引领示范作用带动社区公益事业发展壮大

2011年社区党委组建金石公益团队的前身，石头社区“助老服务队”组建并发挥作用，在助老服务队的带动下，“金石公益团队”的其他社会组织踊跃开展各类活动，“绿色风尚馆”组织志愿者开展胡同、庭院的绿化美化活动，组建胡同自律小组，参与民主自治；“巧巧编织坊”的巧手姐妹们发挥特长，奉献爱心，制作爱心靠垫和丝网花，为空巢老人送上亲情祝福；

“欢乐时光艺术团”开展了英语教学、书画、唱歌、舞蹈等活动，自娱自乐的同时培养了社区参与意识和社区荣誉感；治安巡逻队以社区的安全稳定为己任，长年巡查守护着社区的安全。这些社会组织扎实地开展各类志愿服务活动，得到社区广大居民群众的赞誉。

（四）培养社区居民的民主参与意识和参与能力

经过 2013 年一年的筹备与建设，大栅栏街道利用培英胡同 40 米宽的墙面，大篇幅宣传石头社区助老服务事迹，如今已经成为社区孝文化建设的一道风景，一个传播孝道文化的窗口，大力宣传社区助老爱老、传递志愿精神，使社区形成友爱和谐的氛围，促进了社区和睦。在石头社区的影响和带动下，大栅栏街道其他 8 个社区按照石头助老服务队的工作模式，先后成立了助老服务队，为社区老年人提供日间照料和精神陪伴，同时，大栅栏街道“银鹤居家养老服务中心”为地区空巢老人提供配送餐服务。十余支助老服务组织共同活跃在大栅栏地区的大街小巷，推动了大栅栏地区为老服务事业的发展。

（五）社会关注推动社区功能整体提升

石头社区助老服务队的志愿服务在北京电视台、北京晚报、北京青年报等多家媒体进行了报道，石头社区助老服务队先后获得“优秀社区服务志愿组织”、爱在西城“慈善公益团队奖”、“首都社区志愿服务组织之星”等荣誉称号。2014 年石头社区党委被列为北京市创建基础服务型党组织的示范社区，以此为契机，石头社区助老服务事业将得到进一步提高发展。

四　四大举措促进社区社会组织发展

（一）培育社区社会组织要挖掘组织优势

社区社会组织是社区中的居民以居民需求为起点，以社区资源为依托，在社区党委的培育下，紧密结合社区特点自发形成的公益服务团体。它以其草根性、多元性、灵活性和自治性的特点成为服务居民群众、参与社区治理的重要力量和社区工作的重要载体。但是，社区社会组织起步艰难，培育发展是一项系统工程，石头社区党委以政府社会组织培育的相关意见为指导，充分发挥社区社会组织在社区中整合资源、提供优质服务等方面作用，在实际的筑牢服务开展过程中显示出强大的活力和生命力，逐渐成为政府职能转移主要的承接平台、服务社会和民众的有效组织构成和精神文明建设的主要载体，在激发社区活力、反映公众诉求、整合社会力量、化解社区矛盾等方面成为一支不可忽视的社会力量。

（二）培育社区社会组织要创新组织发展模式

石头社区老年人比例较大，老年人对情感支持、家庭支持和安全的生活需求凸显。石头社区党委因势利导，从居民的需求出发组建了“石头社区助老服务队”，并协助服务队建立健全组织机构和完善规章制度。同时将居民自发组建的志愿队纳入社区管理和党建工作之中，探索“组织 + 支部”的社区 - 社会组织联动机制。这种机制能够将社区志愿资源、居民志愿精神和社区工作、党建工作有机地结合起来。石头社区这一创新模式不仅惠及本社区的老年人群体，而且也培养了社区居民的民主参与意识和参与能力。这一模式是当前应对普遍老龄化社会居家养老的一种有益尝试，低龄老人服务高龄老人是时代传承选择，是能够为其他社区所借鉴和推广的。因此，它对街道乃至西城区都产生特色服务组织示范引领作用，从而带动了社区志愿服务蓬勃发展。

（三）培育社区社会组织要实现组织的多元化、服务化和专业化

社区社会组织的培育发展是一项系统工程，为确保社区社会组织的健康、有序发展，就要求社区工作者不断地更新观念，从不同角度对社会组织提供支持，不仅需要资金的扶持，也需要文化支持，不仅需要培育发展，也需要监督管理，整合诸多因素共同构成社会组织发育、发展的土壤和环境。而这一过程即是社区社会组织逐步完成专业化、服务化和本土化的进程。

（四）培育社区社会组织要注重发挥领导核心作用和专业指导作用

社区党委既是组织领导核心又是专业指导中心，其领导干部要有专业的社会工作理念和丰富的实践经验，带领社区党委、居委会将专业的社区社会理念融入具体工作中，对社区社会工作领域的发展方向有正确的认识和理解，认识到社区社会组织在社区建设中的重要性，将社区社会组织的培育提升到社区特色党建工作的高度来抓。社区党委时刻关注并着力解决社区社会组织发展中的困难和问题，不断总结完善社区社会组织管理机制，为加强指导性，始终坚持社区党委书记亲自抓班子，定期召开联席会、经验分享会和工作总结会，及时了解社区社会组织的状况，整合社区资源，促进社区社会组织的健康发展。

参考文献

《社区社会组织在社会管理创新中的作用探讨——以招宝山街道为例》，镇海新闻网，2012。

涂才江：《社区社会组织发展战略思考》，《社团管理研究》2012 年第 4 期。

《凝聚在党身边　服务到心坎里》，西城党建网，2014。

案例报告

Case Reports

B.12

创新特殊困难群体服务

——以大栅栏街道完善综合救助服务体系为例

摘　要：特殊群体服务覆盖面广，政策性强，社会影响大。社会对于特殊群体的态度，反映了社会思想观念与价值取向的朝向，可以将主导性社会资源分配机制和社会生活与社会发展状况如实地呈现出来。积极关注特殊群体，加大特殊群体服务力度，才能从根本上推动中国社会的进步。为此，大栅栏街道建立全方位、多层次、多渠道的综合救助模式，推进特殊群体服务的发展，为其他地区提供了可借鉴经验。

关键词：社会救助　特殊困难群体　大栅栏街道

特殊群体一直没有明确的界定。随着社会的发展，特殊群体的外延不断扩大，从最初的等同于弱势群体，到后来变化为弱势群体、优抚对象和边缘人群三种人群的统一。弱势群体一般包括失业人员、农民工、残障人群等在内的，在生活上存在困难或者社会权益没有保障的社会人群和个体；优抚对象则是指国家通过特殊政策对现役军人及其家属和革命伤残军人、复员军人及因公牺牲军人的家属等进行扶持；边缘人群是指在社会经济形态、收入结构和宗教信仰等方面相对于主流社会存在较大差异，偏离主流社会正常的生产、生活方式，甚至给主流社会带来恶劣影响的非主流社会人群。本文以街道综合救助体系为切入点，深入剖析大栅栏地区特殊群体服务的运行机制和成功之道。

党的十八大报告提出“加强和创新社会管理……完善和创新流动人口和特殊人群管理服务……开创社会和谐人人有责、和谐社会人人共享的生动局面”，十八届四中全会再次提出“建立健全社会组织参与社会事务、维护公共利益、救助困难群众、帮教特殊人群、预防违法犯罪的机制和制度化渠道。”这些都反映了社会对于特殊群体的态度以及社会思想观念与价值取向。只有积极关注特殊群体，加大特殊群体服务力度，才能推动中国社会的发展和进步；只有充分具备服务特殊群体的精神和能力，才能保障特殊群体的利益以及公共文化服务的公益性、本质性、均等性和便利性。建立长效稳定的服务机制，是特殊群体服务科学化、常态化和规范化的内在要求。

一　特殊群体公共服务的意义

（一）特殊群体服务是社会发展的“晴雨表”

特殊群体服务以社会救助为代表，是满足困难者及其家庭成员在生理、心理上的基本需求而提供社会认可的帮扶。特殊群体服务涉及面广，政策性强，社会影响大，将社会思想观念与价值取向最大限度地呈现出来，是主导性社会资源分配机制和社会生活与社会发展状况的“晴雨表”。

（二）加强特殊群体公共服务有利于社会的稳定与和谐

当前我国正处于社会转型时期，社会矛盾凸显，容易产生暴力犯罪事件，而特殊群体是各种暴力事件突发的高危人群。由于特殊群体往往会受到社会的歧视与偏见，其社会权益又无法得到保障，这些都会加剧他们的不平衡感。当特殊群体的生存与发展所需无法得到基本满足时，便会不顾一切地去攫取，哪怕是冒着生命的危险，这样就会诱发各种犯罪行为的频繁发生，对社会的和谐稳定造成不良影响。因此，要正确处理特殊群体服务管理中的各种矛盾问题，促进特殊人群的经济立足、社会接纳、身份认同和文化交融，消除特殊人群的心理障碍，促使其能够积极主动地融入社会，促进社会的良性运行和稳定发展。

（三）提高特殊人群的公共服务水平有助于实现社会公平

社会公平体现了社会制度的巨大进步，是对人类生存基本权利尊重的一种体现，有利于维护社会稳定，有利于调动人们的积极性，激励人们在公平公正的环境里提升个人人格，有利于激发人们的创造性。然而，特殊人群往往在生活中很难享受社会公平。尽管我们一直在强调包括残疾人等在内的特殊群体与其他人一样在法律上是同等的权利主体，一样享有平等的机会，同样享有经济和社会发展的成果，但实际生活中他们往往享受不到平等的待遇。例如残疾人士因身体缺陷，常会受到别人的歧视，在起点上就很难实现社会公平，起点的不公平导致过程公平难以实现，最后结果必然不能公平，这就需要进行再次分配推进社会公平。加快公共服务体系建设是构建公平的再分配体制的重要保障，因此，必须要加强特殊人群的公共服务以实现社会公平。

二　大栅栏街道针对特殊群体的多元化救助服务模式

大栅栏地区为推进特殊群体服务体系建设，以“大调整，大整合、大集成、大共享”作为服务理念，加强对民生领域的倾斜力度，将服务内容向民生领域靠拢，打造出了与现阶段发展状况相适应的街道综合救助工作新体系。以逐步形成“贫有所济，难有所帮，病有所救，幼有所扶，少有所学，青有所为，老有所养”的衣、食、住、医、教等全方位、多层次、多渠道的救助模式为目标，进一步建立和完善“街道负总责、管理归部门、社会齐参与、社区共实施”的街道社会救助管理体制和运行机制，实现整合资源、完善体系与机制、共享信息，形成社会救助的合力，从而降低救助成本，避免重复救助，遗漏救助现象，实现救助无盲点，让全街道困难群体在保民生中真正得到实惠。

（一）政府资源整合下的高效运行机制

按照区民政局的工作部署，大栅栏街道整合了街道各部门的社会救助资源，建立了相对完善的组织机构、工作制度，综合救助工作稳步推进。

1. 建立综合救助组织管理体系

大栅栏成立了街道综合救助领导小组，由街道办事处主要领导任组长，街道民政科、残联、计生、人大办、社保所、妇联、团工委、工会、红会、住保办、综治办、司法所、劳动科、财政科等14个科室均为领导小组成员。领导小组成立了综合救助办公室，设在民政科，负责协调街道相关科室开展工作，从而形成了以民政科为牵头统筹协调、各部门各负其责的综合救助组织管理体系，初步形成区街纵向衔接、科室横向贯通的综合救助组织构架。

2. 规范救助工作的运行机制

为确保综合救助工作落到实处，街道综合救助领导小组制定了《关于成立综合救助工作领导小组实施意见》，明确了相关科室的主要职责和工作任务。制定《大栅栏街道综合救助领导小组例会制度》和《会商制度》，指导和协调全街道综合救助以及重点时期的慰问工作，对个案进行讨论和制定救助方案。使得综合救助工作有章可循，不仅规范了综合救助工作流程，而且整合了社会救助资源，强化了救助资金的管理，保证了各项救助政策合理

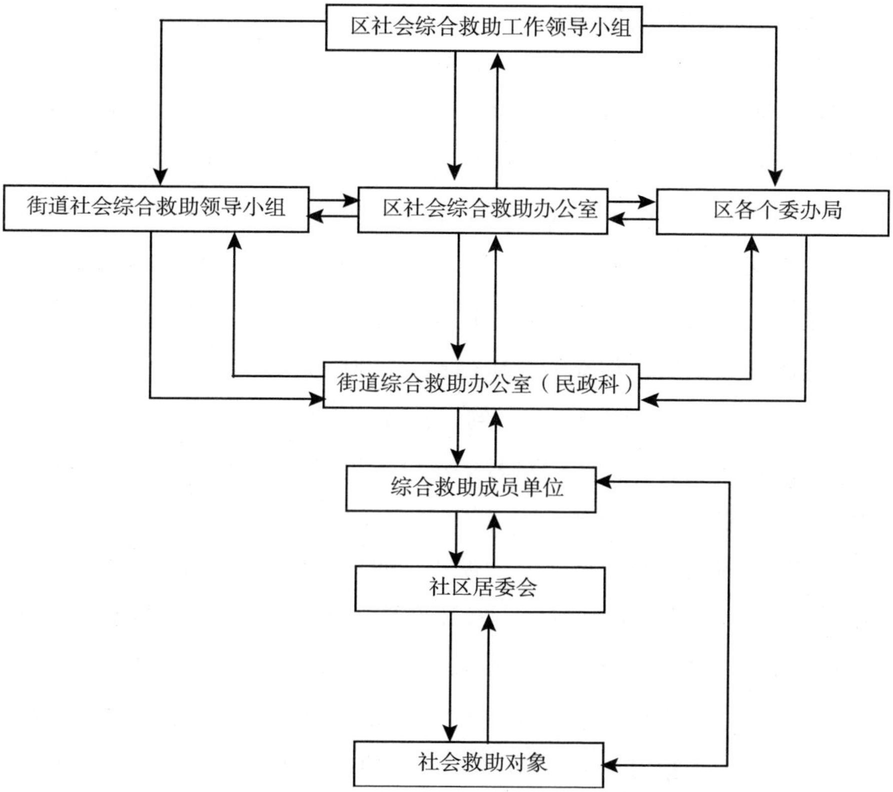

图 1　大栅栏街道综合救助组织机构流程

衔接。结合新颁布的《社会救助暂行办法》，指导成员单位和社区救助工作者开展社会救助专题培训，实现政策的及时传达和实施，并适时开展业务交流，着力提升工作人员的素质。街道按照市区要求，新成立了“一门受理”窗口，整合救助接待流程，制定了社会救助分转机制，进一步畅通了群众的救助申请渠道。

3. 建立综合救助信息化平台

2014 年，街道综合救助办公室加大对相关科室利用信息平台的指导力度，制定救助数据月报告制度，进一步强化信息化平台的应用，初步实现了救助对象数据的动态管理和信息共享，有利于各科室之间的协调和联动。有效克服重复救助、遗漏和救助不到位的现象。

4. 建立主动救助工作机制

国务院出台 649 号令《社会救助暂行办法》，对社会救助工作提出了更高的要求。救助工作一定要坚持托底线、救急难，杜绝突破道德底线的事件发生。这就要求综合救助工作更要强化功能，变被动救助为主动救助，预防社会矛盾发生，托住民生底线。关于主动救助工作，大栅栏街道采取三项具体措施来实施。

一是建立低保低收入人员医疗救助预警机制。针对低保低收入人员在社保所享受医疗救助后，年救助金额门诊满 2000 元或住院满 30000 元的；以及救助后个人负担金额满 5000 元的，社保所对此类人员筛查列出名单给综救办和社区发布预警，社区针对名单入户核实困难情况，符合相关救助标准的主动协助当事人申请救助。

二是构建特困群众网格化发现模式。通过对社区全响应网格管理平台的利用，以街道 60 个网格为基础，以社区楼门院长为依托，结合“访听解”的工作要求，充分发挥网格管理员作为辖区“活档案、活地图”的优势作用，及时发现并有效解决网格内特困群众的特殊需求，并为其主动解释政策，及时将情况上报社区和综救办，社区协助当事人申请救助以解决实际困难。

三是建立特困群众救助跟踪机制。社区要建立特困群众尤其是患有重大疾病群众的救助情况台账，对于已享受过大额（5000 元以上）临时救助或“春雨”救助、城乡特困重大疾病的群众进行跟踪，定期巡查其家庭在生活、医疗方面的动态，为主动救助的实施提供可靠依据。

（二）以助残为代表建立起社会资源的多元参与机制

助残服务是大栅栏地区共驻共建、和谐发展的重要标志之一。自 1983 年第一份“综合包户”协议签订之日，“综合包户”成为大栅栏街道志愿服务的一张名片。目前，志愿助残精神已经潜移默化地成为大栅栏精神文化体系的重要组成部分。经过长期以来的不断努力，大栅栏地区已经逐步形成了“属地统筹，助残志愿组织参与，社会协同，服务贴近民需”的工作新格局。

1. 党建统筹，带动社会力量参与救助帮困

近年来，大栅栏街道工委、办事处结合地区实际，提出了“构建活力党建，打造魅力街区，建设和谐大栅栏”的总体目标，搭建“党建统筹、安全稳定、城市管理、公共服务”四大平台，不断提升统筹地区发展、服务改善民生的能力和水平。街道以区域化党建为统领，充分发挥统筹地区发展的职能和作用，对志愿服务工作进行通盘考虑、统筹谋划，充分挖掘地区人大、政协、统战人士资源，主动上门，广泛发动辖区的企业、单位、部队发挥行业优势，参与志愿助残服务，与76名困难残疾人签订了帮扶协议。引智借力，加大社会协同，发挥区域化党建的优势，宣传志愿服务理念，引导区域党组织参与志愿服务活动，把志愿服务作为公共服务的有益补充。

2. 结对帮扶，确保救助帮扶实效和长效

街道结合各行业志愿者服务资源和残疾人需求状况，根据就近、便利原则，发挥助残志愿者所长，通过“一助一”“多助一”结对子服务等方式，签订帮扶协议，讲求助残实效。如北京铁路公安处特警队自2000年起，与大安澜营社区肢体重残人赵某签订了一助一助残协议，特警队员们每年都定期为赵某打扫卫生、房顶做防水、地面修地板，逢年过节还送去慰问品；步瀛斋鞋帽有限公司与肢体重残人张某、马某结成帮扶对子，日常关心他们的生活，送去一些生活必需品；谦祥益丝绸有限责任公司与植物人张某结成一助一帮扶对子；同仁堂、金路百货、大栅栏城管分队等单位都纷纷与残疾人结成一助一对子，扶残助残志愿者积极为残疾人解决困难，使残疾人得到及时救助，有效缓解了社会压力，对保持稳定，建设和谐社会起到积极促进作用。

3. 专业力量，提高救助服务的针对性和科学性

街道还注重引入专业化的社会服务资源，提升残疾人专业康复服务能力。服务内容涉及残疾人的日常生活、工作、学习、康复和文化体育等多个方面，为各类残疾人开展专业康复服务：与社区卫生服务中心合作建立肢体

残疾人康复室，为20余名肢体残疾人开展康复训练；配合社区卫生服务中心，为辖区内重残、无业残疾人免费体检、入户体检；引进悦群社工资源，为30名精残人士开展居家与社区康复；邀请中央音乐学院老师为智力残疾人开展音乐疗法训练；结合国际盲人节，为视力残疾人开展超市购物训练和盲人定向行走训练。

4. 孵化品牌，有效传播志愿服务精神

加大统筹培育力度，加强对志愿服务品牌活动的孵化，不断创新志愿助残服务的载体和形式，形成与公共服务互联互促、互通互补的良好态势。趣味运动会是残联文体活动的传统项目，自2008年大栅栏街道残联第一届残疾人趣味运动会成功举办以来，已连续举办五届。在志愿者的帮助下，精心设计适合残疾人的文化体育活动项目，辅导残疾人开展运动，满足了残疾人的文体活动需求，有利于在活动中康复身心。此外，大安澜营社区肢体重残人宋玉琴自2006年起，参加布贴画培训班，作品多次代表街道，参加市、区大赛并获奖。宋玉琴在大安澜营社区成立了“澜馨布工坊”，指导教授更多的残疾人学习布贴画技能，使更多残疾人掌握生存技能，成为街道自助并互助服务的代表性人物。

5. 搭建载体，完善参与渠道和平台

一是利用街道温馨家园的优势资源，由专人管理负责，常年开展各项活动，为地区残疾人提供细致、周到的服务。2012年开始，聘请地区手工大师、“非遗”传承人——张忠强、张阔两位老师，教授残疾人学做“兔爷”和木版年画制作，普及老北京手工技艺。残疾人做出的作品，在琉璃厂门市、厂甸庙会进行展示、售卖。二是与社区卫生服务中心协作，由社区卫生服务中心腾出一处办公用房，义务创建了肢体残疾人康复室，选派两名经专门培训过的专业大夫，免费为因脑梗造成的偏瘫残疾人进行康复服务，已有30多名残疾人享受了这项康复服务。三是街道于2013年协调多方，认真选址，总投入约100万元，在交通相对便利、人口密集的大力胡同建起一所专门为地区高龄老人、残疾人等特困、特殊群体提供洗浴服务的“爱心互助浴池”，服务面积约150平方米。作为大栅栏街道便民服务圈的重要组成部分，于 2014 年 1 月对外开放，这是一所助老、助残专属浴池，主要为符合条件的老年群体和残疾群体提供免费的洗浴服务。“爱心互助浴池”通过“一对一”亲情陪伴的服务方式和服务体验，不断推崇让子女尽孝、让社会尽责的良好风尚，弘扬了奉献、友爱和互助的志愿服务精神。

三　大栅栏街道特殊群体服务取得的成效

大栅栏街道综合救助工作在保障地区民生、统筹社会救助、化解社会矛盾等方面发挥积极的作用。

（一）救助和服务程序逐步规范

综合救助组织体系建立以来，救助程序经过规范之后，使得综合救助工作有章可循，不仅规范了综合救助工作流程，而且整合了社会化救助资源，强化了救助资金的管理，保证了各项救助政策合理衔接。新成立的“一门受理”窗口进一步畅通了群众的救助申请渠道。

（二）综合救助和服务效能大幅提高

综合救助组织管理体系的确立和信息化平台的使用，较好整合了救助主体和救助资源，实现了救助对象数据的动态管理和信息共享，从而打破了过去多头管理、各自为政、相互脱节的运行机制，有利于各科室之间的协调和联动，使有效的救助资源得到合理高效的利用，有效克服重复救助、遗漏和救助不到位的现象。

一是常规救助实现了整合高效。目前街道共涉及救助项目 57 项（其中常规救助 26 项，临时救助 31 项），慰问项目 18 项。各职能部门遵循“首问责任制”和“应救尽救”原则，严格按照本部门救助政策，公平公正的给予困难群体充分的救助。在困难群众同时符合多个部门的多项救助政策时，综合救助办公室再根据困难程度确定救助力度，防止重复救助、过度救助以及救助力度不够的现象。

二是慰问活动实现了统筹协调。在大项慰问活动中，综救办提前对各部门的慰问项目和标准进行登记，汇总成表发放给社区，指导各社区合理安排慰问对象，依据困难程度排序确定适用的慰问项目。同时，综合救助办公室对社区上报的各项慰问人员名单再次进行筛查，遇到重复人员一一与各部门和社区进行核实和调整，确保不重复、不遗漏特困人员。

三是个案救助实现了切实有效。利用综合救助平台的会商机制对特殊困难群众开展个案救助，利用成员单位多渠道解决群众困难。针对特殊困难居民的问题，多次召开综合救助会商会议，合理利用多项政策多渠道解决其生活看病困难，既有效解决基本民生保障，又不突破政策，并且化解了矛盾。为地区“三无”人员办理集中供养，保障基本生活服务。

四是社会力量成为有益补充。街道综合救助各成员单位在政策救助项目之外，不断吸纳新的救助资源作为政府救助的补充。人大办联络地区老字号企业和民建西城区委，为地区捐款用以扶助地区孤儿、特困学生；爱心企业和民主党派的捐赠丰富了民生保障工作的资金渠道；社会志愿者和社会组织参与具体救助服务的实施，有效补充了政府服务力量的不足，提高了救助工作的社会参与度。

五是救助工作内涵不断拓展。救助不仅是给困难群众提供物质帮助，根本是要解决群众困难。综合救助平台积极借助社会组织的专业力量，利用晨夕法律服务站对地区 12 名特困老人开展以房养老帮助；对特殊群体中的一些边缘群体进行心理辅导，取得了较好效果。利用慈善协会平台开展义工助老服务，为地区 40 名半自理老人提供家务管理、心理慰藉服务。

六是社会矛盾得到柔性化解。社会救助是社会稳定的“稳压器”，尤其是特殊群体中一些具有不稳定因素的少数边缘群体一方面是要“控”，另一方面是要“稳”，对于这部分人群在生活方面的帮困就是综合救助在“稳”字上的工作点。街道对地区多名两牢释放人员给予办理低保、医保、临时救助，解决了边缘群体的生存顾虑，消除了其不稳定隐患。

四 大栅栏地区创新特殊群体服务的经验启示

（一）通过建立系统的管理体制和运行机制，整合了服务特殊群体的政府职能

目前，我国针对特殊群体的救助与服务呈现出多龙治水的局面，涉及财政、民政、卫生、劳动、残联等多个部门，都有各自的资金、政策和人员。特殊群体由于其特殊性和个体差异性，往往会需要多个部门的救助服务并存在个案的区别对待。因此，政出多门的情况下，不仅不利于各部门间协同配合，还大大降低了救助效率，增加了运行成本。

有效的特殊群体服务体系应在管理结构上呈现出一定的层次性和开放性。大栅栏街道的综合救助组织管理体系是在整合了街道各部门的社会救助资源下形成的全方位、多层次、多渠道的组织机构和工作制度。该制度区街纵向衔接、科室横向贯通，是一项系统科学的管理体制运行机制。实现了救助制度的功能整合，救助政策的整合配套使用，救助行政工作的有效衔接，以及救助服务工作的机制联动，有利于解决救助服务过程中出现遗漏和重复的现象。

（二）通过创新服务新路径，整合了社会救助的服务资源

创新是特殊群体服务经久不衰的源泉，随着特殊群体需求的多元化发展，社会救助的重点不但要从政府救助向社会化救助方式转变，而且要从生活救助向能力救助方式转变。以往政府包办的方式存在很多问题，一是难以满足更为多元和广泛的需求，二是涉及残疾人等专业化的需求往往力不从心。这就需要鼓励社会力量参与特殊群体服务事业的发展，来作为政府服务的有益补充。

大栅栏街道广泛动员社会力量，通过募捐等形式吸纳社会资金和物质资源等救助和帮助特殊群体，发展志愿服务，引入专业社会机构和社会组织参

与特殊群体的救助和服务，拓宽了除政府以外的资金资源、实物资源和服务资源。此外，社会力量的补充，弥补了政府单一主体下，专业性不足的问题，如大栅栏街道的专业医疗康复训练、心理辅导、生存技能的培养等服务，实现了政府实物救助与社会专业服务的结合，从以往的消极救助和服务正逐步向积极救助和服务转变。

（三）通过搭建信息平台，整合了服务特殊群体的信息资源

针对特殊群体的社会救助是一项复杂细致、涉及面宽的工作，传统的人工操作效率低下，整合利用程度低，不利于跨部门工作的协调。整合社会救助信息资源，成为推动社会救助效率的重要途径。

大栅栏街道建立了综合救助信息平台，实现了社会救助信息的跨区域和跨部门整合，方便各部门及时、准确和动态掌握救助信息，信息的整合从而带动了资源的整合。网络化的管理提升了管理效率，提高了透明度，有利于社会救助制度的运行监督，实现了社会救助管理服务的整合化、规范化和现代化。同时，动态信息的更新和捕捉，使得以往被动式的救助变为主动发现问题，采取相应措施的主动救助。

参考文献

大栅栏街道：《大栅栏街道关于成立综合救助工作领导小组实施方案》，2013。

大栅栏街道：《大栅栏街道 2014 年综合救助工作情况汇报》，2014。

大栅栏街道：《大栅栏街道综合救助成员单位 2014 年救助情况统计表》，2014。

大栅栏街道：《我街道多项志愿助残服务措施关爱帮扶残疾人》，2015。

大栅栏街道残联：《大栅栏街道残联 2013～2014 年文体活动开展情况》，2015。

大栅栏街道残联：《扶残助残　志愿先行　让爱的阳光照亮每一名残疾人的心——大栅栏街道志愿助残工作情况汇报》，2015。

天津市北辰区财政局：《关于构建社会综合救助帮困体系的思考》，《天津经济》2010 年第 10 期。

张彦军：《国外社会救助经验对我国的启示》，《理论探索》2011 年第 2 期。

B.13

大栅栏街道“三环式”企业退休人员社会化管理模式

摘　要：　随着我国老龄人口的不断增加，家庭机构的缩小，传统的家庭养老功能不断弱化，老年人问题日益凸显。为此，我国政府近年来大力推进退休人员进入社区实行社会化管理服务工作。大栅栏街道通过建立以管理服务中心规划协调为内环、社区工作站牵头推进为中环、自管组织互助服务为外环的“三环式”联动配合管理服务网络工作机制，为企业退休人员服务。大栅栏街道社会化退休人员建立街道级退休人员社会化管理服务中心，实施以自管组织为圆心的“三环式”社会化管理模式，为企业退休人员社会化管理提供可借鉴经验。

关键词：　退休人员　自管组织　社会保障体系　大栅栏街道

一　我国企业退休人员社会化管理服务的意义

中央下发的《关于积极推进企业退休人员社会化管理服务工作的意见》中提出了已经退休的单位员工要实行属地化管理，由所在街道社区提供相应的管理和服务。为了给企业退休人员的晚年提供一个安定舒适的生活环境，探索和完善退休人员的社会化管理服务体系是非常必要的。

1. 有助于提高退休人员晚年生活质量

随着社会的发展，我国人口老龄化问题愈加严重。医学的发展延长了人的寿命，严格的计划生育政策，又抑制了新增人口数量，老年人口在总人口中的比例越来越高。这使得退休人员规模不断扩大，继而产生养老金发放、退休人员日常管理和服务等问题，加大了养老保障压力。企业负担养老保险统筹和养老金发放会影响企业生产经营和发展。而由社会保障机构统筹养老保险既能减轻企业负担又能确保养老金按时发放，使他们的晚年生活在经济上得到保障。同时，系统的组织管理和全面的服务还可以确保他们在晚年生活中得到精神上的满足。因此，实施退休人员社会化管理有助于提高他们的生活质量。

2. 有助于健全社会保障体系

随着市场经济制度的完善，社会保障体系建设也应该不断更新和完善，企业退休人员的社会管理服务是社会保障体系的重要内容，根据现代社会的发展理念和以人为本的观念，建立并完善退休人员社会化的管理服务体系是社会发展的必然趋势。企业退休人员社会管理服务的健全，有助于完善社会的保障体系和提高社会保障的服务水平，减轻社会保障体系的工作负担，是现代社会发展的一种趋势。

3. 有助于构建社会主义和谐社会

我国是社会主义国家，企业员工为国家和社会的发展做出了巨大的贡献，应当享有幸福、安定的晚年生活，而企业主要任务应该是生产经营，容易忽略员工退休后的生活，这样容易造成社会的不稳定。因此，需要将企业退休人员的日常管理服务工作从企业的生产经营活动中剥离出来，由政府建立专门管理服务机构，并引入市场化运行机制，动员全社会的力量，向退休人员提供基本的经济保障、医疗保健、日常生活照料、文化娱乐、精神慰藉等全方位的社会化管理服务，实现退休人员老有所养、老有所医、老有所乐，有助于实现社会的和谐、稳定发展。

二　大栅栏街道以做实自管组织为核心的退休人员社会化管理的实践经验

（一）模式探索前的现实状况

大栅栏街道现有社会化退休人员 4924 人，按户口所在地分属到 9 个社区居委会，辖区内居住人数约为 1500 人，占总人数的 30%，其中 70 岁以上高龄、鳏寡、重病、失独、特困等老人 286 人。为更好地给社会化退休人员提供服务，大栅栏街道社保所以胡同为管理单位划分，共建自管组织 36 个，文体队伍 3 支，分别为舞蹈队、书画队、民乐队。9 个社区居委会有各自特色的文体娱乐组织及互助帮扶组织共计 77 个，其中文体娱乐组织涉及声乐、舞蹈、棋牌、书画、乒乓球、健身操等，帮扶互助组织以高龄、特困、失独等老人为主。

社会化退休人员的管理模式除了依靠街道劳动保障事务机构和社区服务人员管理外，主要以自管组织模式管理，即退休人员根据自身兴趣相同或居住较近组织、开展自我管理和各项娱乐、互助活动小组。自管组织根据企业退休人员的爱好和个人情况，选择本小组中责任心强并且热心公益事业的人员作为小组的组长，定期开展退休人员的生活、学习和文体娱乐等互助服务活动。

现阶段尽管自管组织发展比较好，但是仍存在一些问题。

1. 专项资金匮乏问题

一直以来西城区按每人 40 元标准拨付社会化退休人员专项经费，该项目资金用于社会化退休人员慰问及文体娱乐活动使用。此项经费多年来拨付标准始终未发生变化，但随着近几年消费水平的不断增长，每人仅 40 元的经费标准已无法满足社会化退休人员广泛化、多样化、精细化服务的要求。

大栅栏街道社保所为了丰富社会化退休人员的生活，组织了多种多样的有益于老年朋友的文体娱乐活动，但由于经费不足等原因，每次参加活动的社会化退休人员人数都受到一定程度的限制，致使一些社会化退休人员无法参与到活动中来，无形中使一部分退休人员利益受到损失，无法达到社会化退休人员经费全员享受的要求，与最初目标相差甚远。

社保所建立的三支精品自管队伍，即舞蹈队、书画队、民乐队，这些组织不仅受到大家的喜爱和一致好评，同时在参加各项活动中还获得了多种奖项，但是受到经费的限制，队伍多年来都没有得到更深层次、更进一步的发展，成为阻碍队伍发展的瓶颈；由于经费短缺的原因，队伍节目的创新及人员专业培训工作更是难以进行，仅凭组员的热情很难发展壮大，自管组织的专业化发展面临严峻的考验。

2. 缺乏专职管理人员

大栅栏街道社保所现有正式在编工作人员 4 名，其工作内容涉及医药费报销、社保卡、灵活就业及失业人员退休审批、社会化退休人员管理等业务工作，除了每天的日常业务处理外基本没有更多的时间和精力用于发展壮大自管组织及精细化服务，大大阻碍了自管组织的发展和社会积极性的调动。另外，街道社会化退休人员基数大，每年新增人员增速快，社保所现有专职负责人员缺乏及时对社会化退休人员的信息搜集整理、动态管理，无法做到及时沟通和深入了解。

社会化退休人员自管组织由于其组织者和管理者都是属于志愿者性质，无任何报酬，自管组织除了有限的活动经费再无其他经济来源。这样随着时间的推移，自管组织的志愿管理者随着年龄不断增加，体力和精力都不断下降，但自管组织的活动需求、管理难度却每年都在增加，管理者的更新换代、人员更替就成为各个自管组织都需要面对的问题。由于其岗位的重要性和公益性，愿意承担并能够胜任此位置的人员并不多，加之自管组织的自发性，前期没有刻意培养接班人的意识，这都给自管组织自身可持续发展带来一定难度。以“秀舞坊”自管组织为例，其管理者已 70 多岁高龄，并患有较严重的颈椎病，但由于暂无继任者，自管组织的活动目前明显减少。

3. 社会化退休人员人户分离

由于退休人员社会化管理是按照户籍所在地分至所属街道各社区管理，

而大栅栏地区老旧小区集中，拆迁和腾退的居民较多，但大部分人搬迁后并没有及时变更户口，致使人户分离情况比较严重。大栅栏街道现有退休人员中70%存在户在人不在的情况。社保所在开展社会化退休人员各项活动时，居住在本地的社会化退休人员相对参加概率较大，而人户分离的退休人员由于距离远而不能及时参加或根本没机会参加。另外，由于人户分离问题，社会化退休人员如果个人情况发生变化或者遇到生活困难，也不便及时被了解，因此也得不到及时问候和关怀。

（二）社会化管理模式的关键在于各主体间的互动互促

社会化管理就是服务和管理的社会化，企业退休人员的社会化管理服务也就是由政府组织，通过与社会力量展开合作，优势互补，共同进行退休人员的管理与服务工作，将退休人员的管理从以前由企业独自承担转变为一项社会性事务。它是生产社会化和社会现代化的内生制度。因此，政府与所借助的社会力量如何在管理服务过程中发挥各自优势，建立联动机制共同推进企业退休人员的管理与服务工作是实施社会化管理的关键所在。

大栅栏街道以全面落实科学发展观为指导，围绕服务百姓民生、促进地区和谐为工作出发点和立足点；以创新社会化退休人员管理服务方式为重点；以维护社会稳定和不断提高社会化退休人员的幸福指数为宗旨。充分利用社区资源，成立北京市首家街道级退休人员社会化管理服务中心，该中心通过建立健全社会化退休人员管理服务组织和网络，搭建与服务精细化相适应的社会化退休人员管理服务体系，实现全社会化退休人员老有所养、老有所医、老有所教、老有所学、老有所为、老有所乐的全程服务。

1. 构建多元主体参与下的社会化管理工作体系

为了更加便于大栅栏街道自管组织的自我管理及服务，使社会化退休人员真正成为组织的主人和核心力量，使组织内的活动真正适合社会化退休人员的要求，同时解决社保所专职工作人员短缺的问题，街道成立了全市首家街道级社会化退休人员管理服务中心。管理服务中心采用“三环式”管理服务模式，以西城区大栅栏街道社保所为指导中心，社区工作站为纽带，自管组织为骨干，建立以街道企业退休人员管理服务中心（以下简称管理服务中心）规划协调为内环、社区工作站牵头推进为中环、自管组织互助服务为外环的“三环式”联动配合管理服务网络工作体系。外环由 5 位有经验、有能力、有精力的社会化退休人员组成了自管领导小组，分别管理 9 个社区，每个社区根据胡同式管理模式，共建立了 38 个自管小组，分别由 38 个自管小组长负责管理。一旦有新的政策宣传、新的活动开展，就可以由该中心快速、准确地传达出去，最大可能地使大栅栏辖区管理的每一位社会化退休人员尽早了解和参与进来。

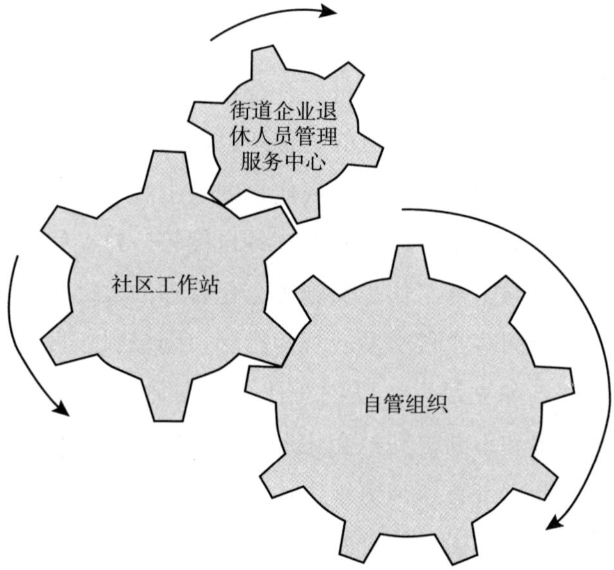

图 1　大栅栏街道“三环式”企业退休人员社会化管理模式示意

“三环式”联动配合管理服务网络工作体系在街道社保所的指导下，按照统一管理、统一规划、分类指导、稳步推进的原则，开展街道社会化管理服务各项工作。

一是社保所负责社会化退休人员的统筹指导工作；负责指导管理服务中心开展社会化退休人员各项文娱活动；负责社会化退休人员各项活动经费使用的监督和审核。

二是管理服务中心负责制定并完善中心各项工作职责；指导社区工作站建立社会化退休人员自管组织，开展社会化退休人员的各项文娱活动；培育组建社会化退休人员（退休秀舞坊，退休民乐团，退休书画社）等文化娱乐团体，为发展社区社会化退休人员“一居一特”奠定基础。

三是各社区工作站协助管理服务中心培育社会化退休人员自管组织；指导社会化协管员做好社会化退休人员各项工作。

四是做好社会化退休人员的管理和服务工作；配合管理服务中心、社区工作站做好社会化退休人员自管组织的建立；指导自管组织开展好各项活动。

2. 扶持、规范并激励作为中坚力量的自管组织

强化自管组织自主管理运行机制和保障措施。

一是规范管理和运行机制。大栅栏街道建立以“自我管理、互助服务”的组织原则，在会员制的基础上成立属地胡同式自管组织，按照相对集中、便于管理的原则，各社区根据退休人员的居住情况划分若干个小组，并选择责任心强、热心公益事业、身体条件较好的退休人员担任正、副组长各一名，负责社会化退休人员小组活动的召集、组织、实施等服务工作。对高龄、空巢、重病、残疾、失独及生活困难的社退人员提供帮助和服务。另外，各社区居委会根据自身特色和优势，组建不同规模、不同形式的文体小组，使广大社会化退休人员增加沟通交流平台的同时，既锻炼了身体又丰富了业余生活，在其乐融融的气氛中共享快乐的晚年生活。

二是建立专项资金保障运营。社保所负责社会化退休人员管理服务专项资金的保障与落实，并建立专项资金进行管理核算，该项目资金只用于社会化退休人员慰问及活动使用。

三是建立考核与激励机制。大栅栏街道为进一步规范和提高大栅栏街道社会化退休人员管理服务工作水平，根据《大栅栏街道退休人员社会化管理服务中心的工作职责》的要求制定《大栅栏街道社会化退休协管员工作考核办法》。该办法根据百分制计分，分日常基础工作考核、咨询及开展活动考核，提升工作考核。考核办法的制定依据《大栅栏街道社会化退休协

管员职责》相关内容并与平时工作表现相结合，最终评定的分值作为年度考核评优和其他工作考核的依据（见表 1）。

表 1　社会化退休协管员工作考核表

类别	考核项目	分值	得分
日常管理指标	制订年度工作计划	5	
	年度工作总结	5	
	完成 13 册台账的完整记录，底数明	12	
	舆情信息采集动态管理	6	
	日常工作信息报送（每年不少于 6 篇）	6	
	社会化退休人员自管小组管理	8	
	走访慰问记录（新增退休人员 10 日内走访）	5	
	领取养老待遇资格认证	7	
	领取养老待遇异地资格认证	5	
	活动经费建账记录	5	
	报表报送及时准确	3	
咨询及活动开展指标	宣传栏更新、宣传材料发放	4	
	组织社会化退休人员学习、举办讲座	5	
	组织社会化退休人员开展文娱活动及社会公益活动（每年不少于 2 场）	8	
	积极参加市、区、街组织的活动	4	
提供服务指标	定期走访孤寡特困退休人员（每季度不少于一次）	4	
	掌握重病、死亡等辖区服务人群重大变故，及时慰问	3	
	工作有创新、有特点、有推广价值	3	
	协助社保所完成各项临时交办任务	2	
总分		100	

年终大栅栏街道根据考核情况及社会化管理与服务工作情况，对协助退休人员社会化管理服务工作表现突出的工作人员及协助部门予以表彰及奖励。

3. 明确服务管理对象享有的权利，促进退休人员主动接受管理

为便于社会化退休人员的服务与管理，管理服务中心实行社会化退休人员全覆盖的管理服务方式，为退休人员制作会员卡，全员均可持管理服务中心制作的会员卡自愿到各社区任意的活动中心（如图书馆、乒乓球室、书

画社等）参加形式多样的文化娱乐活动。令每一个退休人员都获得身份的认可，都能够知晓自身享有的权利，使退休人员更加具有群体归属感，从而促进退休人员更为主动地接受管理服务中心的管理。

（三）自管组织在“三环式”管理服务模式中的重要作用

自管组织是基层社保服务机构与广大退休人员之间的一座桥梁。通过建立自管组织，使社会化退休人员真正成为组织的主人和核心力量，使组织内的活动真正想社会化退休人员之所想，同时解决了社保所专职工作人员短缺的问题，可以使社会化管理服务工作更加快捷，更加贴近实际。不断推动企业退休人员社会化管理服务工作向纵深发展的要求，也是企业退休人员在失去原企业依托后进行相互联络沟通、相互关心爱护、相互照顾帮助、共同安度晚年的必然选择。

社会化退休人员通过自管组织这个沟通感情的桥梁，使孤寡、空巢老人减少了孤独感，彼此间增加了亲情和温暖，增强感情的同时，融洽了邻里关系。通过自管组织开展文体活动的平台，弥补了政府单一主体供给下，难以满足群众多样化文化需求的弊端，通过开展退休人员喜闻乐见、形式多样的文体活动，让退休人员自娱自乐，自我丰富晚年生活，从而得到精神慰藉，在一定程度上促进了和谐社区建设，促进社会和谐稳定发展。

三　从“三环式”管理服务模式看如何促进自管组织发展

（一）政府职能要进一步转变

“三环式”管理服务模式带来的变化，在于打破长期以来企业退休人员主要由劳动保障部门作为主导的管理方式，转变为群众参与、互动，并进行自我服务和自我管理的开放式的管理过程，是政府进一步转型的表现。离退休人员遍布各个社区，且具有一定的流动性，伴随离退休人员老龄化，贴近生活、便捷的服务成为他们的迫切需求。以往政府传统的大厅式的集中服务模式，不仅不够便捷，其单一的服务内容也不再适应退休群众的多元化的需求。这就迫切需要政府进一步转型，要求政府的服务更加关注民生，采取社会化的、开放式的服务管理，提供多元的服务供给方式和内容。具体改革和转型的路径就是，由社会化的组织来承担相应的管理和服务工作，和政府共同展开合作和互动，使公共服务提供方式更为多元化，从而更好地满足退休群众多元化的需求。这就要求政府首先要进一步转型，政府职能向服务型转变，让社会获得更多的责任和内涵，政府职能及对外运作方式等理念进行转变和调整。大栅栏街道的“三环式”管理服务模式，政府由以前的“撑船人”回归变为“掌舵人”，让渡社会，交由自管组织直接面对居民，提供给自管组织更为广阔的发展空间。

（二）理顺关系，完善工作体系

自管组织的发展壮大有赖于政府的指导和扶持，“三环式”管理服务体系及管理服务中心的建立，形成政府重视，多部门协调配合的工作格局。理顺劳动保障专业管理部门与街道、社区的关系，整合了服务资源。理顺了街道、社区和自管组织间的关系，街道层面负责规划、指导、资金支持和监督工作；社区层面负责具体的培育、孵化，及具体协调自管组织的工作，相对应各管理主体都建立了具体而明确的工作职责。避免了对自管组织多头管理的问题，使自管组织在政府的统一指导下，更加健康有序发展。理顺了政府内部资源与外部资源的关系，在管理上形成了一体化、互联互促的工作体系，形成了科学、完善的社会化管理服务工作体系。

（三）建立完善的工作机制作为保障

自管组织具有自发性的特征，因此，也往往具有自生自灭的潜在风险。为了扶持自管组织的发展，首先，需要推动自管组织建立和完善自身内部的管理运行机制，从选人用人和工作内容及运作程序上进行规范。其次，要提供必要的资金作为保障，确保自管组织的运行及活动开展。最后，要建立相应的绩效考核和激励机制，使自管组织真正发挥实效。与此同时，在考核中发现问题、总结经验，以奖惩激励措施推动自管组织追求高效、服务优质，发现人才、挖掘经验，并不断改善工作中存在的问题。通过完善的工作机制的建立，推动自管组织步入良性运行轨道，朝着规范化和长效化方向发展。

参考文献

《企业退休人员社会化管理服务实践探索》，《经济导报》2014 年 8 月 20 日。

《让退休人员老有所养乐无忧——杭州市江干区倾力打造优质退管服务纪实》，《中国劳动保障报》2015 年 2 月 9 日。

齐红红：《当前企业退休人员社会化管理服务工作的难点及对策》，《现代商业》2013 年第 15 期。

薛迎梅：《关于企业退休人员社会化管理服务的探讨》，《企业改革与管理》2014 年第 14 期。

黄红：《浅论企业退休人员社会化管理服务的相关思考》，《经营管理者》2015 年第 15 期。

B.14

大栅栏街道引导和协调推动老字号转型发展的思考与实践

摘　要：　老字号不但是一种商贸型景观，更是一种具有历史传承特点的文化现象，具有鲜明的地域文化特征和独特的工艺特色。然而，随着改革开放的不断深化，老字号面临着来自工业化、城市化、市场化三大方面的冲击，曾经辉煌的老字号陷入进退两难的发展困境，品牌影响力弱、市场规模小以及缺少核心竞争力等问题也日益暴露出来。近年来，作为老字号集聚区的大栅栏，为推动地区老字号企业的转型发展，以“党建沙龙”为平台，不断为老字号企业发展注入新理念。同时，坚持以活动为载体，建立品牌培育推广机制，推动老字号统筹发展，形成区域联动互促、共创发展的新格局。

关键词：　老字号　转型发展　企业改革　区域化党建　大栅栏街道

据中国品牌研究院调查结果显示，新中国成立初期存在的中华老字号企业约为1.6万家，涉及了食品、餐饮、零售、服装和医药等行业。但是，受多种原因的影响，老字号企业正逐步走向消亡。20世纪90年代，由我国商业主管部门认定的中华老字号只剩下1600多家，仅相当于新中国成立初期全国老字号总数的10%。而这仅存的老字号，其中有70%的企业面临经营困难；20%勉强维持经营；仅有10%发展状况较为良好。大栅栏街道作为全国首个“中华老字号集聚区”，近年来，面对地区老字号企业陷入进退两难的发展困境，大栅栏街道积极采取一系列措施提升老字号品牌知名度，推进地区老字号品牌发展。本文旨在通过对大栅栏地区老字号生存和发展状况的经验研究，对老字号在经营理念、经营方式等方面进行总结，以期对地区老字号发展有着指导意义，而且对于传承弘扬中华老字号文化也有积极作用。

一 大栅栏地区大部分老字号企业陷入发展困境

（一）大栅栏地区仅有少数老字号企业蓬勃发展

大栅栏地处北京中心地段，是南中轴线的一个重要组成部分，位于天安门广场以南，前门大街西侧。公元1420年以后，大栅栏街就开始出现各类商业活动；从清代开始，大栅栏地区的商业逐步形成规模与特色。该地区于1669年（清康熙八年）创建以经营自制丸、散、膏、丹而闻名全国的同仁堂药店；1811年（嘉庆十六年）开业专为王公贵族制作朝帽锻靴的马聚源帽店；还有开业于1863年（光绪十九年）北京著名“八大祥”之一的瑞蚨祥绸布店。此外，大栅栏地区还有内联升鞋店、张一元茶店等老字号企业。老北京人口中流传着一句购物口诀，“买鞋内联升，买帽马聚源，买布瑞蚨祥，买表亨得利，买茶张一元，买咸菜要去六必居，买点心还得正明斋，立体电影只有大观楼，针头线脑最好长和厚。”

清朝和民国时期，大栅栏商业街昌盛繁荣，最多时聚集了三百多家老字号品牌，一直到新中国成立初期，大栅栏商业街仍有70多家老字号品牌，但到2004年大栅栏只剩下十几家，大约50年的时间，近60家老字号消失了。目前，由于老字号企业的入驻，大栅栏地区有46家中华老字号，其中经商务部认定的百年以上的老字号有28家。2010年，大栅栏旅游购物节的开幕仪式上，大栅栏商业街被授牌成为全国首个“中华老字号品牌集聚区”。

作为全国首个“中华老字号集聚区”，在大栅栏40多家老字号企业中，发展良好的老字号企业仅仅是少数，只有同仁堂、张一元、内联升、全聚德、瑞蚨祥等老字号经营状况较好，大多数老字号处于步履维艰的境地。

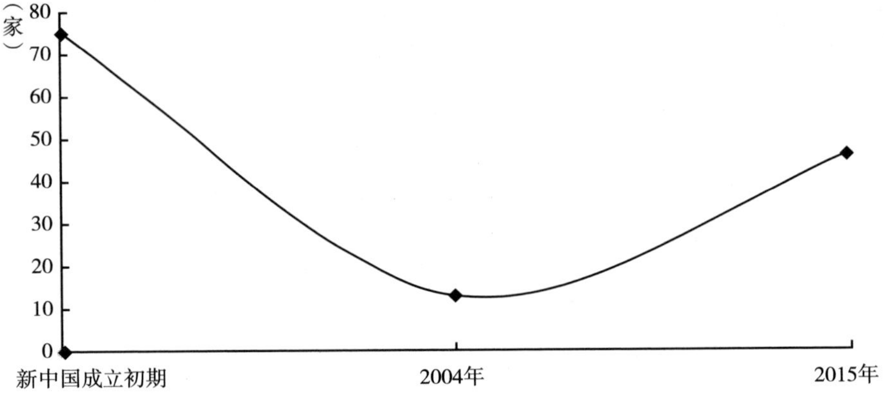

图1　大栅栏老字号企业数量变化

资料来源：《60家老字号消失　大栅栏老字号只剩空壳》，《北京日报》2004年6月9日。

（二）企业体制机制僵化是老字号企业陷入困境的根本原因

大栅栏地区老字号的发展陷入困境，不仅有商业街区整体环境发生变化的因素，也有老字号本身发展受限的问题。但是从总体来看，老字号企业体制机制僵化是导致大栅栏老字号企业陷入进退两难困境的根本原因。

1. 老字号企业产权改制

1952年国家开始实施对私营工商业的改造，到1956年公私合营，所有老字号企业改制成国有企业。与全国大多数地区一样，大栅栏地区老字号企业发展受到第一次冲击，部分规模较小的老字号企业被取消了名号，少数规模较大的老字号企业名号得以保留。此外，老字号企业公私合营带来的另一个问题便是政企不分、产权归属不明晰，这也是后来老字号发展陷入困境的重要原因之一。20世纪70年代，老字号企业的发展形势更加严峻，一些著名老字号被迫修改企业名称，如全聚德烤鸭店改为北京烤鸭店，瑞蚨祥改为红旗布店，谦祥益改为庆丰布店等。直到80年代后期，老字号企业中再次出现私有经济成分，大栅栏地区老字号企业才得以恢复名称，但是彼此间已经隔断了资产与业务的关系。

由于计划经济体制在营销机制与管理方式上存在局限性，大栅栏辖区内老字号企业的发展受到严重的束缚，经营理念陈旧，缺少激励机制，员工素质低下等诸多问题，导致许多老字号失去工艺特色，发展面临从未有过的困难。

2. 旧城改造挤掉了老字号的生存空间

由于老字号对地理位置具有很强的依赖性，因此生存空间对老字号的发展有着重要的意义。从20世纪90年代开始，北京市开展大规模商业街区与旧城改造，但是在旧城改造中，对老字号企业保护的意识不足，使得有的老字号搬离了原来赖以生存的“文化空间”，缺少传统商业文化氛围的老字号企业不仅失去了地理优势，同时也失去了消费者。

在2004年第十一届首都城市规划、建筑设计方案汇报展上展出的大栅栏规划方案中，发展特色商业也被看作“重中之重”，大栅栏地区的商业发展注意保护利用传统空间和商业模式。其中，历史文化的保护被看作大栅栏改造的关键，历史文物古迹的保护利用、历史环境的场所文脉及保护利用都被看作题中应有之义。

3. 产品结构、经营方式以及观念老化

大栅栏地区老字号企业在经营理念上，保持传统特色与优良品质始终是老字号遵循的经营原则，如同仁堂人始终恪守“炮制虽繁必不敢省人工，品味虽贵必不敢减物力”的古训。但是由于改革开放，尤其是市场经济体制确立后，“中华老字号”发展遇到来自工业化、城市化、市场化三方面的猛烈冲击，在遵循老字号经营准则的背后，许多老字号企业变成了墨守成规，内动力创新不足，未能及时根据市场的需要做出调整，从而逐渐失去传统优势。再加上老字号背负着国有企业沉重的负担，没有后续发展的资金支持，致使许多老字号企业失去自我创新与自我发展的能力。

除此之外，大栅栏地区老字号企业还面临产品结构、经营方式老化等问题。在产品开发上，多数老字号企业只注重传统款式的产品生产，而不注重产品的创新与开发，无法适应现代消费需求，这也导致老字号企业在市场竞争中出现产品结构单一的问题，在产品功能、附加值与外观造型上也不及新兴产品，不能满足消费者日益变化的心理需求。不仅如此，由于老字号产品比较精致，因而价格往往比一般消费产品高昂，致使在激烈的市场竞争中老字号因为效益不够，无法跟同类产品竞争。另外，老字号企业多采用前店后场，手工作坊式的经营方式，生产规模小，产品成本高、技术含量低，致使一些老字号在市场竞争中逐渐失去产品优势，面临被市场淘汰的危险。近年来，大栅栏地区一些发展良好的老字号企业纷纷改进经营方式，提高生产技术水平。比如老字号品牌内联升通过运用现代化的经营管理理念，构建企业ERP 系统，逐步实现了产品的生产制造、分销零售和数据分析以及公司在财务管理、电子商务等方面多元化的信息管理。

二　政府高度重视老字号的保护与发展

（一）商务部实施“振兴老字号工程”

为恢复、发展、振兴老字号，商务部于 2006 年 4 月印发了《商务部关于实施“振兴老字号工程”的通知》，并制定了《“中华老字号”认定规范》。旨在通过综合利用重新认定、政策引导、文化宣传等多种手段，指导老字号企业创新经营方式，继承和发展传统技艺和文化，利用品牌优势实现新的跨越和发展。

2006 年 11 月，商务部公布第一批中华老字号名录，有 430 家企业入选，其中北京占到 67 家，为全国之首。2011 年 3 月，商务部再次颁布了 699 家“中华老字号”名录。目前，已有 1129 家企业被国家商务部授予“中华老字号”称号，这些老字号涵盖食品、餐饮、中医中药、酿造、酒、茶叶、珠宝、手工业产品以及服装鞋帽等行业。

（二）西城区在北京市率先出台政策促进老字号发展

西城区是北京市老字号企业主要的聚集区。目前拥有上百家老字号品牌企业，占全市老字号企业总数的 50% 以上，其中中华老字号企业 54 家，占全市中华老字号企业总数的 47%。西城区老字号企业大多历史悠久，文化

1. ●拥有商标所有权或使用权
2. ●品牌创立于1956年（含）以前
3. ●传承独特的产品、技艺或服务
4. ●有传承中华民族优秀传统的企业文化
5. ●具有中华民族特色和鲜明的地域文化特征，具有历史价值和文化价值
6. ●具有良好信誉，得到广泛的社会认同和赞誉
7. ●国内资本及港澳台地区资本相对控股，经常状况良好，且具有较强的可持续发展能力

图 2　“中华老字号”认定条件

资料来源：《商务部关于实施“振兴老字号工程”的通知》（商改发〔2006〕171号）。

底蕴深厚，可追溯根源的老字号企业平均年龄为 144 岁，而百年以上历史的老字号企业共有 41 家，其中还有北京历史最为悠久的老字号，即 649 岁的清秘阁以及 605 岁的鹤年堂。这些老字号企业行业分布范围广，相对集中在吃、穿、行等与群众生活息息相关的领域中，有着极为深厚的历史气息和文化底蕴。

近些年，西城区老字号企业利用地缘和传统优势，其销售收入均值年均增长约 30.6%。数字虽然可观，但并不意味着所有的老字号企业都发展势头强劲。据保守估计，西城区老字号企业发展较好的占 15% ~20%，发展平稳的占 60% ~70%，还有 10% ~20% 的企业经营不容乐观，有濒临停业的危险。而且即便是经营较好的老字号企业，也正在面临着现代化的猛烈冲击。

2012 年 2 月，西城区发布《西城区保护和促进老字号发展若干意见》，以“做精做强一批，提升发展一批，恢复改造一批”为工作目标，设立老字号企业发展专项资金，每年计划投入 2000 万元，重点扶持老字号企业创新经营管理，以提升老字号品牌化、特色化和连锁化发展，推进老字号集聚区的建设与发展。

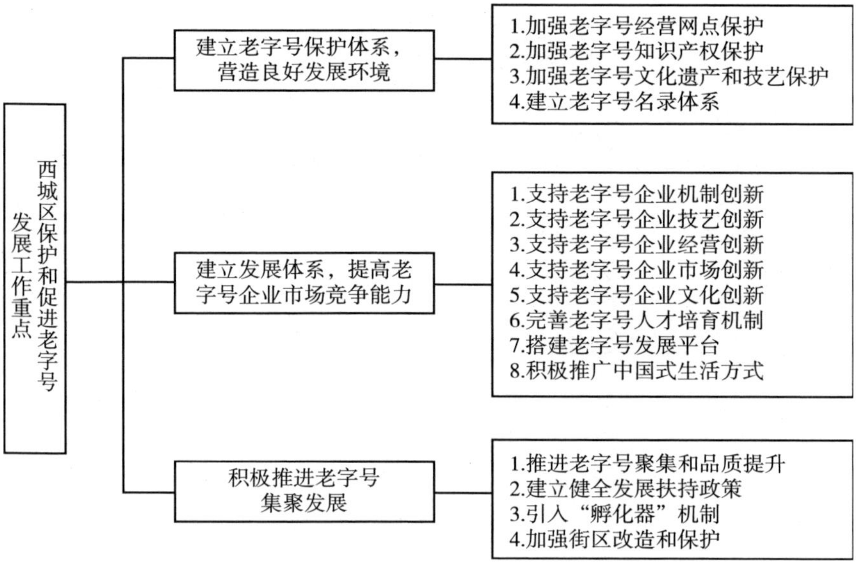

图 3　西城区保护和促进老字号发展工作重点

资料来源：《北京市西城区保护和促进老字号发展若干意见》（西政发〔2011〕32 号）。

三　大栅栏街道以区域化党建为平台、活动为载体助推老字号统筹发展

近年来，大栅栏街道为推动地区老字号企业发展，在区域统筹视阈下，打破传统老字号之间的资源壁垒，统筹设置基层党组织，创立了“老字号企业党建沙龙”特色品牌活动。此外，大栅栏街道还大力开展“老字号体

验活动”“老字号体育文化日活动”“老字号旅游购物节促销活动”等一系列活动，进一步提升老字号品牌力度，促进地区老字号企业发展。

（一）“老字号党建沙龙”凝聚区域智慧

为给地区老字号企业发展提供组织保障，大栅栏街道按照经营行业、经营类别以及企业特色等不同指标进行分类管理，并着力构建联动互促的工作机制，依托商业街区党建工作指导委员会，近年来大栅栏地区先后举办14次不同形式的企业党建沙龙活动。通过活动进一步开发了老字号企业文化，集中学习资源，建立共同远景愿景，凝聚区域智慧，推动共同发展，逐步形成了区域化学习型党组织建设的品牌。

1. 老字号企业党建沙龙实现区域联动

随着经济社会结构的转型，传统纵向控制为特征的“单位党建”模式已经不适应大栅栏地区老字号企业的发展，一种全覆盖、广吸纳、动态开放的基层党组织体系已成为地区老字号发展的必然趋势。大栅栏地区老字号企业党建沙龙活动打破了行政隶属关系，实行跨行业、跨领域、跨层级的区域联动。街道区域化党建组织，不仅实现了横向区域联动，还形成了以统一需求、共同学习和共同利益为建设目标的区域化党组织发展共同体。大栅栏先后通过多次党建沙龙与商家和专家学者的研讨座谈，启动了大栅栏文化商贸旅游科技创新平台建设，运用高新技术手段挖掘、整合历史文化、商业文化、旅游文化等资源，推动地区老字号企业转型发展。

2. 老字号党建沙龙激发团队智慧

大栅栏地区老字号党建沙龙打破了原来小而全个体点位发展模式，转向区域统筹、集约共享式发展。老字号企业通过以“统筹区域化党建引领商业繁荣”为主题，建设党建沙龙，以实现资源整合、平台搭建和引领发展的目标。街道工委采取“打包式”集约化工作形式，对学习计划、学习内容、学习师资、实践展示进行整体策划、整体组织、整体宣传。统筹化组织联合形成了学习型党组织活动品牌，引领区域商业繁荣。通过定期开展党建沙龙活动，搭建起了政府与企业之间的服务平台、企业家之间的沟通平台、企业间党员的互动平台、企业和专家之间的咨询平台、企业和社区之间的共建平台等“五大平台”，为地区企业实现快速发展提供了有效服务和重要支撑，树立了党建、区域发展双品牌，实现区域企业共生共融、共建共享，有力地推进了大栅栏地区经济社会全面发展。

3. 以党建沙龙活动为平台加强企业社会服务

大栅栏地区老字号企业通过开展党建沙龙活动，提升区域老字号企业党组织整体素质和企业文化向心力，加强老字号企业社会服务，促进企业履行社会责任。老字号企业党组织则组建了综合包户、应急维稳等志愿服务者服务队，同时还为社区居民开放传统文化展厅，共享文化资源，实现回报社会的目标。大栅栏瑞蚨祥绸布店有限责任公司向全社会发出诚信倡议；结合“7·21”特大暴雨灾害，组织辖区老字号企业捐款，并组织老字号企业家亲自慰问受灾最严重的房山区河北镇，送去价值2.6万元的慰问物资；2013年，20家工商联企业对28名大栅栏地区贫困家庭孩子进行了捐助。通过党建沙龙活动，搭建起了老字号企业服务区域发展、回馈社会的有效平台。

（二）建立品牌推广系列活动机制

为提升大栅栏地区老字号企业品牌知名度，促进老字号企业发展，大栅栏街道大力开展“老字号体验活动”“老字号体育文化日活动”“老字号旅游购物节促销活动”等一系列活动。

1. 以活动为载体，传播老字号文化

近年来，大栅栏为传播地区老字号企业文化，全方位展示老字号企业团结、拼搏、合作、创新的精神面貌，大力开展“老字号体验活动”“老字号体育文化日活动”等活动，老字号向主题化、多元化、体验化方向发展。老字号企业通过系列体验活动，让游客体验老字号企业深厚的文化底蕴，从而提升老字号企业品牌力度。如内联升千层底布鞋制作工艺；张一元茶叶包扎绝活；狗不理包子制作流程；瑞蚨祥传统收银方法、传统刺绣工艺；大观楼中国电影史展览；同仁堂国药展等。另外，为了展现老字号企业文化特色，大栅栏地区还将体育运动与企业文化融合，在传播老字号文化的同时，也为大栅栏老字号企业之间的交流、互动提供了平台。

2. 以活动为契机，促进老字号销售

为进一步促进地区老字号企业发展，大栅栏开展了“大栅栏老字号旅游购物节”，老字号企业用现场制作、现场演示、展板宣传等方式展现老字号的独特工艺和文化内涵。同时，内联升、张一元、张小泉、步瀛斋、狗不理、中国书店等众多老字号品牌以及部分传统特色企业通过携手推出多种形式的促销活动以回馈新老顾客。2013 年起，“大栅栏老字号旅游购物节”在原来的基础上增加了活动内容、拓展了活动范围、扩大了活动规模，发展成为“大栅栏琉璃厂旅游购物节”，涵盖了吃、穿、玩、乐等多种类别，大栅栏老字号企业销售额有了大幅提升。

3. 以活动为窗口，提升老字号品牌知名度

为提升地区老字号企业品牌知名度，推动地区老字号文化向经常化、规模化、特色化、国际化方向发展，大栅栏街道通过打造“我爱北京”国际影展、“京味文化”公益讲座、“魅力大栅栏”摄影抓拍赛、“智慧之光”大课堂等一系列活动，极大地提升了大栅栏老字号企业的影响力和社会知名度。2012 年北京大栅栏老字号购物节暨首届“我爱北京”国际摄影展开幕，来自英国、德国、法国、中国的 8 位著名摄影师，以北京城历史名胜古迹和大栅栏胡同为素材，用镜头以全新的视角展现古都北京的独特魅力。2012 年 4 月，大栅栏地区主办“魅力大栅栏”摄影抓拍赛活动，以“践行北京精神，弘扬传统文化”为主题，先后共组织了四次大型群众性的集体拍摄活动，有 200 多位民间摄影师走进大栅栏的老字号，深度体验老北京商贾文化。2014 年 11 月，APEC 会议上的京城“老字号”在大栅栏地区举行活动，一个月内举办了 26 场老字号及特色企业体验活动，来自亚太经合组织 20 多个成员的数千名政府要员、工商巨子、专家学者参与到老字号企业体验活动，进一步提升大栅栏地区老字号品牌知名度。

4. 以活动为平台，提升老字号科技水平

长期以来，老字号企业发展面临着产品结构老、经营方式老、观念老的“三老”问题，致使老字号因内动力创新不足，不能及时根据市场的需要做

出调整，逐渐失去传统优势。近年来，为提升地区老字号企业科学技术的应用与创新，大栅栏街道启动科技周系列活动，九个社区分别举办废品循环交流展示、科普健康安全防范、节能减排绿色环保、科普传播寓教于乐4大主题的科技周系列活动，进一步弘扬了地区传统文化的魅力，推动了群众性科普活动的开展，还起到提升科技与文化相互融合的作用。2013年，大栅栏街道文商旅科技创新平台上线，依托这一平台，还将开展“魅力大栅栏”应用服务，推广特色旅游线路，利用平台服务旅游中的各个环节，让游客更好地体验大栅栏老字号文化的魅力。

四 从大栅栏街道的实践经验看政府在促进老字号转型发展过程中如何发挥作用

老字号企业是市场经济中最为特殊的企业，将历史、文化、商业融为一体，作为国家级非物质文化遗产，老字号企业的发展某种意义上已经不是单纯的企业，它的发展同样受到国家的保护与政策的扶持。但是作为市场经济竞争中的经济活动体，老字号企业的发展同样要接受市场竞争的洗礼，优胜劣汰也是老字号生存的必然发展。作为全国首个“中华老字号聚集区”，近年来，大栅栏街道通过实施一系列活动，不仅提升了地区老字号企业的品牌知名度，促进了地区老字号的发展，同时还使地区老字号企业数量呈现上升趋势。这种以活动为载体推动老字号企业统筹发展的模式，对其他地方发展老字号企业具有一定的启示意义。

（一）继承与创新并举，提升老字号价值

老字号是经济价值和人文价值并存的一种品牌现象。在挖掘老字号价值中的潜在构成要素，从而进一步提升老字号品牌的附加值，大栅栏街道通过一系列活动的实施提升地区老字号企业的品牌知名度，同时深度挖掘老字号企业的特色文化，坚持质量为本和诚信经营，在发扬与继承老字号工艺的基础上，吸引文化内涵强、消费能力高的高端市场，保证老字号持

续发展的能力。

同时，在市场经济体制下，老字号企业的发展也要遵循优胜劣汰的规则。针对老字号企业发展存在的产品结构老、经营方式老以及观念老“三老”问题，必须要更新发展观念，及时根据市场的需要做出调整，增强企业创新活力。例如中华老字号内联升，过去可谓是“奢侈品”，是身份和地位的象征。如今，内联升对顾客目标群体进行了重新定位，虽然仍以中高档消费群体为主，但也逐渐形成了全方位的产品结构，男女老少均成为目标客户，使得越来越多的人感受到内联升的产品魅力，从而进一步提升了内联升的品牌价值。

（二）加强政府引导，优化老字号发展环境

受管理、人才、技术、资金等多方面的发展制约因素影响，老字号企业大多面临发展缓慢、甚至衰亡的挑战。但是，老字号的发展不仅传承着传统技艺，更是历史文化的重要组成部分。老字号的发展壮大不仅是一种企业行为，更是保护和传承中华传统文化，培育民族品牌的需要。因而，政府对于发展面临困境的老字号企业，要积极优化老字号企业的发展环境，推动其摆脱困境，盘活资源，提高其自身的市场竞争力。

一是深化行政管理体制改革，发挥市场主导的作用，各级政府不再干涉企业任何的经营行为；二是加大对老字号的资金支持，发挥政府主导作用，设立政府投入与社会化渠道募集相结合的老字号发展基金，同时为老字号的转型和发展提供优惠贷款；三是在财政税收和土地使用上给予一定的优惠和支持；四是增强老字号企业对品牌的保护意识，大力维护老字号的品牌形象和市场信誉；五是帮助老字号企业建立完善的人力资源管理体系，优化企业人才培训晋升机制，培育老字号的传承人；六是在遵循市场规律和保证公平竞争的前提下，为老字号的发展和扩张提供信息服务和宏观指导，帮助企业引进资金和技术；七是成立老字号企业联合商会，加强行业自律和行业交流提升，提高行业整体竞争力，同时协助政府落实好各项优惠和扶持政策。

（三）建设老字号特色产业集聚区，推动老字号抱团发展

产业集聚主要是指在某些特定的领域中，一些在地理位置上相邻近、在发展上相关联的企业和相关法人机构，依靠彼此之间的互补性和共同性进行经济联结。产业集聚能够产生竞争和创新效益，提高劳动生产率，促进企业产生源源不断的改革动力。建设老字号特色产业集聚区，除了能够推动企业的竞争水平和创新能力，更有利于营造原汁原味的老字号生态场，促进文化、商业、旅游相融合，让消费者在逛街、购物的过程中还能体验到情感眷恋和文化认同，进而达到弘扬老字号文化的目的。

因此，老字号特色产业的集聚与一般产业的集聚不同，要求城市政府在招商引资的过程中必须注重文化氛围的塑造。同时，也要清醒地认识到，老字号特色产业集聚区文化的形成是一个长期积累的过程，不可替代，难以复制，一旦形成就会对人们的行为模式产生一定的支配作用。但是，这一文化特质也正是有效提升老字号特色产业集聚区竞争力的重要手段。

（四）深化国有老字号企业改革，完善老字号发展体制机制

老字号企业要实现健康和持续的发展，必须建立产权清晰；科学管理高效的运营体制机制。因此，要加快推进国有老字号企业建立股权多元化改革，实现真正市场化的运作主体。老字号企业属于商业类国有企业，可以改制为股份制公司，以解决老字号所有者缺位的状态，建立高效完善的企业管理结构，避免国有企业改制后国有股仍然一股独大、缺乏市场活力的情况出现。

首先，应该允许老字号企业的家族传承人或掌握传统技艺的主要经营者持大股，或实行期权期股，从而调动经营者的积极性，实现企业的长远发展。其次，要支持有条件的国有老字号企业上市，借助资本市场的力量推动老字号的发展。再次，对于中小型老字号企业，国有资本可以全部退出，让这些老字号重新开始走民营的道路。最后，对于关闭、破产或被兼并、收购的老字号企业，政府可以对其品牌进行转让、有偿使用或公开拍卖，并将所得资金全部用于扶持老字号企业发展。

参考文献

商务部：《商务部关于实施“振兴老字号工程”的通知》（商改发〔2006〕171 号），2006。

北京市西城区：《北京市西城区保护和促进老字号发展若干意见》（西政发〔2011〕32 号），2011。

“北京老字号发展研究”课题组：《北京市老字号发展现状及对策研究》，《北京行政学院学报》2004 年第 3 期。

北京市商务委员会：《西城区在全市率先出台保护和促进老字号发展意见》，http：//beijing. mofcom. gov. cn/aarticle/sjdixiansw/201202/20120207978748. html，2012 - 02 - 22。

赖阳、黄满：《对北京老字号发展战略与策略的思考》，《时代经贸》2012 年 5 月（上旬刊）总第 240 期。

《60 家老字号消失　大栅栏老字号只剩空壳》，《北京日报》2004 年 6 月 9 日。

大栅栏街道工委：《大栅栏街道“老字号企业党建沙龙”品牌活动汇报材料》，2013。

薛冰：《老字号保护与发展研究》，山东大学硕士学位论文，2008。

B.15

三井社区：实施“成长加油站”青少年社区拓展项目创新流动儿童公益服务的模式

摘　要：　当前，大城市经济发展较快，吸引大量外来务工人员流入，但是他们迫于生活压力无暇顾及子女教育、心理问题。因此，需要社会给予他们更多的照顾和关爱。西城区三井社区便属于老城区流动人口较多居住区，为解决流动人口子女放学后无人看管，流动人口对社区认同感和归属感不强等问题，三井社区实施了“成长加油站”青少年社区拓展项目。为有效地帮助和解决流动人口子女的教育问题，高校社工与学校进行联合，整合科普活动、心理辅导、青少年教育等活动，形成系统化的项目，创新了社区公益服务新模式。

关键词：　流动人口服务　流动儿童　社区社会组织　公益服务　大栅栏街道

随着我国流动人口规模的不断扩大，诞生了一个近年来广受关注的群体——流动儿童，也就是跟随到外地打工的父母一起生活的这部分孩子，流动儿童这一群体逐渐活跃在社会视野。儿童的早期教育和家庭环境在一个人的人格发育过程中具有至关重要的作用，流动儿童的教育由于受到家庭条件、父母意识、流出地与流入地的环境差异而难以融入城市生活、周遭歧视、社交障碍等问题的影响，流动儿童心理失衡、行为失范的问题突出，从而导致流动儿童问题越来越受到社会的广泛关注。

针对流动儿童教育缺失和心理失衡等问题，政府和社会都在探索，在不断完善公共服务体系的同时，在政府的主导下，为外来流动人口的子女健康成长提供形式多样且有效的公益活动，促进了外来流动人口子女的健康成长。

一　关爱流动儿童公益服务行动的意义

1. 有助于增进子女与父母之间的感情

孩子不仅需要父母给予生活上和学习上的照顾，还希望得到精神上的关怀，与父母有心灵上的沟通和交流。关爱农民工子女志愿服务行动帮助孩子与父母进行沟通，增进父母与子女之间的感情交流。同时，关爱农民工子女志愿服务行动为家庭与家庭之间搭建交流沟通平台，分享各自教育子女的经验与心得，增进家庭成员之间的理解。

2. 有助于孩子健康成长

关爱农民工子女志愿服务行动提出的学业辅导、亲情陪伴等内容不仅能减轻家庭压力，还能帮助孩子提高学习成绩和综合素质。并通过自护教育提高他们的安全意识和自护能力。同时，通过开展各种活动和孩子们交朋友，倾听他们的心声和愿望，帮助他们树立正确的人生观、世界观、价值观，促使他们保持良好的心态、培养健全的人格。

3. 帮助孩子融入城市

关爱农民工子女志愿服务行动举行丰富多彩的活动，利用孩子们的课余时间带他们参观城市里的文化场馆、学校、企业等，鼓励流动儿童和青少年走出家门，融入社区，体验都市生活，增进他们对城市生活的文化认同，进一步促进社会融合。

二　大栅栏街道三井社区“成长加油站”创新关爱流动儿童公益服务

三井社区地处北京市西城区大栅栏街道北部，位于天安门南，面积0.23平方千米。辖区内有炭儿胡同、取灯胡同、三井胡同、笤帚胡同等16

条胡同，总户数 2876 户，总人数 7035 人，其中流动人口 1831 人，占地区总人口近 1/3。居民中流动人口多，使得三井社区内青少年群体具有流动人口多、父母外出务工时间长和优质学习资源少的特点。

三井社区发动党员、居民积极分子，专门成立负责青少年教育发展协会，积极策划关爱、帮助社区青少年的公益项目，特别是关注流动儿童教育。针对家长们忙于工作，流动儿童放学后无人看管照顾、学习环境较差、社区认同感和归属感不足等问题，三井社区实行志愿服务项目化，实施“成长加油站”青少年社区拓展项目。社区以素质教育、德育教育为中心，用体验式的教育模式、人性化的服务理念，服务流动人口，开展更具针对性、实效性、吸引力、感染力的社区素质教育活动，探索具有三井社区特色的社区素质教育之路。

（一）利用公益项目引领优势，创新合作共建模式

三井社区发挥了青年党员的创新能力，开创了社区与高校、企业的合作新模式。三井社区以“奉献、友爱、互助、进步”为准则，培育了三井青少年教育协会这一社区社会组织，并以社会组织的团队建设为依托，以“成长加油站”为载体，为社区流动儿童提供系列服务活动。项目启动前，在社区专业人才严重不足的条件下，三井社区通过借助社会专业力量，助推“成长加油站”的长效发展，启动了“高校联动”计划，与北京师范大学京师社会工作服务中心签订共驻共建服务协议，达成合作意向，在引入高校专业资源服务社区青少年的同时，社区也为高校提供了实习基地，实现高校与社区的合作共赢。社区先后与炭儿小学党支部、北京师范大学哲学与社会学学院党支部、清华大学、北京理工大学化工与环境学院、中国青年政治学院形成共建合作关系，从中选取优秀人才、成立专业社工队伍以及志愿者队伍，共同为社区青少年服务。

（二）打造全面服务平台，广泛调动社区内外资源

三井社区积极实行“引进来，走出去”的工作方法，除与高校、学校

合作外，还与中少成长文化有限公司、天津养乐多工厂、乐高教育等企业建立了长期合作关系，成功引入了北京歌路营教育咨询中心关于提升青少年创造能力的“创可乐”课程、乐高教育锻炼青少年动手和表达能力的“搭建与表达”课程、“青春船长”系列法制教育活动。与此同时，带领社区青少年走出社区，与社会多接触，举办了“播种中国梦”游览大学校园系列活动、与“青少年阅读体验大世界①”一同开展了多次主题亲子活动、与天津养乐多工厂开展了企业实地走访等活动。

（三）打造系列专题课程活动

1. 成长小组，沟通陪伴

青少年“成长小组”项目是“成长加油站”项目的专题活动之一，其目的是社工利用每个小组为一个单元，培养小组成员的团结合作和互助观念，在小组内部训练他们的沟通能力，帮助青少年更好地适应周边的学习和生活环境。每期“成长小组”约有6次活动，活动在每周五下午2点举行，每次活动均围绕不同的主题开展，使本地小孩和外地小孩更好地融合在一起，在学习和生活中相互帮助，一起成长，每一期小组结束后每位组员都有不同程度的改变与进步。

2. “三井之家”，假期盛会

三井社区流动儿童较多，父母经常忙于工作而无暇照顾，为了让社区青少年的暑期生活更加丰富与精彩，同时也为了减轻社区流动人口家庭的压力，三井社区携手北京师范大学京师社工服务中心，举办了为期一个月的“三井之家”社区夏令营活动。“三井之家”是以社工为主导的社区夏令营活动，通过集中开展不同主题的同辈群体活动、家庭亲子活动和能力提升活动，助力社区青少年尤其是外来青少年群体健康成长。

“三井之家”社区首期夏令营活动招募了20名社区青少年，主要是9～

① 青少年阅读体验大世界，是目前国内规模最大、品种最全、专业性最强的青少年主题书店和阅读推广基地。大世界建筑面积5000余平方米，经营图书、音像制品、电子出版物、期刊和益智玩具等6万余种文化教育产品。

12 岁的青少年，其中 18 名属于流动儿童。夏令营从 7 月 23 日开始，直到 8 月 17 日结束，每周一至周五的上、下午都有不同的主题活动。在夏令营中包含七大内容：传统知识课堂、英语课堂、生活小技巧课堂、青少年法律知识小讲堂、“快乐小陶子”流动图书馆、社区手绘地图、“故事大王”讲故事比赛以及“文化之旅”外出体验活动（游览鸟巢和水立方、参观老舍茶馆和到蓝天城进行职业体验）。多层次的课程内容保证了夏令营内容的多样化、个性化与全面化，既突出了大栅栏地区的特色，也满足了青少年的多样需求。

3. 七彩小屋，童梦天地

三井社区“成长加油站”项目获得了中央财政支持的中国青年志愿者协会关爱农民工子女志愿服务行动的认可，成功申请到“七彩小屋”① 项目，目前七彩小屋已经在三井社区挂牌。

“七彩小屋”面积约 40 平方米，分为亲情交流区、学习活动区、娱乐休闲区、阅读角以及谈心角，社区青少年们可以在“七彩小屋”里写作业、看书等，社工们也可以在“七彩小屋”内开展小组活动、团队建设等。“七彩小屋”的落成加强了“成长加油站”项目的硬件设施，“成长加油站”也充分利用“七彩小屋”的各种资源，为更多的社区青少年提供个性化的优质服务。

4. 阅读分享，心灵伴侣

三井社区为丰富青少年的阅读生活和提高青少年的思想道德建设，利用辖区的资源优势成功申请到“快乐小陶子”流动儿童图书馆项目。“快乐小

---

① “七彩小屋”是共青团关爱农民工子女志愿服务行动（简称“共青团关爱行动”）的重要环节。是加强社会化动员，吸引各方参与，是合力推动关爱农民工子女志愿服务行动的重要内容。团中央、中国青年志愿者协会专门组织了关爱农民工子女志愿服务项目推介会，数十家企业积极履行社会责任，通过选派志愿者、捐助资金、项目合作等多种方式参与其中。此次团中央启动建设的首批 226 个“七彩小屋”，范围覆盖 31 个省区市和新疆生产建设兵团。为不断推进共青团关爱农民工子女志愿服务阵地建设，团中央青年志愿者工作部专门印发了“七彩小屋”管理办法。办法规定，每个小屋建设经费为 2 万元，其中硬件投入 1.5 万元，主要为孩子们配备电脑、电视、书籍及文体用品；小屋的统筹管理由县级团委负责，建设地学校负责小屋的日常运转、志愿者招募等工作。

陶子”是中华儿童慈善基金会旗下项目，主要针对 0 ~ 14 岁青少年设立的流动儿童图书馆。

“快乐小陶子”阅读分享会围绕社区青少年素质教育工作而开展，为社区青少年提供全方位的阅读服务。活动前期，社区收到捐助的 86 册绘画图书，其中有短篇儿童小说类的、有哲学启蒙系列的、有亲子互动系列的，还有自我保护等系列的图书，这些图书内容丰富，制作精美，使孩子们在知识的海洋中遨游，受到孩子们的极大欢迎。社区“快乐小陶子”阅读分享会作为三井社区“成长加油站”项目的常规活动之一，三井社区在中央财政支持的中国青年志愿者协会关爱农民工子女志愿服务行动“七彩小屋”挂牌完成后，在新的活动场地内继续开展“快乐小陶子”阅读活动并成为阅读活动的固定场所，孩子们放学以后，就可以在这里享受阅读的快乐。

随着活动的开展，前来阅读的青少年越来越多、年龄层分布也越来越广，86 册绘本已不能满足青少年的阅读需要。为了更好地开展阅读活动、为青少年开拓更广大的阅读平台，社区使用专项资金购入了一批新图书，同期也得到西城区团委的图书捐赠，大栅栏街道工委领导以个人名义进行的图书捐助。

目前，三井社区每周二下午都在七彩小屋内开展“快乐小陶子”阅读分享会活动，新购入的图书和捐赠的图书为活动的开展做好了充足的保障。社区也通过采取一系列新措施，提升青少年阅读兴趣，让越来越多的青少年喜欢并享受阅读，为孩子们打造一片属于他们的德育阵地。

5. 创意小组，激发潜能

三井社区“成长加油站”——青少年社区拓展项目在社区中心多功能厅开展了一期名为“创 · 可乐”的小组活动，寓意在培养、挖掘创造能力的活动中寻找乐趣。

“创 · 可乐”小组共有 6 次课程，为保障课程质量，每次课程开始前从报名人员中筛选 30 余人进行，对未参与学员可安排下期参加，力求让每一个青少年都有机会参与到“成长加油站”项目中来。“创 · 可乐”课程是引进北京歌路营教育咨询中心的创意专利项目，三井社区也邀请了北京师范大学社工学社加入此次活动当中。第一次小组活动由北京师范大学社工学社的三位大学生志愿者主持，课程的活动主题是“小小艺术家”。创意小组 90 分钟的课程共分为三个部分：随手涂色、彩绘名片以及大师作画。在社工的引导下，小学员们发挥自己的想象力和创作潜能，充分利用手中的彩笔，绘制出极具个性的彩绘名片；最后，每个小组利用一些撕碎的纸片、共同合作完成了一幅幅画作。小组结束后，小学员们与社工一并将教室收拾干净。

6. 亲子体验，情感教育

开展体验教育活动可以在一定程度上增强青少年思想道德教育的效果。为了进一步密切社区家庭的亲子关系，同时也为了增加青少年对阅读的兴趣，激发创作潜能，在街道团工委的大力支持与帮助下，三井社区、街道团工委与青少年阅读体验大世界联手，举办了大栅栏街道三井社区“成长加油站”亲子阅读体验专场活动。

青少年在家长、社工志愿者的陪同下，来到青少年阅读体验大世界进行亲子阅读体验专场活动，活动分为四个环节。

第一环节是阅读体验创意秀——《植物大战僵尸》，这种系列图书主要是以游戏中的卡通形象为素材，通过编故事的形式吸引孩子的注意，提高学生阅读的兴趣。阅读助理先带领孩子们集体阅读绘本，然后进行角色模拟、进行僵尸对战植物游戏，最后是集体学习艺术体验舞蹈。

第二个环节是《舌尖上的中国》，孩子和家长们一起观看视频，然后一起合作制作红豆饼，这个环节锻炼了孩子们的动手动脑能力，同时也教会了孩子学会感恩、学会分享。

第三个环节是阅读体验创意秀——《水浒传》，孩子们听评书名师讲《水浒传》的故事，在感受精彩故事的同时，也了解到中国京剧的相关知识，最后，家长和孩子一起制作了属于自己的个性脸谱。

第四个环节的内容是自由阅读时间，孩子们根据自己的喜好，选择图书、绘本进行阅读，并随时与家长、社工和阅读助理分享。

此次活动是三井“成长加油站”项目外出体验系列活动之一，旨在通过形式新颖、内容丰富的活动来提高青少年对阅读、对学习的兴趣，寓教于乐，同时也为社区家长志愿者队伍打下坚实的基础。

三 “成长加油站”取得的成效

（一）解决了外来务工人员的后顾之忧

多数外来务工人员生活压力都较大，夫妻双方都将大量的时间用于工作，对子女的关心和照顾往往不够，尤其在放学后以及寒暑假期间没有时间和精力照顾孩子。此外，部分农村外来人口文化程度不高，教育意识淡薄，常常错过了孩子教育的黄金期。“成长加油站”项目不仅使流动儿童在家长无暇照顾的时间里有个安全的去处，在这里，社工和社区志愿者能帮助孩子辅导作业、疏导心理等，切实解决了外来务工人员的后顾之忧。

（二）为孩子营造快乐成长的环境

三井社区整合各方面资源，创新合作模式，形成教育合力，为农民工子女创造了一个温暖和睦的学习、生活和成长环境。让流动儿童感受城市的温暖、市民的友善，逐渐缩短了农民工子女与本地学生之间的“心灵的距离”。提升流动儿童的认同感和归属感，加快融入本地的学习生活中去。同时，“成长加油站”通过丰富多彩的活动激发孩子的潜能，增强他们对自身的认同感，从而从根源上帮助流动儿童健康、快乐地成长。

（三）在思想上解决孩子心理贫困问题

三井社区在对孩子关爱服务的过程中，注重发挥志愿者的专业特长并引入专业机构，社工和志愿者运用专业知识教授和辅导孩子，寓教于娱乐中，通过做游戏、沟通交流、阅读等活动让孩子在快乐的环境中受到启发和激励，让孩子得到精神上的关怀，融入集体中，避免孩子因为心理失衡而出现冷漠、孤独、任性等问题，帮助孩子树立正确的人生观和价值观，从而塑造健康的人格。

四　从三井社区的经验看如何做好公益服务——社区当好掌舵者、服务者、陪伴者

（一）社区当好“掌舵者”

发挥社区统筹、协调作用，把握党和国家的大政方针政策，并给予公益服务指导，确保公益服务的发展能够在切实摸准居民群众“脉”的基础上服务，能够去伪存真、理性思考，能够不断扩大服务对象范围、扩充服务对象类别、扩展服务项目内容，实现基层为民服务与群众自我发展需求相适应，推动社区全面发展的良好态势。

（二）社区当好“服务者”

在两委班子中、党员队伍中树立“服务者”的理念，工作要主动为社会服务聚资源、拢人气，让公益服务的发展具有更广阔的平台。社区工作者扮演好“服务者”这一角色，制定服务对象跟进方案，健全服务对象跟进系统，对经常参加活动的孩子进行跟踪记录，观察服务对象的变化，巩固活动成果。

（三）社区当好“陪伴者”

社区要充分了解提供公益服务的组织及个人的需求，与其保持朋友的关系，共同进步、共同分享、共同担当，建立定期联系机制，积极协助解决问题、突破瓶颈。

参考文献

大栅栏街道：《“成长加油站”——青少年社区拓展项目工作报告》，2012。

大栅栏街道：《大栅栏街道三井社区七彩小屋阵地建设督查情况报告》，2014。

大栅栏街道：《发挥党建力量　创新社区公益服务新模式》，2014。

范兴华、方晓义、刘杨、蔺秀云、袁晓娇：《流动儿童歧视知觉与社会文化适应：社会支持和社会认同的作用》，《心理学报》2012 年第 5 期。

李艳红：《国内流动儿童社会适应研究述评》，《中国特殊教育》2012 年第 6 期。

B.16

大栅栏街道打造传统商业文化带的创新实践

摘　要：　传统商业文化是中国传统文化的重要组成部分，是商业界和文化界巨大而宝贵的财富。大栅栏街道有丰富的以老字号店铺为代表的传统商业文化资源，街道以此为基础，提出建设“传统商业文化带”，旨在打造出一条整洁、优美、和谐、有序的传统商业旅游线路。近年来，街道始终以加强管理、提升品质为出发点和落脚点，按照高起点实施、高水平管理，统筹安排、整体推进的工作原则，文化带动地区建设发展初显成效。本文在对传统商业文化带发展现状进行深入总结、客观分析的基础上，针对存在问题剖析了原因，并提出了相应的建议。

关键词：　文化建设软实力　传统商业　文化创新　大栅栏街道

2013年，大栅栏街道以“构建活力党建、打造魅力街区、建设和谐大栅栏”为总体目标，着眼打造了传统商业文化带、风貌保护示范带和民生服务保障带三条特色工作带。其中，大栅栏传统商业文化带在长期历史发展中积淀了丰富的历史文化旅游资源，是北京目前保留最系统最完整的民间历史博物馆。两年来，街道在商业街区环境建设、秩序管理、统筹规划等方面做了大量的基础性工作，充分挖掘可利用资源，突出文化历史底蕴，并进行有效整合，形成了独具特色的大栅栏传统商业文化带品牌。

一　结合地区文化特色，建设大栅栏传统商业文化带

（一）响应北京市建设中国特色社会主义先进文化之都的决定

北京在建设中国特色社会主义先进文化之都的过程中，离不开对北京历史文化资源的重点保护、合理开发与充分利用，离不开对北京独特城市魅力的展现和城市建设文化品位的提升。就大栅栏街道而言，要重点提升琉璃厂和大栅栏等相对传统的商业文化街区的形态和功能，以形成国家级的老字号聚集区为目标，逐步恢复北京老字号演出场所的演出功能，并加强保护和传承具有北京特色的传统工艺。因此，大栅栏街道建设传统商业文化带是推动社会主义文化大发展大繁荣的新举措，是响应北京市建设中国特色社会主义先进文化之都的新突破。

（二）落实西城区“文化兴区”发展战略

“服务立区、金融强区、文化兴区”是西城区“十二五”时期经济社会发展的三大战略。西城区《“十二五”规划纲要》指出，文化软实力是区域发展的内动力，要把提升文化软实力融入经济社会发展的各个领域和各个环节，通过文化的逐步渗透和广泛影响，提升人民道德品质，引导并推动社会实现全面进步和经济社会的可持续发展。

“文化兴区”的前提是“区兴文化”，也就是要建设具有西城特色、能够对西城经济社会发展起到推动作用的区域文化。为此，西城区“十二五”专项规划《商贸和旅游业发展规划》更加明确了大栅栏地区的发展思路，指出要以传统街巷为线、历史建筑为点，以文化进行串联，将大栅栏地区建设成为集文化体验、特色商业、旅游休闲为一体的中华老字号聚集区以及北京旅游特色购物街区。

（三）大栅栏街道丰富的文化资源为文化带建设提供了良好条件

大栅栏街道以老字号店铺为代表的传统商业文化资源丰富，是全国首个“中华老字号集聚区”。2013 年，大栅栏街道提出建设“传统商业文化带”，旨在打造出一条整洁、优美、和谐、有序的传统商业旅游线路。大栅栏传统商业文化带包括大栅栏商业街、粮食店街、施家胡同共三条主街及周边区域，共占地面积约 0.5 平方千米。

大栅栏商业步行街共有商家 64 家，主要以经营工艺百货、宾馆、服装、餐饮业等为主。核心区域商业街全长 275 米，共有产权单位 36 家。大栅栏商业街区涵盖了中华老字号集聚区、国家 AAA 级旅游景区、北京市特色商业街、北京大栅栏中华老字号商业街等特色概念，集各类北京传统文化于一身。粮食店街长 520 米，集住宿、餐饮、百货于一体，粮食店街共有各类企业 62 家，其中，旅馆 17 家，餐饮企业 21 家，零售企业 7 家，因此，粮食店街的各类企业中，为旅游服务的企业达到 45 家，占比 72.6%，既是传统商业文化带的重要组成部分，更是为传统商业文化带提供旅游服务的重要商业街。其中，重要文化节点为六必居、中和戏院和位于粮食店街中段的源升号博物馆。施家胡同长 279 米，其中重要节点为合德缘宾馆（原三义镖局），原裕兴中银号等。

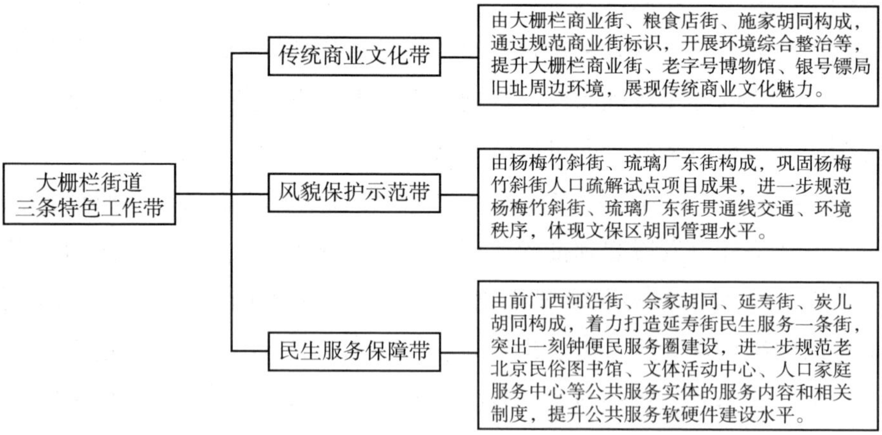

图 1　大栅栏街道三条特色工作带

二 以打造特色文化体系为重点，推进文化带的创新发展

（一）统筹协调，完善传统商业文化带建设的体制机制

自提出文化带建设以来，大栅栏街道始终以加强管理、提升品质为出发点和落脚点，按照高起点实施、高水平管理，统筹安排、整体推进的工作原则，通过多次实地考察和深入调研，结合区域特色编制了《大栅栏“传统商业文化带”环境整治及景观提升工作方案》，明确了大栅栏街、粮食店街、施家胡同三条街巷的重点打造范围，细化了公共服务设施建设、规范牌匾、危房改造、景观开发等14项具体工作内容及其职责分工，制定了工程推进的时间安排，并将此方案发送至所有成员单位逐一征求意见。同时，配合特色工作带打造方案，又先后制定了《2013年商业街区秩序专项整治工作方案》《北京市西城区大栅栏商业街区管理办法实施细则》《大栅栏商业街区客流风险管理防控方案》《北京市西城区大栅栏商业街区珠宝市街、粮食店街治理整顿方案》等一系列指导性方案，设计了商业街区管理体系的组织机构、管理队伍、管理事项、管理标准及评价体系，形成大栅栏商业街区的经营秩序和旅游秩序的长效管理机制。目前，文化带建设已经初见成果，力求通过不懈努力，恢复和强化大栅栏地区的城市功能，重塑一个富有中国文化传统的、具备现代城市功能的、能够满足现代消费群体需求的传统商业文化带。

（二）整合资源，推出具有地区文化特色的精品系列丛书

大栅栏街道围绕传统商业文化带的文化资源进行深入的挖掘、梳理和整合，初步形成了以《大栅栏的故事》为主题的书籍画册。在丛书编写过程中，街道邀请专家学者为顾问，深入搜集历史资料，精心设计编绘，使丛书成为融历史性、思想性、知识性、资料性于一体、全面系统地了解地区历史和现状的重要教材。

《魅力老字号》展示地区传统商业文化。大栅栏兴于元，建于明，盛于清，已有近590年的历史，老字号云集是大栅栏独具的传统商业特色，老字号文化是中华民族灿烂传统历史文化的一部分。街道推出的《魅力老字号》一书，收录地区44家老字号企业及知名企业，为每个老字号企业配诗、谋篇，图文并茂展示这些百年老店的发展历程。该书在挖掘老字号企业所蕴含的良心品质、社会责任和诚实信用的内在精神，助推老字号发展的同时，也通过老字号企业创业发展史向社会公众传达一种重道德、守承诺的正能量，被纳入《北京市社会科学普及系列丛书》，由北京出版社正式出版发行。

《胡同记忆》讲述“城南旧事”。大栅栏地区有114条胡同，这些保存较好的胡同肌理和散落其中的众多历史遗存建筑，体现了丰富的街区功能和历史信息，是大栅栏地区重要的历史文化坐标。在《胡同记忆》里，对114条胡同逐一立传，详细列举胡同的规制、方位、历史由来、重要建筑等信息，并重点介绍32条街巷的历史遗迹和名人轶事，使“胡同”成为展示北京城历史文化发展演化的窗口。

《红色足迹》抒写爱国主义情怀。自鸦片战争以来，无数仁人志士为反抗帝国主义和封建统治进行了不屈不挠的斗争，在大栅栏地区，老一辈革命家在这里也留下了光辉足迹，大量感人事迹曾在这里发生。通过对这段历史的思考求证，完成《红色足迹》一书的编写，客观真实地再现大栅栏的红色历史。全书共收录文章35篇，主要讲述新民主主义革命时期地下党在大栅栏地区的活动，歌颂老一辈无产阶级革命者甘于奉献，英勇无畏的革命精神及人格魅力。这本书的推出弥补了地区历史文化研究的空白，成为爱国主义教育的本土教材。

《梨园文化》讲述京剧发展历程。大栅栏是京剧艺术的家园，资料记载的活跃在地区的京剧名家就有367位，可以说大栅栏见证了这一国粹艺术的诞生、成长和壮大。《梨园文化》一书从京剧的摇篮讲起，通过讲述与京剧相关的戏院戏楼、电影、名伶轶事、名家琐忆等多个方面的历史故事，真实而又生动地再现了那段名家荟萃、繁荣兴旺的京剧艺术发展盛景。

图片影像集册形象记录地区文化记忆。先后推出《魅力大栅栏画册》

《大栅栏的胡同（手绘图册）》《大栅栏魅力抓拍赛摄影作品集锦》《媒体眼中的大栅栏图片集（2012～2014）》《志愿服务三十载》等多本图片集册，通过图片、摄影等艺术方式形象记录地区的文化历史和发展历程。

（三）创新载体，拓展传统商业文化带宣传的新途径

一是打造融入文化的环境精品工程。近几年，大栅栏传统商业文化带地区的环境整治力度加大，先后对大栅栏西街、粮食店街和施家胡同三条街巷进行综合整治。每项整治工程都遵循“尊重历史文化、展现传统风貌”原则，让建筑点位成为别具特色的文化元素，例如，大栅栏西街的定制井盖上印有专属文字，每条整治街巷都配有胡同历史简介。2014 年街道再次推出文化与环境相结合的新途径——主题文化墙建设，依托不同街巷历史特点设置不同主题的文化宣传墙。历史文化符号与砖雕、塑像等建筑手段相结合，成为地区环境建设的新亮点。

二是推出小微博物馆展示群。加强与地区单位的联系沟通，对企业文化宣传工作加强政策引导、项目支持和统一整合。目前，由地区多家企业“非遗”展厅串联而成的“小微博物馆展示群”已具规模。包括内联升手工制鞋技艺展、瑞蚨祥丝绸文化展、同仁堂中医药文化走廊、源升号二锅头酒文化博物馆、和平门烤鸭店全聚德展厅、戴月轩手工制笔工艺展、老舍茶馆民俗文化展等。这些小微博物馆不仅打造了一个中国传统文化艺术体验、展示和交流的场所，还是传统文化贴近大众、走进民众生活的具体行动，更是“活化”文化遗产的一个平台。

三是扩大地区品牌活动影响力。“魅力大栅栏”抓拍赛、“我爱北京”国际影展、老字号文化购物节、夏日文化广场、“我们的节日·情系大栅栏”系列活动、“大栅栏杯”戏剧小品邀请赛、“非遗文化进社区”、“我的社区我的家”文艺会演、胡同运动会等特色活动已经坚持开展多届，街道重视结合发展形势不断增加内容、创新机制，引入协作力量，为传统活动注入新活力，使参与范围逐渐扩大，品牌影响力日益增强，将品牌活动成为展示地区传统文化与现代气息融合发展的重要途径。

三　传统商业文化带的现状与其定位还存在一些差距

（一）文化资源未得到深入挖掘，大栅栏品牌需进一步塑造

商业文化带所处区域特征鲜明，不仅有历史悠久的商业文化，还有北京历史延续最长的城市肌理，散落在这里的名人故居、保护院落、各类会馆、自清初至20世纪40年代的街巷格局，以及与此相关的逸闻故事，共同构成了一个文化博物馆。但目前相当一部分有价值的资源没有得到合理整理和充分利用，许多历史遗迹湮没在街道巷陌中。且目前没有进行统一登记、管理、保护、修缮，造成了“大栅栏名声大，但可看的地方少”的现象。造成这一现象的原因有多方面，一是文保区的保护与发展是各地区城市建设中共性的难点，有关政策、规划相对滞后。特别是大栅栏地区人口密度大，是商居混合区，城市建设方面有待加强，在开发建设中要对居民、商户、保护、发展、交通、市政等诸多方面问题通盘考虑。二是目前对文化带的总体发展方向没有统一规划，也没有专门机构进行市场开发和运作，没有将文化带的发展纳入市场经济的轨道上。

（二）文化带内部分地区业态低端

商业业态本应是文化带的核心特色，对文化带的繁荣发展有着至关重要的作用。商业街内诸多老字号的历久不衰就很好地说明了这一点。但目前来看，在粮食店街、施家胡同内，小旅馆、小餐饮、小商店、小保健品店等比比皆是，业态低端混乱，严重影响了文化带的发展。部分商家经营商品质量低劣、品种单一，部分餐馆店内卫生环境较差，存在坑蒙顾客、店外经营等违法行为。这使得大栅栏留给游客的印象就是一个较为低端、假冒伪劣充斥其中的场所，而不是一个集文化、商业、旅游为一体的文保特色区域，导致文化带发展缺乏推动力。

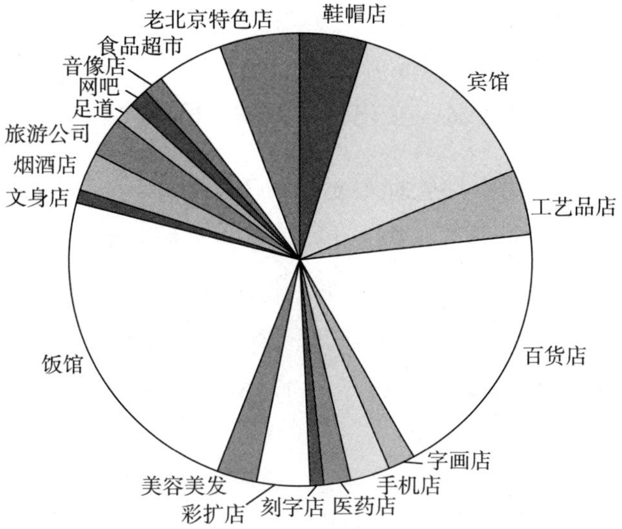

图 2　大栅栏商业街产业类型

资料来源：大栅栏街道办事处提供。

该地区低端业态聚集，且调整难度大的原因有以下几点。一是经营者投资有限，流动性大，追求短期利益。大多数经营者为个体或合股经营，投资额较小，今天开张过几天就关门换人的现象非常普遍。大多数商家只重视短期利益，不具备长远、可持续发展的经营理念，没有铸造品牌意识。二是房屋产权复杂，承租转租现象较多，受合同限制，业态的调整较为困难。三是政策引导力度不够。目前针对文化带内商业业态没有明确的规划设计，政策支持力度较小，缺乏有效引导。

（三）文化带内整体环境差，影响整体形象

从“传统商业文化带”所涵括的大栅栏街、粮食店街、施家胡同三条街巷来看，粮食店街和施家胡同城市基础设施较为薄弱，特别是粮食店街餐饮店多，给排水设施经常出现问题，水管破裂、污水外溢的情况时有发生。同时，因粮食店街较为狭窄，汽车通行困难，导致游客行走、车辆通行难度较大。此外，这两条街巷还存在不同程度的违章建设、灯箱占道、违规悬挂

牌匾广告以及违规经营等问题，其环境秩序水平与“传统商业文化带”的定位还有很大差距。

（四）管理力量薄弱，文化带发展需通盘考虑

目前文化带的日常秩序管理主要依靠联合执法小分队、城管分队、街区办、保安和环境秩序协管员，在文化带的重点区域粮食店街和施家胡同还是管理盲点，需纳入整体管理体系中来。且街区办作为文化带的主要管理平台，作用发挥有限，只局限做好政府职能部门和部分商户之间的信息沟通和统筹协调，在如何发掘地区资源，引进投资，整合各方资源，加强市场运作等方面没有发挥应有的作用。

四　多措并举，进一步创新大栅栏传统商业文化带发展

（一）理顺工作思路，逐步推进文化带建设

理顺工作思路是传统商业文化带创新的重要基础。在具体工作中，大栅栏传统商业文化带应按照突破一段、贯通全线，规范两业、综合提升，多部联动、保证长效的工作思路，逐步推进文化带建设。

一是突破一段、贯通全线。突破一段、贯通全线以文化节点为突破口。大栅栏传统商业文化带的关键难点在粮食店街。粮食店街的各类企业中，为旅游服务的企业占比 72.6%，既是传统商业文化带的重要组成部分，更是为传统商业文化带提供旅游服务的重要商业街。粮食店街的城市景观、基础设施、交通秩序、旅游秩序、环境秩序和经营秩序存在不同程度的问题，致使“传统商业文化带”难以接续。因此，集中力量全力整治粮食店街是建设“传统商业文化带”的重要举措。

二是规范两业、综合提升。传统商业文化带内除老字号商业企业外，餐饮食品和旅馆住宿是各类行业的重要组成部分。这两类行业，尤其是餐饮食

品行业存在较多的问题，包括食品安全、厨房排污、店外经营、超范围经营等各类问题，会降低街区住宿业和餐饮业的服务水平，从而难以满足传统商业文化带的要求。因此，大栅栏地区以这两类行业为重点，规范经营、规范管理，带动文化带及其周边商业街区服务水平的全面提升。

三是多部联动、保证长效。传统商业文化带的建设包括基础建设、行业规范和机制建设三个层层递进的步骤。任务性管理、活动性管理、突击性管理已经不能适应文化带的长远发展；因此，大栅栏地区建设文化带从机制建设上做到多部联动、官民联动，实现文化带建设的长远成效。

（二）调整文化带业态，注入发展新活力

商业业态是文化带发展的根本，没有良好的业态，文化带的发展就是无源之水、无本之木。要有专门的责任单位来负责对业态进行完善调整，使文化带内企业之间业态互为补充，相互促进，形成传统文化精品旅游线路的整体特色。如门框胡同引进传统小吃，三庆园重拾京剧文化，六必居建设酱菜博物馆等。在执行过程中，大栅栏街道全面做好宣传，向广大商户宣传街区整体思路，引导商户主动自我调整。同时制定政策，对业态调整提供政策支持，激发商户的主动性和积极性。与大栅栏投资公司等区属公司合作采取购买产权、购买经营权、房源置换、长期承租等多种形式，为保障优势项目落地、实现业态规划提供条件。

（三）保持文化带特色，进一步提升文化带景观建设

对于文化带所处的这样一个老旧平房区要实现繁荣和发展，环境建设将是一项重要任务。大栅栏街道通过环境建设，首先解决市政设施落后的难题，特别是部分街巷的公厕少、下水管道严重老化、缺少停车位等老大难问题，要逐步进行解决，使文化带内的环境适应现代经济生活发展的要求。其次，环境建设中按照文保区要求，遵循保护风貌的原则，大力协助六必居、中和戏院、大栅栏一百、三庆园等企业做好装修改造的相关工作，保障企业建设顺利进行。联合有关成员单位进一步规范文化带内公共服务设施，发挥

大栅栏街绿化优美、受到好评的经验，做好整个文化带的环境卫生及绿化美化建设，提升整体环境。同时吸取廊房二条灯箱牌匾规范管理模式试点工作中取得的经验与成绩，及时总结经验，逐步向粮食店、施家胡同推广，通过环境建设更加彰显文化带历史文化底蕴，为文化带的发展奠定良好基础。此外，在环境建设中重视做好前期调研，通过专家反复论证，以建设精品工程为目标做好每一项环境建设工程。

（四）引导企业和社会组织参与文化带建设，实现多方共赢

文化带内的企业是发展的载体，要激发企业积极参与文化带建设的积极主动性。大栅栏街道充分发挥大栅栏琉璃厂商会作用，引导粮食店街、施家胡同内诚信商户加入，加强企业间的沟通联系，共同为街区发展建言献策，通过招商洽谈、调研讨论等多种形式为企业提供参与街区建设的平台，使企业在文化带发展中起到主体作用，增强发展的内在推动力。此外，建立健全社会组织系统，例如建设粮食店街、施家胡同街巷秩序自管队。街巷秩序自管队由居民代表和商户代表组成，以《北京市“门前三包”责任制管理办法》为指导，引导文化带内企业自觉遵守国家的法律、法规，自觉做到“门前三包”（环境卫生、门前绿化、社会秩序）。每季度召开由街区办、居民代表和商户代表组成的自律评价团，对商户自律行为采取不记名一票否决制，确定商会会员是否可以悬挂“文明守法诚信商户”标识牌。

参考文献

中共北京市委：《关于发挥文化中心作用加快建设中国特色社会主义先进文化之都的意见》，2011。

北京市西城区：《北京市西城区国民经济和社会发展第十二个五年规划纲要》，2011。

北京市西城区商务委员会、北京市西城区旅游局：《北京市西城区“十二五”时期商贸和旅游业发展规划》，2011。

大栅栏街道：《西城区人民政府大栅栏街道办事2013年度工作报告》，2014。

大栅栏街道：《大栅栏街道拓展途径，创新载体，打造文化宣传精品工程，建设文化魅力街区》，2014。

《北京大栅栏琉璃厂探索建设小微博物馆群》，《中国文化报》，http：//www.chinanews.com/cul/2014/06 -24/6315861.shtml，2014 -6 -24。

《业内专家相聚93号院畅谈小微博物馆发展之路》，中国文物网，http：//www.wenwuchina.com/a/171/224174.html，2014 -10 -17。

大栅栏街道商业街区综合管理科：《大栅栏传统商业文化带的创新发展方向》，2014。

B.17

大栅栏街道：建设体育生活化社区打造健康生活方式

摘　要：　体育生活化就是使体育成为生活中一个不可或缺的组成部分。它在提高人的素质、促进社会稳定、加强精神文明建设等方面都有积极的推动作用。为增强人们的体魄，促使人们养成文明、健康的生活方式，大栅栏街道采取多项措施加强体育生活化社区建设，为社区居民营造了浓厚的体育文化氛围，满足了群众的多样性、多元化的健康需求，保持了社区稳定，实现了人与自然、人与社会、人的精神与体魄和谐发展，并为其他地区提供了可借鉴经验。

关键词：　体育生活化　社区体育　社区文化　大栅栏街道

一　大栅栏街道建设体育生活化社区的背景

随着经济的迅速发展，人们生活水平得以很大程度的提高，体育作为一种社会行为走进人们的日常生活成为必然。在现代社会生活中，体育锻炼已经成为部分人们家庭休闲方式和生活方式。早在90年代初，国务院颁布的《全民健身计划纲要》就曾明确指出要发展社区体育。到90年代末，国家多部门联合出台的《关于加强城市社区体育工作的意见》中明确指出社区体育是体育社会化的延伸，要进一步推进社区体育建设。2002年中共中央、国务院发布的《关于进一步加强和改进新时期体育工作的意见》更是明确提出"开展全民健身活动，增强人民体质，是体育工作的根本任务"。随后，国家体育总局颁发了《2001～2010年体育改革与发展纲要》提出了新时期我国“城市体育以社区为重点”的构想与规划，这是体育生活化、社会化背景下社会体育发展的必然趋势。2014年国务院颁布了《关于加快发展体育产业促进体育消费的若干意见》，进一步提出推动体育产业化发展，营造健身氛围。我国这一系列的政策法规和相关文件的出台，指明了我国社会体育以社区为重点的发展方向，成为发展社区体育的坚实基础和有力保障。

（一）发展体育生活化社区的意义

体育生活化就是将体育运动融入人们个体及家庭生活，使之成为一种自觉自愿、常态化的行为，促进人民身体健康，提高人民生活质量，并成为文明健康的一种生活方式的过程。

体育生活化对于提高人民身体素质、社会稳定、精神文明建设等多方面都有着非常重要的意义。

1. 可以提升居民生活质量

体育锻炼能增强人的体质，可以提高机体的抗病能力，增强有机体的适应能力，维护免疫系统调节。与此同时，经常从事体育锻炼还可以放松身心，在体育锻炼的过程中，通过人体内激素分泌可以使人们在锻炼后产生愉悦的心理。尤其是面对当今大城市生活节奏快、生活压力大，养成健康的运动习惯和生活方式，有利于缓解人们精神压力，释放消极情绪，稳定心理平衡，从而减轻社会矛盾，促进社会的和谐发展。

2. 可以促进社区文化建设

文化作为一种隐含合约，可以在法律法规之外发挥精神价值凝聚的作用，以实现善治的目标。而体育运动也是一种文化，更是社会主义精神文明建设的一项重要内容。体育运动除了能赋予一个人健康的体魄外，还能提升人的心理素质，在一定程度上实现个人的自我价值。在参加社区体育活动时，人们在享受体育所带来的快乐的同时，体育活动中所倡导的合作、进取、健康、向上的精神，可以促进社区精神文明建设。实践证明，社区体育活动开展得活跃的社区，出现黄、赌、毒等社会不良现象就少。由此可见，社区体育生活化是促进和谐社区建设的有效途径。

3. 可以促进社区居民之间的和谐相处

参加社区体育活动，可以增加居民之间的交流，改善人际关系，促进居民之间建立融洽和睦的关系。在体育运动中既有公平竞争又有分工合作。社区体育运动以增强居民身体素质为出发点，为居民营造公平、公正的环境，社区居民更是以“友谊第一，比赛第二”的心态参加体育锻炼活动，营造比较轻松的社区体育活动氛围，社区体育活动更是人们作为一种强身健体、陶冶情操的自我运动方式。同时，在一些需要合作的体育活动中，还可以增进居民彼此之间的信任，强化认同感和归属感，有助于缓解居民之间的矛盾，拉近人们之间的关系。因此，发展社区体育生活化有助于促进居民之间的交流、沟通、合作，并且还能改善居民的亲子关系、邻里关系、同事同学关系、亲疏关系等，从而使人与人之间更加和谐。

此外，我国社会老龄化趋势越来越严重，参加社区体育活动也成为老年人排解孤独感、愉悦身心的有效方式，更是成为他们的精神寄托。

（二）社区体育发展面临的困难

北京市体育生活化社区建设的过程中，在取得了可喜的建设成果、积累了丰富经验的同时，不同社区体育生活化建设总会遇到种种困难，其中最为突出的困难是缺乏经费、配套设施不足、缺乏专业运动指导等。

1. 缺乏经费

我国自实施体育生活化社区建设以来，政府加大了对社区体育的投入，但是还是不能满足实际需求。社区体育发展的经费主要来源于政府，渠道比较单一，社会支持力量不足，居民的体育消费投入也不多。而在社区体育活动的开展、活动场地和平台的建设、对体育器材设施的添置和维修等方面，都需要大量的经费投入，因此，经费的缺乏成为制约体育生活化社区建设的主要因素。

2. 配套设施少，难以满足体育锻炼的需求

体育活动设施是居民开展体育活动的基础，进行体育锻炼的必备条件。

然而实际上社区体育基础设施并不能满足人们日益增长的运动需求。大多数体育场馆都不对外开放，仅供内部人员使用，而少数企事业单位的体育场馆即使对外开放，也是以营利为目的，可以供居民使用的场地和设施少之又少。同时，一些社区的健身器材有人用，没人维护保养，导致存在安全问题，并且会缩减这些健身器材的使用寿命。体育场地和体育设施的缺乏限制了社区体育向更深层次、更广范围的发展。

3. 缺少体育专业指导

专业人才是促进某一领域发展质量的重要因素，同样，社区体育生活化发展也需要专业的体育指导员作为支撑，来指导社区居民开展体育活动。随着生活质量的提高，城市社区居民对体育生活的需求增多，并且需求越来越多样化。但是居民的文化程度参差不齐，又不是专业的体育运动员，居民的体育文化知识和科学锻炼身体的技能较为贫乏。社会体育指导员作用发挥得好坏，直接影响体育生活化发展的质量。目前，城市社区指导力量匮乏，制约了社区体育生活化发展。

4. 居民参与社区体育比赛和体育活动较少

体育比赛不仅能让居民体验体育的乐趣，还能起到示范作用，吸引人们参与体育锻炼。因此，体育比赛是社区体育生活化的重要组成部分，是提高群众体育水平和推进社区体育生活化的重要手段。然而居民参与体育比赛的积极性并不高。一些居民认为平时工作太忙，没有时间和精力去进行体育锻炼，还有一些人因身体状况不佳、缺少毅力、缺乏有关知识和指导以及没有锻炼场地和设施等原因不经常参加体育锻炼。这些平时就缺乏体育锻炼的人更不会去参加体育比赛。因此，居民缺少参加体育锻炼的积极性同样制约着社区体育生活化的发展。

二 大栅栏街道建设体育生活化社区的主要措施

大栅栏地区的百顺社区几年来坚持“筑巢引凤、人才战略”的机制和方向，发展多个群众体育健身组织，坚持精品与大众相结合，从广泛的群众体育队伍中发现人才、用好人才。先后成立了太极拳队、健身秧歌队、乒乓球队，还有一支由残疾人组织的乒乓球队、健身柔力球队、健身操队和棋类队。

百顺社区以提高全民体育素质为目标，搭建社区文化体育活动平台，打造全方位的群众健身活动，社区各健身队伍实现自我管理的良性运行，为社区的和谐稳定打下了坚实的基础。使社区居民在体育活动中形成“自我参与、自我约束、自我完善、自我发展”的局面，增强了社区的凝聚力、亲和力。

（一）健全并发挥组织优势，完善保障机制

1. 完善组织运行方面

在街道层面，街道工委、办事处对社区的群众性体育活动十分重视，指导社区成立了“社区体育工作委员会”和“社区全民健身协会”，并把此项工作列到社区两委班子全年工作中去，做到有计划、有职责，有制度。在社区层面，社区成立了社区文体委，专门负责指导和管理社区文体活动的开展工作，其下设社区体育分会，即各类型体育活动队，具体负责专项体育活动的组织和实施；社区还发挥党建的组织和资源优势，推动辖区内共驻共建、资源共享开展体育活动，如与地区武警七支队结成共建单位，每年假期地区的学生可以到武警七支队进行军训学习体验。

2. 人才保障方面

百顺社区在创建体育生活化社区活动中，依托社区人力资源、社区单位资源，发挥社区体育分会作用，不断吸引喜欢体育活动的居民参与到社区体育活动中来。同时，百顺社区充分挖掘社区人才，给社区人才提供广阔的空间，确保其施展才干。社区体育分会各队队员实行登记制度，便于每个队伍的管理，社区文体委每月召开会议，了解各队的活动情况，适时给予帮助和支持。

3. 经费保障方面

创建体育生活化社区活动，经费的保障必不可少。社区采取“费随事

转”的保障机制，经费使用与活动的效果挂钩，保证社区体育活动的开展。为使社区体育活动分会管理制度化、规范化，社区建立了社区活动记录制度，以此作为总结工作成果的依据。社区建立奖励制度，年底总结一年的活动情况，对表现良好的社区体育活动分会给予适当的奖励。

（二）通过多方位宣传，培养人们体育运动健康意识

随着社会经济的发展，人们的生活节奏、特别是城市居民的生活节奏明显加快，生活不规律，健康状况下降，心血管病、高血压、肥胖症的年轻化，已成为当代人们不可忽视的问题。增加体育锻炼可以改善居民的身体状况，塑造健康的体魄。随着社会发展，生活水平的提高，人们对健康高度重视，对体育锻炼知识的需求也变得日益迫切。大栅栏街道是连续20年获得普法工作的先进街道，有着浓厚的法律宣传氛围。百顺社区在这个大的环境下，利用市民学校这个学习、宣传阵地，开设了全民健身大课堂。请来大栅栏司法所的法律工作者为广大群众讲解、宣传《体育法》；还请来大栅栏保健科的医生为居民讲解如何健康饮食。百顺社区还利用宣传栏、板报、横幅等多种形式大力宣传全民健身的重要性和意义。百顺社区通过开展的多项体育活动，评选出自愿参加体育活动、热爱体育健身的居民，聘请他们为社区体育小教员、体育知识宣传员和体育健身小伙伴，大家互相沟通，互相学习，利用各种宣传机会，走进四合院，走进家庭，把自己的知识和经验传授给大家。

百顺社区还利用体育特色家庭，进行典型事迹的推广和宣传。例如：荣获北京市百名健康老人的符海潮，已年过七旬，自退休后做了单肾切除的手术，还患有糖尿病，但是，自参加体育锻炼以来，老人目前身体健康、心态平和，吹拉弹唱、书法样样在行，老人尤其擅长健身球，每天在陶然亭公园托10个健身球绕湖一周，成为公园的一景。电视台、报纸多次对他的事迹做过报道。老人把自己的健身经验向大家推广，使健身球这项运动在居民中普及开来。又如：抗癌明星张明珠，她不但是社区评剧队的主力，还积极参加社区秧歌队，成为社区秧歌队的主角。通过这些典型的事例和人物在百顺

社区居民中的传播，展现了体育运动的魅力和强健体魄的作用，从而鼓励和带动更多的居民养成经常性、自觉性体育运动的健康生活习惯。

（三）“社区搭台居民唱戏”，实现居民自我发展与自我服务的良性循环

在体育生活化社区的建设过程中，社区注重发挥居民的自主性，并在场地和资金方面给予支持，为居民提供广阔的发展空间，鼓励居民发挥专长和爱好，组织各类体育队伍并开展活动，令社区居民感受健身快乐的同时，实现资源共享和体育文化的传播。目前，百顺社区有太极拳队、健身秧歌队、乒乓球队、健身柔力球队、健身操队、棋类队，以及一支由残疾人组织的乒乓球队。以这支乒乓球队为例，其组织者是一位名叫周书坡的患小儿麻痹，只能拄双拐、坐轮椅的残疾人，他自学英语并积极教授社区居民的同时，还积极锻炼身体，多次在街道残疾人运动会乒乓球项目上取得好成绩，为此，在社区财力支持下，由他负责成立了一支残疾人乒乓球队。

（四）打造全方位、多层次的系列活动，引导更为广泛的居民群众参与其中

社区文体委根据不同年龄结构、不同身体状态的居民需求，注重动静结合、大小结合、精品与大众集合，以及考虑季节适应、趣味性、竞技性等因素，不同运动强度的活动相互穿插，开展具有简易性、普及性和实效性的群众体育活动，通过多种形式的体育活动满足不同类型人群的需求，街道和社区工作人员带头参与其中，力求吸引更为广泛的居民群众参与其中。如每年举办的春季登山活动、捆绑跑、跳绳、乒乓球比赛及象棋比赛等。通过开展多种形式、类型的活动，不论男女老少都可以参与其中，不断增强社区居民参与热情，居民参与体育锻炼在社区蔚然成风。

开展社区间的竞技运动，在比赛中增强居民的社区荣誉感，从而提升社区的归属感和凝聚力。百顺社区把群众性体育活动拓展到社区以外，与共建单位西城区月坛街道汽南社区开展象棋对抗赛，在运动中交流经验，不断增

强社区居民之间的了解，增进友谊，团结友爱，互信互助，为和谐社区工作的开展创造更好的条件。

三　大栅栏街道建设体育生活化社区取得的成效

百顺社区争创体育生活化社区，既满足了社区居民多样性、多元化的生活需求，促进了社区群众的身心健康，又营造了浓厚的体育文化氛围，促使人们养成文明、健康的生活方式，并帮助社区居民加强情感沟通、调节人际关系，保持了社区稳定，实现了人与自然、人与社会、人的精神与体魄和谐发展。

（一）推动居民形成健康的生活方式

大栅栏街道开设了全民健身大课堂，宣传健身知识，并为居民讲解如何健康饮食，同时还讲解、宣传《体育法》，让社区居民们掌握体育文化知识、健康知识等运动基本常识，提高了居民预防疾病的意识和能力，并让社区居民逐步掌握科学的健身方法，合理安排体育活动，帮助居民逐步养成体育运动习惯，培养了一批具有运动爱好与专长的代表性居民。为社区居民营造了浓厚的体育文化环境，培养了健康的生活方式，促进群众全面素质协调发展。

（二）提高居民的健身意识和身体素质

体育生活化就是要将体育作为人们生活的一种要素，既和衣、食、住、行并驾齐驱，这不仅表现为人们经常性的参与体育活动和全民健身运动，还要让人们体验到体育运动的乐趣。通过开展丰富多彩的社区体育活动和体育比赛，可以使居民身心愉悦，从而使人们对体育运动有一个正确的认识，树立正确的全民健身价值观念，自觉、自愿地参与体育活动和健身运动，进而把体育作为一种日常生活习惯，使其成为现代社会人们生活中的又一个重要生活要素，推动了体育生活化社区的建设和发展，提升了居民健康水平和整体素质。

（三）调节社区成员间的人际关系，推动和谐社会建设

体育活动能调节、强化人际关系，人们在参与体育活动的过程中，通过团队合作及运动精神的培育，促进人们平等交往、团结合作，能促进人际交往健康心理的形成和发展。大栅栏街道开展多种形式的体育活动和比赛，缩短了社区居民之间的距离，使原本不相识的人，通过一次次的体育活动，建立沟通和交流，使彼此建立联系。让喜欢交朋友的居民可以通过体育活动结识新的朋友，在精神上获得满足；让性格内向的居民在参加体育活动的过程中，消除孤独感，形成与人交往的良好意识和习惯。大栅栏街道通过建设体育生活化社区促进良好人际关系的发展，使社区居民之间建立了融洽的关系，促进了社会和谐稳定发展。

四　大栅栏街道建设体育生活化社区的经验启示

（一）政府引导普及体育健身是社会体育发展坚持正确方向的保证

街道要全面提高居民对体育锻炼重要作用和特殊功能的认识，推进体育生活化发展。使社区体育工作融入居民的生活当中，培养居民养成健康的生活习惯，成为普及群众体育的工作重点。多渠道地开展社区体育宣传活动，在充分利用大众传播媒介传播的基础上，重视发挥社区内居民通过体育运动获得健康生活的事例的引领作用和示范作用，用最贴近居民生活的鲜活形象和经验去教化人。引导居民树立科学健身的理念，形成全社会有利于社区体育发展和支持社区体育的良好氛围，积极开展健身活动，倡导人人参与健身，激励和吸引更多的城市居民参加体育活动。

（二）加大对体育配套设施及管理的协调与投入是政府职责所在

街道要高度重视社区体育设施的规划和建设，大力开展群众性体育活动，不断提高人民群众的健康素质。要加大对社区体育场地和体育设施建设

以及资金支持力度。培养和鼓励居民组建体育活动组织，政府要提供必要的政策和资金作为支持，发挥居民中拥有专长的那部分群体的优势，将自己的运动专长或管理专长运用在社区体育事业的发展中，满足居民个人发展的需要，更满足广大群众强身健体的需要，实现社区居民自我服务与自我管理。与此同时，整合辖区内相关资源，开发和利用学校、企事业的体育资源，实现资源共享。

（三）体育生活化社区建设的关键是规范管理体系

体育生活化社区建设要逐步完善社区体育管理体系机制，让社区体育能够规范化发展。充分发挥居委会在体育生活化社区建设的主导作用，设立专门的体育管理组织，配备体育管理干部，使组织结构和服务能力更加规范化。充分挖掘社区体育人才，建立一支具有完备的体育知识和综合素质、热爱体育工作的社区体育指导员队伍，为社区居民提供服务，指导社区居民以正确的方式进行体育锻炼。同时，还要建立相应的社区体育经费保障制度、社区体育活动管理制度等，确保社区体育的规范化发展。

参考文献

大栅栏街道：《全民健身活动引领体育生活化社区的建设——大栅栏街道 2013 年体育生活化社区工作情况汇报》，2008。

谢芳：《北京市西城区社区体育活动现状》，北京体育大学硕士学位论文，2010。

尹磊：《北京市体育生活化社区的发展和完善——基于新公共服务理论的视角》，首都体育学院硕士学位论文，2013。

李强：《体育生活化的意义与价值》，《市场周刊（理论研究）》2013 年第 10 期。

黄美蓉：《“体育生活化”研究论题的审视》，《体育与科学》2014 年第 1 期。

李振峰：《论和谐社会视域下体育生活化的发展》，《山东体育科技》2009 年第 4 期。

法律声明

权威报告・热点资讯・特色资源

皮书数据库

ANNUAL REPORT(YEARBOOK) DATABASE

当代中国与世界发展高端智库平台

WWW.PISHU.COM.CN

皮书俱乐部会员服务指南

1. 谁能成为皮书俱乐部成员？

- 皮书作者自动成为俱乐部会员
- 购买了皮书产品（纸质书/电子书）的个人用户

2. 会员可以享受的增值服务

- 免费获赠皮书数据库100元充值卡
- 加入皮书俱乐部，免费获赠该纸质图书的电子书
- 免费定期获赠皮书电子期刊
- 优先参与各类皮书学术活动
- 优先享受皮书产品的最新优惠

3. 如何享受增值服务？

（1）免费获赠100元皮书数据库体验卡

第1步 刮开附赠充值的涂层（右下）；

第2步 登录皮书数据库网站（www.pishu.com.cn），注册账号；

第3步 登录并进入“会员中心”—“在线充值”—“充值卡充值”，充值成功后即可使用。

（2）加入皮书俱乐部，凭数据库体验卡获赠该书的电子书

第1步 登录社会科学文献出版社官网（www.ssap.com.cn），注册账号；

第2步 登录并进入“会员中心”—“皮书俱乐部”，提交加入皮书俱乐部申请；

第3步 审核通过后，再次进入皮书俱乐部，填写页面所需图书、体验卡信息即可自动兑换相应电子书。

4. 声明

解释权归社会科学文献出版社所有

皮书俱乐部会员可享受社会科学文献出版社其他相关免费增值服务，有任何疑问，均可与我们联系。

图书销售热线：010-59367070/7028
图书服务QQ：800045692
图书服务邮箱：duzhe@ssap.cn

数据库服务热线：400-008-6695
数据库服务QQ：2475522410
数据库服务邮箱：database@ssap.cn

欢迎登录社会科学文献出版社官网（www.ssap.com.cn）和中国皮书网（www.pishu.cn）了解更多信息

社会科学文献出版社 SOCIAL SCIENCES ACADEMIC PRESS (CHINA) 皮书系列

卡号：053177889593

密码：

S 子库介绍
Sub-Database Introduction

中国经济发展数据库

涵盖宏观经济、农业经济、工业经济、产业经济、财政金融、交通旅游、商业贸易、劳动经济、企业经济、房地产经济、城市经济、区域经济等领域，为用户实时了解经济运行态势、把握经济发展规律、洞察经济形势、做出经济决策提供参考和依据。

中国社会发展数据库

全面整合国内外有关中国社会发展的统计数据、深度分析报告、专家解读和热点资讯构建而成的专业学术数据库。涉及宗教、社会、人口、政治、外交、法律、文化、教育、体育、文学艺术、医药卫生、资源环境等多个领域。

中国行业发展数据库

以中国国民经济行业分类为依据，跟踪分析国民经济各行业市场运行状况和政策导向，提供行业发展最前沿的资讯，为用户投资、从业及各种经济决策提供理论基础和实践指导。内容涵盖农业，能源与矿产业，交通运输业，制造业，金融业，房地产业，租赁和商务服务业，科学研究，环境和公共设施管理，居民服务业，教育，卫生和社会保障，文化、体育和娱乐业等 100 余个行业。

中国区域发展数据库

以特定区域内的经济、社会、文化、法治、资源环境等领域的现状与发展情况进行分析和预测。涵盖中部、西部、东北、西北等地区，长三角、珠三角、黄三角、京津冀、环渤海、合肥经济圈、长株潭城市群、关中—天水经济区、海峡经济区等区域经济体和城市圈，北京、上海、浙江、河南、陕西等 34 个省份及中国台湾地区。

中国文化传媒数据库

包括文化事业、文化产业、宗教、群众文化、图书馆事业、博物馆事业、档案事业、语言文字、文学、历史地理、新闻传播、广播电视、出版事业、艺术、电影、娱乐等多个子库。

世界经济与国际政治数据库

以皮书系列中涉及世界经济与国际政治的研究成果为基础，全面整合国内外有关世界经济与国际政治的统计数据、深度分析报告、专家解读和热点资讯构建而成的专业学术数据库。包括世界经济、世界政治、世界文化、国际社会、国际关系、国际组织、区域发展、国别发展等多个子库。